LA NOVELÍSTICA DE JUAN GOYTISOLO

Jesús Lázaro

La novelística de Juan Goytisolo

Primera edición, 1984

© EDITORIAL ALHAMBRA, S. A.
R. E. 182
Madrid-1. Claudio Coello, 76

Delegaciones:

Barcelona-8. Enrique Granados, 61
Bilbao-14. Doctor Albiñana, 12
Granada. Pza. de las Descalzas, 2
La Coruña-5. Pasadizo de Pernas, 13
Madrid-2. Saturnino Calleja, 1
Oviedo-6. Avda. del Cristo, 9
Santa Cruz de Tenerife. General Porlier, 14
Sevilla-12. Reina Mercedes, 35
Valencia-3. Cabillers, 5
Zaragoza-5. Concepción Arenal, 25

México

Editorial Alhambra Mexicana, S. A.
Avda. División del Norte, 2412
03340 México, D. F.

n c 13010200

ISBN 84-205-1024-6

Depósito legal: M. 18715 -1984

Cubierta: Antonio Tello
Composición: A. G. Fernández, S. A.
Impresión: Lavel, S. A.
Papel: Alborán (Pamesa)
Encuadernación: Gómez-Pinto, S. A.

Impreso en España - Printed in Spain

Lavel - Los Llanos, nave 6 - Humanes (Madrid)

ÍNDICE

A Luisa.

PRIMERA PARTE

ITINERARIO INTELECTUAL Y LITERARIO DE JUAN GOYTISOLO

Pocos escritores han comentado tanto la evolución de su propia obra como Juan Goytisolo [1]. Ensayos, artículos periodísticos, entrevistas jalonan el camino desde sus novelas ini-

---

[1] Juan Goytisolo nace en Barcelona el 5 de enero de 1931, en el seno de una familia burguesa liberal ilustrada, con un acaudalado antepasado, dueño de una explotación azucarera en Cuba. Durante la guerra, en 1938, muere su madre en un bombardeo.

Comienza a escribir novelas en 1945. En 1948 entra en la Universidad, donde descubre y devora la literatura contemporánea: franceses, norteamericanos e italianos, principalmente. Gana el premio Joven Literatura de Janés en 1952 con una novela que permanece inédita. Abandona la Universidad, se decide a escribir de una forma sistemática y publica *Juegos de manos*.

Goytisolo inicia sus contactos con los autores jóvenes y forman una tertulia literario-política en el «Bar Club» de Barcelona donde participan, entre otros, Mario Lacruz, José María Castellet, Ana María Matute, su hermano Luis. Traba contacto con los madrileños Rafael Sánchez Ferlosio y Carmen Martín Gaite. Viaja a París, donde conoce a Monique Lange y a Genet. Edita *Duelo en El Paraíso* (1955).

En 1957 comienza a traducirse su obra al francés, y es contratado como asesor literario de Gallimard, con lo que comienza a introducir la nueva literatura realista española en Francia. Alterna viajes por España con lecturas marxistas y la publicación de su trilogía «El mañana efímero»: *Fiestas, El Circo* y *La resaca* (1958), y *La isla* (1961). Producto de sus viajes es *Campos de Níjar* (1960) y *La Chanca* (1962). Estos viajes se amplían a Cuba (1961), Argelia (1963), la URSS (1965). Tras su visita a Cuba y el final de la guerra franco-argelina, comienza a replantearse toda su visión literaria y la necesidad de una serie de cambios en profundidad.

Fruto de una larga reflexión estética y personal, publica *Señas de identidad* en 1966, y al año siguiente una recopilación de sus posturas teóricas sobre la literatura y la sociedad en *El furgón de cola*. Denigrado por la derecha por sus críticas al régimen y por la izquierda por su búsqueda y defensa de la libertad personal e intelectual, Juan Goytisolo ensaya nuevos caminos y se desplaza por los países árabes mientras prepara su ataque no-

ciales, acompañado todo de una frecuente polémica. Sus primeros artículos y cuentos, así como la primera entrevista (realizada por N. Luján en enero de 1954, a raíz del tercer puesto en el Premio Nadal alcanzado por *Juegos de manos)* se encuentran en la revista barcelonesa *Destino.*

Desde este momento su labor crítica y la exposición de sus ideas sobre el mundo en el que vive y la literatura que realiza será ininterrumpida en diarios y revistas de todo el mundo. A través de estos artículos puede rastrearse la evolución de sus ideas y pensamiento, y, paralelamente, la influencia de éstos sobre su creación literaria, que posibilita constatar las dificultades de pasar de una idea a su expresión literaria. Es apasionante y fundamental para el estudio de las novelas de este escritor el considerar las dificultades y afanes para llegar a realizar una obra narrativa a partir de unas teorías. La práctica totalidad de estos artículos fueron recopilados en libros, cada uno de los cuales resume una etapa intelectual.

Un aspecto fundamental en toda persona es su proceso de formación. Sobre ésta, las explicaciones de Goytisolo son directas. Lo primero es su frustación personal ante la cárcel que fue su país, la dificultad de encontrar nuevos caminos:

> A los treinta y pico años de edad los hombres de mi generación nos encontramos en la situación anormal de envejecer sin haber conocido la juventud ni responsabilidades [2].
>
> Tal vez la característica distinta de la época que nos ha tocado vivir haya sido ésta: la imposibilidad de rea-

---

velístico más profundo: *Reivindicación del conde don Julián* (1970), segunda parte de la trilogía que culminará en 1975 con *Juan sin Tierra.* Posteriormente publica *Makbara* (1980) y *Paisajes después de la batalla* (1982), novelas que suponen un cambio de rumbo y la investigación de nuevas formas compositivas.

Su labor novelística se simultanea con cursos y conferencias y artículos sobre literatura en Europa y Estados Unidos, recogidos en su mayoría en libros de ensayo: *Problemas de la novela* (Barcelona, Seix Barral, 1959), *El furgón de cola* (París, Ruedo Ibérico, 1967), *Disidencias* (Barcelona, Seix Barral, 1977), *Libertad, libertad, libertad* (Barcelona, Anagrama, 1978), *España y los españoles* (Lucerna, Verlag Bucher, 1969; ed. española, Barcelona, Lumen, 1979), *El problema del Sahara* (Barcelona, Anagrama, 1979), *Crónicas sarracinas* (Barcelona, Ruedo Ibérico, 1982).

[2] *El furgón de cola,* ed. cit., p. 5 (en adelante, *Furgón).*

> lizarnos en la vida libre y adulta de los hechos, de intervenir de algún modo en los destinos de la sociedad fuera del canal trazado por él [Franco] de una vez para siempre [3].

Esta idea va a ser directriz de su producción y uno de los motivos más reiterados en sus novelas. Me atrevería a afirmar que basa su obra en la conjura de estos fantasmas que le acosan sin tregua ni descanso. Su escritura será el medio empleado para exorcizar el constante miedo que, de otra forma, le hubiese destruido. Para ello crea y toma como base el «realismo socialista» soviético, donde la literatura trata de ser denuncia de las condiciones de vida de los menos favorecidos y un ataque a la opresión institucionalizada.

Tenemos, pues, una estrecha vinculación entre vida y literatura, pero no en un realismo chato, sino en un claro estudio de lo que es la vida, su nueva complejidad, que hace inútil todo intento de aprehenderla por medios tradicionales. Goytisolo busca, analiza y transforma en obra de arte lo que sufre y vive. Con una visión aguda, sitúa el compromiso del escritor «en un triple plano: social, personal y técnico» [4], término este último que supone una superación de su primera etapa, donde la responsabilidad del escritor estaba limitada a lo social y personal, y la técnica era subsidiaria del tema: «Le exige comprometerse con su sociedad y con su tiempo» [5]. Tal sometimiento de la forma implica un predominio de las características éticas de la denominada Generación del Medio Siglo [6]. Busca la objetividad mediante el rechazo de las pa-

---

[3] *Libertad, libertad, libertad,* ed. cit., p. 13 (en adelante, *Libertad).*

[4] *Furgón,* p. 36, n. 3.

[5] Castellet, J. M.ª, *La hora del lector,* Barcelona, Seix Barral, 1957, p. 101.

[6] Hipólito Esteban Soler nos da otro nombre para esta generación, según cita de A. M.ª Matute, «Generación de los niños asombrados» («Narradores españoles del medio siglo», en *Miscellanea di studi ispanici,* Pisa, Universidad, 1971-1973, p. 310. Incluye a los denominados «metafísicos» [Bosch, Prieto, García-Viñó] por sus fechas de nacimiento). Según Corrales, estos autores surgen «entre 1951 y 1952, y su cima entre 1958 y 1961». Corrales Egea, *La novela española actual,* Madrid, Cuadernos para el

siones de la guerra y el análisis de la situación en que viven los menos favorecidos. El novelista mira el acontecer exterior y testimonia una situación, se compromete críticamente ante ella. La trascendencia de los temas, ya que todo, por mínimo que sea, es significativo de una situación personal o social, y la eliminación de los mundos elitistas y psicológicos de la novela condicionan esta primera etapa.

Llevar adelante tales supuestos éticos requería una nueva técnica, por lo que se introducen nuevos procedimientos estéticos. Por una parte, se busca un objetivismo que toma como base la desafortunada imagen del novelista-cámara o novela-película, procedente del influjo cinematográfico del neorrealismo italiano [7]. Por otra, la construcción se somete a los imperativos de denunciar los condicionamientos que sufren los desheredados, dando cauce a personajes antiheroicos (vacuidad de la clase alta, frustración de la clase media, miseria en los estratos más bajos) que constituyen un personaje colectivo. Como individualidades hay una serie de personajes-

---

Diálogo, 1971, p. 65. Otras denominaciones de este grupo de escritores y un análisis de sus características se encuentra en Santos Sanz Villanueva, *Historia de la novela social española,* Madrid, Alhambra, 1980.

[7] H. Esteban cita la importancia que, según J. A. Bardem, tuvo la Semana de Cine Italiano: «Y de golpe, conocimos a los cineastas italianos, a Zavattini, a Lattuada, el neorrealismo, en fin, una verdadera revelación». Recuerda también la traducción de *Totó el bueno,* de Zavattini, hecha por Sánchez Ferlosio (ob. cit., pp. 179-180). Respecto de Zavattini, recuérdese que fue el guionista de la famosa película *El ladrón de bicicletas,* dirigida por De Sica en 1948. Este estudioso recoge los rasgos éticos más destacados del neorrealismo: 1) Los temas deben ser extraídos de la vida real. 2) Será preferible usar protagonistas reales que profesionales. 3) El espacio será el escenario real. 4) Lenguaje no convencional. 5) Fotografía en blanco y negro. 6) El tiempo filmado será el de noventa minutos en 16 que muestra que no pasa nada (pp. 284-285). Corrales Egea los resume en «una novela abierta a la vida diaria, sensible al acontecer exterior [...]; novela antievasionista. [...] En consecuencia, resulta una novela, una literatura preocupada» (ob. cit., p. 59). Y Gil Casado señala tres fallos: «extreman el testimonio [...] convirtiendo la obra en tribuna», que «los oprimidos resulten de una bondad infinita y los opresores de una ilimitada maldad» y que «no logran que trascienda la veracidad» *(La novela social española,* Barcelona, ed. Seix Barral, 1968, p. XXIX).

clase, sin personalidad propia [8], representantes de un grupo social, estereotipados y sin desarrollo personal. Como conjunto de individualidades, como grupo, los personajes son un colectivo que actúa a remolque o enfrentado al resto de la sociedad [9].

El problema mayor para los escritores de esta generación fue el someterse a unos postulados ético-teóricos que pedían se reflejase un mundo de forma sencilla y lineal, sin dificultades, con un lenguaje demasiado estrecho. Se crea un arte al servicio de una causa política, sustitutivo de la información ocultada o tergiversada, próximo al behaviorismo en teoría [10],

---

[8] H. Esteban constata «una constante atención a los factores sociales y económicos», y acusa a los personajes de esquematismo: «Cada clase es poseedora, en estas novelas, de unas asignadas cualidades en función del papel que desempeñan en la lucha social» (ob. cit., pp. 330 y 331). Gil Casado plantea así el problema del personaje-clase: «los personajes así concebidos suelen poseer una cierta pobreza de carácter, pues los rasgos representativos de la clase a la cual pertenecen suelen darse, por definición, sin apenas matices, tendiendo a mostrar el personaje únicamente de ese lado simbólico» (ob. cit., p. XV).

[9] Para Gil Casado «una novela es social únicamente cuando trata de mostrar el anquilosamiento de la sociedad, o la injusticia y desigualdad que existe en su seno, con el propósito de criticarlas», [es decir], «ha de tener carácter colectivo» (ob. cit., página VIII). El testimonio consiste en que «la esencia y naturaleza de los problemas con que se enfrentan, su pasado se ajustan a una realidad y son, o han sido, ciertos» (*ídem*, p. XII). La desigualdad, referencia a un grupo, testimonio crítico veraz y personaje colectivo son las características básicas de esta novela social (*ídem*, p. XVI).

[10] S. Sanz Villanueva centra el behaviorismo u «objetivismo extremado», según le define, en tres puntos: «1.º Objetividad del autor. Se limita a transcribir lo que ve o emplea una primera persona limitada. 2.º Dominio del diálogo. Como medio de conocimiento, el más apropiado es el diálogo de corte magnetofónico [...]. 3.º Condensación y presentualización del tiempo». (*Tendencias de la novela española actual (1950-1970)*, Madrid, Edicusa, 1972, p. 37). Según H. Esteban, «Los personajes, por su condición cultural, no están capacitados para expresarse en largas y elocuentes parrafadas; de otro lado, su soledad o su reflexión personal o solitaria les impide exteriorizarse: el monólogo interior, los pensamientos o el estilo indirecto libre serán la solución. En unas palabras: el objetivismo de cámara deja paso al subjetivismo e incluso a la identificación con los personajes» (ob. cit., página 305). Estéticamente, Gil Casado señala como rasgos propios

y el abandono del lenguaje, esencial en la obra literaria, supone el falseamiento de la novela. La inadecuación y sencillez formal distorsionan los temas, que resultan desvaídos y faltos de fuerza, hasta el punto de llegar a ser un verdadero lastre. Dar con sencillez un mundo cada vez más complejo, airear las lacras sociales sin que la censura interviniese, tratar de ser asequible en un país donde no se lee, era un verdadero jeroglífico para el autor. El formulismo era una tentación siempre presente y la abundancia de novelas mediocres y reiterativas que salieron de las prensas a lo largo de esta década de 1954-1964 demuestra que era posible la fórmula mágica obrero explotado-patrón explotador, pero no se aclaraba el fondo de la realidad y el escritor caía, como denuncia Juan Goytisolo, en una serie de contradicciones vitales [11].

De hecho, la publicación de *El Jarama*, de Sánchez Ferlosio [12], clausuraba, y no abría, toda una etapa. Esta novela era el broche de oro para la novela de corte social que se había iniciado en la década de los años veinte y al comienzo de los treinta. El error de esta generación consistió en confundir esa puerta que se cerraba con una que se abría. Esta equivocación era, por otro lado, lógica y la sociedad española no posibilitaba nuevas alternativas, salvo la del panegírico. La política del país conducía a la necesidad de una crítica, y el silencio oficial a la del testimonio. De aquí la especial atención que Juan Goytisolo, como los restantes autores de su generación, dedican al contenido. En realidad, eran temas ya envejecidos literariamente, pero eran, por desdicha, los únicos

---

que «las descripciones se hacen concisas», «el mismo diálogo se hace breve, fluido», «la economía de adjetivos», «limitar la narración a breves períodos de tiempo» (ob. cit., pp. XVI-XVII).

[11] En 1958, Castellet es aún optimista respecto a la validez de la novela social: «La generación del medio siglo se muestra [...] eficaz en la manifestación de sus inquietudes estéticas y sociales». «La novela española quince años después», en *Cuadernos del Congreso por la Libertad de la Cultura*, núm. 33, nov.-dic., 1958, p. 51.

[12] «El máximo objetivismo producía una sintaxis en la que predominaban el presente actual y el habitual. El ejemplo más claro es *El Jarama*. Goytisolo muchas veces tiene que recurrir al pasado para que el lector comprenda el presente», dice Fernando Morán, *Novela y semidesarrollo*, Madrid, Taurus, 1971, páginas 373-374.

que posibilitaba el anquilosamiento social[13]. La forma resultaba tradicional en sus líneas generales, e incluso, la aportación cinematográfica era ya clásica. Es lo que se ha denominado una estética de la identidad, moldes en los que el lector reconoce ya de antemano al «bueno» y al «malo», donde la novela va a rastras del público lector, orientándole en lo accesorio y obedeciendo a sus dictados en lo fundamental[14].

Aquí radica el motivo de esta escuela realista-social. Los contenidos, despreciadas las variantes y combinaciones formales, son reducibles a un esquema que, una vez aprendido, genera por inercia un cúmulo de obras donde sólo cambian los nombres de los personajes, pero no su función ni sus planteamientos. Y esto se aprecia en un escritor como Goytisolo, que es un investigador sobre la novela, es decir, una punta de lanza en este proceso novelístico[15]. En esta estética de la identidad se parte de un verdadero realismo filosófico, tomista: determinadas ideas existen a despecho de la realidad; el concepto patrón malo y obrero bueno son ideas

[13] Para Gil Casado, la novela social tiene como precedentes: 1) el realismo decimonónico, sobre todo Galdós y *La Regenta* en los temas; 2) el 98, sus innovaciones técnicas y dolor por el estancamiento hispano; 3) los novelistas españoles de 1930 en lo testimonial; 4) Cela por sus innovaciones técnicas y el tema de la degradación (sobre todo con *La colmena),* y por *Viaje a la Alcarria.* A esto podía añadirse Zunzunegui, Brecht, los neorrealistas y la *lost generation* (ob. cit., pp. 4-13). En definitiva, sus precedentes son toda la novela española. Esto sirve para mostrar la españolidad del realismo, cosa que ya había visto y propugnado Juan Goytisolo.

[14] Esteban Soler constata que «hay que destacar definitivamente la especial conciencia artística que los miembros del grupo mantuvieron desde un principio en la consideración de una superioridad de la obra como hecho artístico sobre la obra como hecho social» (ob. cit., p. 291).

[15] Es curioso notar cómo frente a unos claros planteamientos éticos, los escritores del Medio Siglo son mucho menos precisos en los estéticos. Esteban espiga unas citas interesantes a este respecto: «La eficacia social de la literatura se establece a partir de su eficacia artística» (Caballero Bonald). «Una estructura cálida y viviente, sin rigidez ni estilística arbitrariedad» (Sánchez Ferlosio, referido a *Los Bravos).* «En lo que respecta a la técnica, doy por supuesto que debe elegirse la que requiere cada tema» (Matute) (ob. cit., pp. 265-266).

«reales» comprobables en cada individuo social, una esencia previa de la que participan los seres humanos. Que esto no fuese así era impensable y, por supuesto, ni soñar escribirlo. El testimonio sociológico de una época se basa en un esquema de valores admitidos y perfectamente asimilables. El problema de estos contenidos estriba en que eran incluso deseables, pero la realidad no era exactamente así, con lo que el valor de la denuncia se desvirtuaba, la acumulación propagandística los neutralizaba y los escritores, cual nuevos románticos, eran colocados en el gueto de los idealistas resentidos. Como toda escuela, las fórmulas que la posibilitan sólo son posibles dentro de una escala de valores esencialmente admitida por la sociedad. Ningún escritor o creador revolucionario que cuestione todos los valores sociales crea una escuela, lo más que logrará será una serie de imitadores o plagiadores descarados, incapaces de crear sobre una nueva escala de valores que ni entienden ni han asimilado. Ésta era la trampa más profunda, que tenía su expresión teórica superficial en la expresión «la verdad es siempre revolucionaria, mostrarla es ser revolucionario». El problema radicaba en el término «verdad» aplicado mecánicamente a un complejo sistema de relaciones sociales entre individuos, donde en ocasiones se producía un espejismo. Porque se daba por sentado el mito del español, del pueblo luchador infatigable contra el régimen de Franco. Este mito, originado por la guerra civil, era radicalmente falso aplicado a la totalidad del pueblo español. Fuese por depuraciones, por miedo, por conformismo o porque el paternalismo hacia el obrero y el campesino le resultasen a éste más cómodo, o por todos estos motivos y otros más reunidos, la verdad era que la realidad no se correspondía con las ideas que los novelistas consideraban intocables. La verdad no residía en un tratamiento superficial, ni en una apariencia nunca confirmada, ni en unos estereotipos. La verdad no se ceñía a una falsa dialéctica, simplificada y mecanizada, estaba en la necesidad de todo intelectual de profundizar la realidad, sus contradicciones insoslayables. Un esquema puede asimilarse, y esto aconteció con la novela realista. Una contradicción es dolorosa y fuerza, si la literatura tiene este poder de obligar, a la sociedad a cambiar. En el fondo de este «fracaso» late la verdadera cuestión, porque la presencia del realismo social, el ataque a esta corriente es un proceso a la sociedad que la origina. Este tipo de novela no se hace en otros países europeos, y los creadores españoles no están peor dotados. Si el novelista se ve impulsado a tal tipo de creación, es por una serie de deficiencias sociales que fuerzan al testimonio.

El proceso novelístico de Juan Goytisolo es paradigmático en este sentido. Su evolución hasta *La resaca* es una búsqueda de un sistema que lleve a una novela con postulados sociales acordes con las teorías al uso. Tras esta novela, el escritor considera agotado el tema, reiterativo y falso. E inicia otro proceso de búsqueda, el de la realidad de la situación española, lo que supone otras técnicas consideradas primitivas, como la primera persona en la novela *(La isla)* o la objetividad del relato de viajes. En este campo destaca *La Chanca*[16]. Frente al subjetivismo analítico de la primera persona, el libro de viaje ofrece un complemento de realidad cinematográfica con precedentes notables, como la obra de Buñuel, *Tierra sin pan,* de 1933, sobre Las Hurdes. Es desvelar la realidad ocultada por el desarrollismo y el triunfalismo turístico. Pero la peculiaridad esencial de *La Chanca* radica en que no es un mero libro de viaje, sino una experiencia literaria incorporada a las novelas del autor. En principio, Juan Goytisolo anula en esta obra el pintoresquismo existente en su obra anterior, *Campos de Níjar.* El ambiente no es motivo de asombro, sino que se encuentra incorporado al hombre que soporta ese paisaje y penuria. El hombre se convierte en el centro de la obra, no es uno más de sus componentes y el ambiente se centra en Almería, con lo que contrasta más la oposición propaganda-realidad social y el conformismo de los habitantes del barrio frente a la idea del pueblo luchador. A partir de aquí pueden resaltarse tres innovaciones importantes que influirán sobre la evolución novelística de Juan Goytisolo[17].

En primer lugar, el abandono del falso objetivismo presente en *Campos de Níjar.* «El viajero» narrador de este li-

[16] Juan Goytisolo, *La Chanca,* París, Librería Española, 1962.

[17] Sobre *Campos de Níjar* véase el citado estudio de Gil Casado, pp. 228-238.

bro deja paso a la primera persona. El cambio de perspectiva posibilita un mayor acercamiento afectivo a la realidad y una más intensa comunión con los individuos, paso importante ya iniciado con *La isla* y que se continuará en su novela siguiente. Una segunda aportación es el descubrimiento, ya apuntado en *Campos de Níjar,* pero ahora reafirmado, de Almería como un territorio africano, algunas de cuyas expresiones, como «paisaje geológico», pasarán a *Señas de identidad,* constatando documentalmente el progresivo hundimiento económico de la provincia y resaltando el emporio que fue con los árabes frente a la miseria en la que se sumergió posteriormente. El aire árabe de sus habitantes le conducirá a Juan Goytisolo a un acercamiento al norte de África. Finalmente, la doliente carta que conserva la abuela de uno de sus nietos, emigrado y muerto en Francia. Esta carta reseña una saga de miseria y angustia, similar a la que la esclava escribe al abuelo de Álvaro Mendiola, verdadera almendra generadora de la trilogía de este personaje, clave en la ruptura con la civilización occidental.

Se trata de una búsqueda incansable de nuevas formas, cada vez más adecuadas, de acercamiento a la realidad, que va evolucionando hasta conducir a la segunda época de Juan Goytisolo. Si el predominio del formulismo y el cliché es el componente negativo esencial de las primeras obras, no es el único, aunque los restantes sean de menor entidad.

Entre obras decadentes, que no añaden nada a la estética imperante y cuyos contenidos participan de los mitos profundos de la sociedad, y modernas, la novelística de la generación del Medio Siglo en general y la de Juan Goytisolo en su etapa social-realista se encuadran dentro del primer grupo [18]. Goytisolo reconoce que su obra válida comienza

---

[18] Santos Sanz Villanueva da cuatro cambios técnicos fundamentales en la evolución de la novela española actual en relación con su alejamiento del realismo decimonónico: A) Antinovela, con reducción del argumento por: 1) Presentar héroes colectivos, lo que supone fragmentarismo. 2) Cuando el héroe «no es sino un pretexto para que a través de él pueda desarrollarse una historia pasada». 3) «Novelas recientes en las que no pasa nada». 4) «La inclusión de una novela, de un proyecto de novela, dentro de la misma novela». B) La desmitificación del héroe, que pasa a ser

en *Señas de identidad,* con su propio lenguaje y su creatividad[19]. Hay, pues, un claro reconocimiento de sus limitaciones.

Una de las debilidades propias de una obra no innovadora es la presencia de repeticiones y clichés, tanto en la forma como en el contenido. Se ciñe continuamente al retroceso como técnica básica para la estructura de la obra, a un estilo que parte de planteamientos muy simples y poco elaborados. Resulta así un nivel estético bajo en su intento de reflejar el habla popular, y con un enfoque de los personajes poco variado, que se limita a unos arquetipos y relega a los restantes a un esbozo sin entidad propia al servicio de una tesis: el fracaso debe achacarse a la sociedad. Ésta origina un desequilibrio en los contenidos de la obra entre los elementos subjetivos predominantes y los objetivos impuestos.

Así tenemos en Goytisolo la preferencia por las máscaras y las muecas, que se une con la preponderancia de lo macabro y grotesco. Sin duda que en las primeras novelas lo macabro tiene importancia fundamental, no sólo por la presencia de la muerte, sino también por la delectación con que tratan el tema los personajes y la reiteración con que lo muestra el narrador. Posteriormente, sin abandonar del todo esta necrofilia, se tiñe más de una capa grotesca donde la farsa como recurso social imprescindible no oculta totalmente la podredumbre subyacente.

La fragmentación de la realidad, la imposibilidad de comprender el mundo en que se desenvuelve lleva al personaje a juzgar la realidad sólo por los retazos que percibe y asimila. Su visión fragmentaria suministra datos incompletos, lo que le conduce a soluciones erróneas y a un callejón sin

---

problemático. C) El tiempo reducido, que limita al autor a operar con pocas horas y éstas no son lineales, sino con vuelta atrás. D) El punto de vista, negando la omnisciencia. Y añade, como adquisición estilística, el monólogo interior, y como logro visual, los cambios tipográficos (cf. *Tendencias...,* cit., caps. III y IV).

[19] «Lo que pasa es que estaban, evidentemente, mal desarrollados. La explicación: hay razones de todo tipo, desde biológicas, el hecho de que empecé a escribir muy joven, razones de deficiencias culturales obvias [...]». Cf. A. Tuñón, «Juan Goytisolo: una tierra propia», *Camp de l'arpa,* núms. 48-49, marzo, 1978, p. 76.

salida. Es la divergencia entre la sociedad y el individuo, producida por su incapacidad de comprensión global del entorno y de las fuerzas que actúan sobre él. La sociedad acaba siempre imponiéndose sobre este personaje solitario y atípico. El mundo le absorbe. El personaje no controla sus relaciones sociales ni soluciona sus contradicciones personales, inmerso en un marasmo de valores cuantitativos.

Sin embargo, esta literatura decadente, en el sentido de que no aporta novedades sustanciales, es, por lo mismo, una denuncia de las circunstancias que la hicieron aparecer. Responde a una época concreta, de limitación y dirigismo intelectual demasiado fuerte como para que no fuese acusado por los jóvenes novelistas, aunque no puede negarse la autolimitación que ellos se impusieron en sus objetivos. El tipo de novela social propugnado se basaba en una teoría formada de brochazos, se adoptó lo más llamativo y aparente y se olvidó, o se desconoció, el detalle.

Similar distorsión se produjo cara a la sociedad para la que escribía. Ningún compromiso, ni siquiera el estético, nace en el vacío. Su vinculación con el lector o el mundo es imprescindible. Juan Goytisolo ve al lector como un ser aislado, presionado por las estructuras que soporta. Si el escritor lucha contra esos sistemas por compromiso social, debe ayudar al lector con su visión crítica a desembarazarse de tal opresión, a liberarse de la alienación a la que está sometido. Autor, obra y lector forman un todo en la mente del novelista. Es la lucha por la utopía. Citando a Larra, demuestra la posibilidad de llevar a cabo la zapa de los valores establecidos. El ingenio y la capacidad del escritor permiten soslayar la censura: «La lucha que se establece entre el poder opresor y el oprimido ofrece a éste ocasiones sin fin de rehuir la ley, y eludirla ingeniosamente» [20]. Ya en momentos difíciles, como la década de los cincuenta, la censura se encuentra con el dilema de prohibir todo lo que se escribía o tolerar, con pequeños cortes, lo que se les presentaba. Se optó por la segunda solución como mal menor en un momento en el que era preciso aparentar una aper-

---

[20] *Furgón,* p. 14. Sobre el importante aspecto de la censura, véase el Apéndice de este libro, «Documentos».

tura cultural y de expresión ante el ingreso en la O.N.U., y los escritores aprovecharon la brecha abierta para lanzarse en bloque por ella. Ello colocó al escritor en una postura difícil. Su posición ante el país, el deseo de la llegada de una democratización al estilo occidental le empujó a luchar con su pluma, a convertir la obra literaria en campo de batalla social.

Goytisolo conoce la imposibilidad de dedicarse a la obra como literatura mientras que el público y su conciencia solicitaban otro tipo de compromiso.

Se plantea así el siempre difícil problema del desclasamiento desde un doble aspecto: el desclasado, el autor, no ofrece credibilidad a la clase a la que desea vincularse por ser desusado el deseo de descender en un mundo en el que lo que priva es el ascenso. La clase burguesa que abandona se convierte en cliente de su obra. Y la denuncia irá siendo asumida poco a poco hasta resultar inofensiva. En ese momento será necesario el cambio técnico y temático [21].

Se trata de una lucha contra los detentadores del poder, y el escritor forma parte de ellos. Busca combatir con una nueva información las noticias oficiales que se suministran: la novela como vehículo informativo de los conflictos y vacuna contra la propaganda, como concienciación. Uno de los motivos de aparición del realismo social fue la censura sobre la prensa. Cuatro eran los grados que podía aplicar la censura a los diarios: 1) El establecimiento de la censura obligatoria previa, que podía retirar los números inadecuados de los quioscos. 2) Ante las argucias legales, podían reducirse a una publicación los cupos de papel asignados, con lo que se limitaba la tirada con las consiguientes pérdidas. 3) La obligación de insertar discursos o datos dados por las personalidades del régimen. 4) Por último, los periodistas recalcitrantes tenían la posibilidad de enfrentarse a un Tribunal de honor.

El sistema de control de la información era total, y el

[21] El propio Goytisolo escribe: «Tránsfuga de la burguesía, su intento de aproximarse al pueblo se salda, por punto general, en un fracaso. [...] Unido al mundo burgués por sus costumbres y al pueblo por sus sentimientos no pertenece verdaderamente a uno ni a otro» (*El furgón de cola,* p. 178).

índice de libros prohibidos incluía todos las posibles fuentes en las que podían beber nuestros novelistas cara a una creación literaria renovadora: desde Sartre a Brecht, pasando, por ejemplo, por los estadounidenses Miller, Mc. Cullers y Wright. El conocimiento, tanto literario como de los acontecimientos que había en el país, era incompleto o tendencioso. Ante esta situación, el objetivismo y el entronque con la realidad se convirtió en una apremiante necesidad para los novelistas españoles. Y se constata la inutilidad del censor ante las argucias del autor español [22].

Las limitaciones actúan de revulsivo estilístico, pero también de condicionamiento a la hora de aproximarse o alejarse de los autores que podían haberle influenciado, a los que rechaza más por discrepancias ideológicas que por motivos estilísticos. Así, rechaza a los españoles inmediatamente precedentes y se acerca a los extranjeros.

La causa es la suma de dos características fundamentales de su etapa realista, aplicables a toda la generación de jóvenes escritores:

> *a)* en el terreno político-social la generación del medio siglo es, casi sin excepción, un grupo inconformista y a menudo rebelde, fuertemente influido por la ideología marxista;
> *b)* en el terreno religioso [...] la indiferencia y agnosticismo es en él la norma general [23].

Goytisolo se siente más próximo a quienes, aunque no pertenecientes al grupo ni como novelistas ni por su edad, están más cerca de él por su evolución personal y le acompañan en su deseo de transformar la sociedad mediante el empleo de la literatura de denuncia. Lo que sirve para rechazar a unos novelistas se emplea para vincular a los autores de otros géneros literarios a la generación del Medio Siglo: Celaya, Blas de Otero, Buero Vallejo. Niega, en cambio, la influencia de consagrados como Cela.

El tema de la novela de Cela está cercano a la denuncia.

---

[22] «Si algún mérito hay que reconocer a la censura es el de haber estimulado la búsqueda de las técnicas necesarias al escritor para burlarla e introducir de contrabando en su obra la ideología o temática prohibidas» (*El furgón de cola,* p. 32).

[23] *El furgón de cola,* p. 49.

Lo mismo acontece con el viaje. En ambos casos se abre la posibilidad de mostrar una realidad, pero su planteamiento es reducirla al pintoresquismo, al dato aislado. Los jóvenes autores lo considerarán carente de una cosmovisión y centrado en un esteticismo formal más que en la veracidad del tema, ya que lo caricaturiza y se recrea en la triste realidad, con lo que logra una truculencia cercana al sarcasmo, más próxima al idealismo, visión subjetiva, que a los deseos realistas de los nuevos escritores [24].

Por ello Goytisolo prefiere a los novelistas norteamericanos, que captan el mundo de miseria y analfabetismo, y a los italianos neorrealistas, que fueron sus discípulos en el momento ascendente del fascismo, por lo que su actividad y actitud es válida para el contexto español [25].

---

[24] En Cela, según F. Morán, «la capacidad crítica va desapareciendo [...]. Los personajes, por bien trazados que estén, nos ocultan muchas cosas» (ob. cit., pp. 324-325). «El *Pascual Duarte* era, a pesar de todo, hijo de su momento y refleja, bajo una luz diferente, un mismo clima de furor y violencia», dice Corrales Egea (ob. cit., p. 34). Este mismo crítico afirma de *Nada:* «Imposibilidad de considerarla como obra verdaderamente realista y objetiva [...]. Tampoco se trata de una novela preocupada o comprometida [...]. La forma de autobiografía escogida coincide con la del *Pascual Duarte* y responde a un propósito analítico, psicologista [...] Es un mundo marginal, compuesto exclusivamente de seres anormales [...]. Obra triste [...], *Nada* se emparenta con el *Pascual Duarte,* libro igualmente sombrío y pesimista» (ob. cit., pp. 41-43). De *La colmena,* Corrales ataca el negativismo y el escamoteo de personajes importantes en la época, «como el militar, el clérigo, el militante falangista» (ob. cit., pp. 51-52). La diferente concepción de la novela puede verse en estas palabras de Cela: «Tampoco al servicio de quienes se sienten aplastados por la historia debe ponerse su pluma el escritor» («Examen de conciencia de un escritor», en *Prosa novelesca actual. Segunda reunión. Agosto 1968,* Santander, U.I.M.P., p. 101).

[25] «Profundos conocedores ambos de la literatura americana —Pavese es autor de la versión italiana de *Moby Dick,* Vittorini de la de diversas obras de Faulkner y de Hemingway—, el contacto con ésta debió revelarles el secreto de los novelistas estadounidenses» *(Problemas de la novela,* p. 75). Y puntualiza Juan Goytisolo semejanzas y diferencias con sus contemporáneos españoles: «Para determinar la inclusión en uno u otro grupo de escritores cronológicamente próximos como Delibes (n. en 1920) y Carmen Laforet (1921), por un lado, y Aldecoa (1925), Ferres (1924), López Salinas (1925) y A. M. Matute (1926), por otro, hemos

Pero no se desvela una verdad impunemente. Juan Goytisolo vive en su carne el recelo y acoso del poder instituido, vive las negativas a hacer algo nuevo y distinto, el miedo a que se descubra la España atrasada que aún subsiste y su empleo como mano de obra barata. Un escritor que lo intente topará directa o indirectamente con la censura, sea oficial, editorial o personal. España no da de comer más que a aquellos escritores que se pliegan al servicio de unos intereses concretos y definidos, no generales, y que manipulan todos los resortes. De aquí la necesidad de independencia económica e intelectual que permita la libertad crítica.

La postura de Goytisolo, escritor crítico en proceso de investigación, le conduce al análisis de la historia que contempla y sufre. La primera inquietud que siente es la más inmediata, la de España. Todas sus primeras novelas intentan desvelar la situación que vive el país. Sus primeros pasos se reducen al ámbito del *hic et nunc*. Poco a poco va delimitando el campo y profundizándolo. La burguesía, a la que considera responsable de la situación de España, es la más duramente atacada, tanto por su actitud ante las clases sociales menos favorecidas, como por su búsqueda de los valores cuantitativos por encima de cualquier otro motivo, suprimiendo todo aquello que se oponga a esta acumulación despiadada, rechazando y acallando toda posible crítica hecha en aras de intereses más humanos. Depuración social que no es nueva en España. El descubrimiento de esta constante histórica, alejamiento sistemático del cuerpo social de aquellos que son conflictivos por los problemas que plantean o de quienes sirven de chivos expiatorios en momentos difíciles, hiere poco a poco al escritor: «La historia oficial de España, tal como se enseña aún en las escuelas, puede cifrarse en un arduo proceso ascético-depurativo, destinado a la supresión de los anticuerpos (hebreos, moriscos, luteranos, enciclopedistas, masones, etc.)» [26]. Esta situación es la que

---

tenido en cuenta la actitud de unos y otros respecto a los problemas que analizamos a continuación: tradicional y apolítica en los primeros, inconformistas (A. M. Matute y Aldecoa) y políticamente rebelde (Ferres y López Salinas) en los últimos» *(El furgón de cola,* p. 57, n. 2).

[26] Juan Goytisolo, «Presentación crítica», en Blanco White, *Obra Inglesa,* Barcelona, Seix Barral, 1974 [2], p. 6.

en un principio le detiene en la crítica de otros países más desarrollados socialmente, con los que ya no está muy de acuerdo, pero que siguen sirviendo de ejemplo por su mayor respeto a la libertad.

Incentivos para el autor, influencia sobre la sociedad, dan un resultado nulo. Las obras son recibidas por un micromedio intelectual y, suponiendo que todos las lean, el nivel e interés es muy diverso en cada individuo, ya que la obra no es lo mismo para el profesional de la crítica que para el lector normal. De aquí la necesidad de reiterar los puntos que el autor considera más importantes, incluso a costa de la calidad estética. Pese a esto, la difusión no puede considerarse satisfactoria. El sacrificio estético no es rentable ni sirve para aumentar el número de lectores [27].

Las situaciones que soportó Goytisolo son un producto social. Para el autor forman parte integrante del sistema. Toda cultura genera sus propios medios de defensa, incluso de forma independiente a la voluntad del individuo. Cuando éste percibe que su obra actúa más como ejemplo que como denuncia, que se parcializa e interpreta de forma equívoca, que su labor crítica se institucionaliza, perdiendo así la misión para la que nació, es necesaria la reflexión y el cambio para recuperar el camino crítico perdido. Ésta es la labor,

---

[27] En una encuesta planteada en enero de 1977 a la editorial Destino, sobre las novelas de Juan Goytisolo, se me dieron los siguientes datos de venta desde la publicación de la obra hasta 1977: *Juegos de manos*, 12.170; *Duelo en el Paraíso*, 18.680; *Fiestas*, 5.000; *El circo*, 8.000. A una media de 250 pesetas ejemplar, con un porcentaje para el autor del 10 al 15 por 100, supone una media de 18.000 pesetas anuales por *Juegos de manos*. Indica, también, unos 4.000 lectores anuales para *Duelo en el Paraíso* (cada ejemplar se supone tiene 3,5 lectores). Y según la editorial, sus lectores son de clase media acomodada, profesores y estudiantes.

Según dice Pere Gimferrer, «el valor testimonial de estas novelas es reflejo: nos alecciona acerca de la forma en que un escritor marxista creía, por entonces, que era su deber dar cuenta de un juego de fuerzas» (*Radicalidades*, Barcelona, Bosch editor, 1978, p. 7). José M.ª Martínez Cachero (*Historia de la novela española entre 1936 y 1975*, Madrid, Castalia, 1979, páginas 208-221) finaliza su estudio «lamentando ciertas cortapisas limitadoras y señalando el peligro de anquilosamiento en un manierismo temático y técnico» (p. 221).

el doloroso cambio que inicia Goytisolo en los años sesenta. Es el motivo por el que no se reedita *Problemas de la novela*, que considera producto de circunstancias muy concretas y delimitadas, aunque no se puede obviar su importancia en la configuración de la generación, a la que sirvió de sustento teórico. Durante su estancia en París, dedica parte de sus ensayos a un proceso de revisión del medio cultural español basándose en la actuación de esos sistemas sociales que configuran un panorama amargo para cualquier escritor y que a él le conducen al extrañamiento.

Su destierro crítico, forma de señalar el distanciamiento de los valores oficiales, oposición a la norma impuesta, plantea la necesidad de mostrar de forma diferente, de establecer otro tipo de literatura. Un primer paso importante es la lucha con el lenguaje, imprescindible en todo quehacer estético[28]. Es bastante explícito y concreto respecto a este punto. Sus agravios, los que recibe como autor tergiversado o como lector al que se escamotea lo valioso sólo por el hecho de no ser utilizable, son comprobables. Contra los críticos se puede luchar, el silencio se puede denunciar como manipulación. Más dura es la lucha con los elementos que sustentan el sistema y que se encuentran enraizados en el lector, incluso en quien se considera más crítico. El lector, educado en una sociedad, recibe como naturales todos aquellos elementos atávicos formados a lo largo de los siglos en un lento proceso de depuración y añadidos, alambicados hasta resultar imprescindibles, ser la esencia de la sociedad en la que se vive. Los mitos subyacentes en toda cultura permanecen mucho más que la situación sociopolítica que los genera. Desaparecida ésta, aquéllos se mantienen aún vivos y operantes a través del lenguaje, hasta que se van decantando y transformando para adaptarse a la nueva situación. El escritor debe unir capacidad de análisis e ima-

---

[28] Según Goytisolo, «abandonar los cuadros impuestos, examinar el peso específico de los conceptos y palabras no será, pues, en un futuro próximo, un excusable ejercicio retórico, sino una empresa indispensable de salud nacional si queremos desembarazarnos de verdad de las resultas de la opresión anterior y emprender la ruta hacia una sociedad libre y justa, digna y habitable» *(Libertad*, p. 23).

ginación para denunciar los mitos viejos, sacarlos a la luz y diseccionarlos [29].

Después de una primera etapa, la de *Problemas de la novela* con la picaresca y *El furgón de cola* con Larra y Machado como guías españoles, Goytisolo se siente efectivamente vinculado a dos nuevos autores hispanos, transgresores ambos de lo establecido: Blanco White y Cernuda, hasta ahora recubiertos por la crítica historicista de una caparazón de erudición que les hacía inexpugnables y asépticos. Descubre en ellos una forma de denuncia amarga y solapada cuando viven en España, sagaz y corrosiva al escribir fuera de su país. Hay en ellos unos valores estéticos indiscutibles y una mordacidad asombrosa que se adecúa a lo que Juan Goytisolo busca: la estética y la crítica, unión de la que considera saldrá una obra literaria que mine la mitología carpetovetónica:

> [Blanco] parece adivinar igualmente las leyes cíclicas de la historia española contemporánea, en la que, como es sabido, al zumbido y la furia de las crisis (revoluciones, guerras civiles) suceden largos períodos de calma, embrutecimiento y modorra (regímenes de fuerza, dictaduras militares) [30].

La forma de llevarlo adelante es la creación de nuevos mitos que combatan a los anteriores y los derroten. Celestina, Sancho o Polifemo son mitos que han vencido a sus predecesores. El escritor debe penetrar y absorber la fuerza del mito arrumbado: nuevo mito que suma a su esencia la del enemigo destruido [31]. Goytisolo denuncia el subjetivismo y la irracionalidad de los críticos, aunque traten de esconderse tras pretensiones científicas que ocultan una ideología. El escri-

---

[29] Según Corrales, «entre 1958 y 1960 la nueva novela española llega a una especie de encrucijada, bifurcándose [...], línea del objetivismo puro y escueto (por un lado, por otro) [...] en vez de presentar las cosas como en un escaparate, aisladas y autónomas, mostrarlas encadenadas al contexto, dependientes de un pasado y en apetencia de porvenir» (ob. cit., pp. 83-85). A esta segunda línea vincula *La resaca (ibid.*, p. 88).

[30] «Presentación crítica», ob. cit., p. 30.

[31] Cf. Pedro Salinas, *Ensayos de literatura hispánica,* Madrid, Aguilar, 1966; en especial, «El nacimiento de don Juan».

tor crítico anuncia su ideología. El crítico, por el contrario, se escabulle tras una montaña de datos; pero a la postre resulta inútil:

> Como él (el escritor) es (el crítico) a un tiempo subjetivo, irracional, arbitrario (y objetivo, racional, moralista), pero lo disimula mejor. [...] vive, a veces muy bien, del creador muerto, pero lo único que a fin de cuentas puede echársele en cara es su falta de humor [32].

«Mi exilio no era sólo físico y motivado exclusivamente por razones políticas: era un exilio moral, social, ideológico, sexual» [33], va a escribir amargamente. Supone esto ya un claro abandono de las posturas que había defendido ardorosamente. Su análisis de España se amplía. Nueva tensión, antes desconocida, que hace imprescindible, para ser estéticamente válida, la ruptura con los moldes anteriores:

> La inadecuación del confesado propósito crítico que nos guiaba, con el empleo de un lenguaje acrítico, llegó a convertirse para algunos de nosotros, como ha señalado recientemente José María Castellet, en «una pesadilla estética». La lucha contra las formas envejecidas ha pasado a ocupar, desde entonces, el primer plano de mi atención [34].

Este cambio, absolutamente imprescindible para no abandonar la labor en la que se siente empeñado ni dejar su profesión literaria, para evitar el conformismo cómodo o el no menos cómodo panfletismo, supone un esfuerzo comprometido consigo mismo y con la sociedad. Con la sociedad mediante la denuncia constante y sin transigencia ni componendas. Con él mismo en tanto en cuanto la denuncia honrada supone un análisis previo y sin concesiones de la propia situación personal, sacrificando aquello que oscurezca sus propósitos o trate de mediatizar su descubrimiento del ambiente. Es una búsqueda demoníaca que le aleja de su tierra y que aparta de su lado a sus antiguos compañeros, porque es intolerante con la mixtificación, opuesto a los

---

[32] *Libertad*, p. 94.

[33] *Disidencias*, Barcelona, Seix Barral, 1977, p. 291.

[34] AA. VV., *Juan Goytisolo*, Madrid, Fundamentos, Col. Espiral, 1975, p. 138.

ocultamientos que realizan algunos de los personajes de sus obras, alentados por la propia sociedad. Su primera huida es territorial, externa, el segundo paso es la búsqueda de sí mismo tras la denuncia, un alejarse de lo instituido mediante la crítica continua: «¿Saber, por ejemplo, que soy uno de los raros intelectuales a los que nadie ha ofrecido entrar en algún grupo o partido político? Algo así como la fea del baile, a quien nadie invita...» [35]. Porque sólo se acepta, admite y alaba lo que es útil. La verdad pasa a ser un simple objeto, válido sólo cuando es parcial, permite manejar acontecimientos y personas y resulta productiva para algo o para alguien. Y esto es especialmente preocupante cuando el escritor establece una relación con la política, cuando ejerce sus derechos de ciudadano y plantea opiniones. Si éstas son manipulables, entonces son verdaderas. Se convierte la obra en un arma arrojadiza contra el enemigo, se distorsiona, pero una obra que no pueda manejarse, que queme a tirios y troyanos, se cataloga como enemiga, y arroja al escritor al infierno de los malditos: «Mi despego de los valores oficiales del país había llegado a tal extremo, que la idea de su profanación, de su destrucción simbólica me acompañaba día y noche» [36]. Prolongada anormalidad que le lleva a un cambio en la vinculación entre realidad y novela. Se unen el agotamiento de la novela social, el desencanto político ante la realidad española y el acontecimiento de *Tiempo de silencio* que le conduce a *Señas de identidad* (1966) [37].

A partir de este análisis, su novela va a cambiar. La penetración en el pasado español no es algo instantáneo, sino

[35] «Desde *Juan sin Tierra*», entrevista con Julián Ríos en AA. VV., *Juan sin Tierra*, Madrid, Fundamentos, 1977, p. 21.

[36] *Disidencias*, p. 292.

[37] Así analiza Buckley el cambio introducido por la obra de Martín-Santos, *Tiempo de silencio*, en la novelística española: «La temática de la obra no se trasluce a través de la anécdota en sí (como en el caso del objetivismo), sino a través del peculiar lenguaje usado para describir la acción anecdótica». Señala como novedades: neologismos, cultismos, terminología, vocabulario naturalista y cronología subjetiva (Ramón Buckley, *Problemas formales en la novela española contemporánea*, Barcelona, Península, 1973, pp. 195-206).

progresivo. Poco a poco va descubriendo el peso histórico, la perpetuación de determinados rasgos, como la Inquisición, elevados a la categoría de mitos y defendidos como integrantes del Imperio. La intensidad en el análisis histórico va acompañada, es paralela a la búsqueda de nuevas formas y aúna la introspección histórica, personal y estética. El resultado será unas novelas de notable calidad.

Paralelamente a la investigación histórica, mira a su alrededor buscando una salida. Si en sus primeros años como novelista veía en Francia un ideal de libertad, luego irá cambiando. El motivo se lo dará la guerra de Argelia y la actuación de Francia en ella. Deshecho el mito, se vuelve a otros países. Está claro para él que las democracias occidentales reaccionan de forma muy especial ante posibles ataques a sus privilegios. Normal cuando en ellos manda la burguesía. Pero ¿qué hace la oposición? ¿Dónde están los que tratan de crear una nueva sociedad? El descubrir la institucionalización de la izquierda le llena de congoja y propone la búsqueda de otros horizontes. No es un ataque al socialismo lo que él propugna, sino a la burocratización, a la usurpación del socialismo por aquellos que así se autodenominan y que convierten un ideal en una lucha por alcanzar el poder, por instalarse y asegurárselo, que derrotan después a los correligionarios que puedan ensombrecerles, vinculándose él a aquellos para «quienes el objetivo primordial no radica en conseguir el poder, sino en obtener la felicidad» [38].

Siente la necesidad de ampliar el análisis de la realidad hasta la oposición política de izquierda, que se configura como un nuevo poder opresor dentro de cualquier país y de la que se espera una mejora de las condiciones de vida cuando acceda al mando. Pero descubre que, como toda institución, tiende a la perpetuación de las estructuras de las que se alimenta por encima del bienestar de los ciudadanos; incluso, si fuese necesario, contra el individuo díscolo, y que no duda en pactar con quienes favorezcan un reparto de zonas de influencia. Su literatura se centra en la sátira de estas sociedades represivas: «Pese a la profunda trans-

[38] *Libertad*, p. 42.

formación de nuestras estructuras socioeconómicas, los viejos mitos siguen operando e imperando. La tarea primordial del escritor español de hoy es la de ser mitoclasta»[39].

Silencio crítico, capillas literarias, artículos esotéricos son variantes permanentes de un poder operante. La lucha debe librarse también con una lengua domesticada, hay que romperla para dar a luz un nuevo sentido vital. Profundizar hasta descubrir que no importa tanto por qué una persona incapaz llega al poder, sino qué sistema ha posibilitado ese ascenso. En su crítica va a aunar el cambio personal al social, «esa síntesis de "cambiar el mundo" de Marx con el "cambiar la vida" de Rimbaud»[40], y cobra creciente importancia el segundo postulado.

Papel siempre ingrato el del mitoclasta, pero mucho más cuando lo que se rompe es la propia comunidad de intereses, vida y cosmovisión, sin tener nada que lo sustituya o arrope al hereje. Los ojos van percibiendo nuevas formas, nuevos moldes antes ocultos. La realidad exterior, segura y apacible para tantos, que debía ser denunciada, muestra nuevas, caleidoscópicas figuras, y el escritor va penetrando un mundo surrealista, tanto por lo que ve como por el dolor que produce esa masa informe. Difícil situación para un escritor, obligado a dinamitar su propio medio de expresión, cortándose así todos los puentes en un esfuerzo supremo de compromiso consigo mismo y con su obra literaria; pero que no le arredra a la hora de iniciar su búsqueda, que se basa y alimenta de otros proscritos hispanos.

Una obra literaria puede nacer de espaldas a la realidad social que vive el escritor, pero siempre estará vinculada necesariamente al cuerpo literario que la precede. Si su novelística nace mirando críticamente el entorno social, también se elabora con base en la tradición literaria. Hay una selección respecto a las fuentes que busca para su nutrición, como sucede con el pícaro más cínico, Estebanillo González, al que propone como ejemplo de lo que puede ser la literatura en *Problemas de la novela.* Simultáneamente, rechaza toda in-

---

[39] «Entrevista con C. Couffon», en AA. VV., *Juan Goytisolo,* ob. cit., p. 117.

[40] *Libertad,* p. 79.

terpretación esteticista que le aleje de su entorno social, como hace con Ortega.

La búsqueda de elementos liberalizadores le hace rechazar en bloque la oficialización literaria: «La historia de la literatura española está por hacer: la actualmente al uso lleva la impronta inconfundible de nuestra sempiterna derecha»[41]. Esta constatación la realiza en el estudio y traducción de otro maldito, Blanco White, al que accede tras su conocimiento de Cernuda. En su inquisición de las raíces del ser hispánico, en su penetración en el pasado español descubre la mutilación de uno de los aspectos vitales del hombre, la sexualidad. Por intermedio de Menéndez Pelayo penetra en obras literarias arrumbadas por sus exposiciones sexualistas y dionisíacas de la vida: «la transgresión, por el contrario, desempeña una "función denunciadora" [...]. Tal es, a fin de cuentas, la lección magistral de la tragicomedia de Rojas»[42]. Exposición liberadora que procede de la tradición musulmana y que, en el momento de la victoria cristiana, desaparece ante la presión que los vencedores ejercen por medios directos, como la Inquisición, y propagandísticos: el cuerpo al servicio de la procreación. Represión directa e ideología fanática se aúnan para acabar con una forma de disfrutar la vida y colocan al hombre al servicio de sus dirigentes, cortando cualquier salida hacia la liberación so capa de herejía, contubernio con el enemigo o, simplemente, rebelión contra la comunidad. La imposición de una moral judeo-cristiana recibe el último coletazo con *La Celestina* en el límite con el Renacimiento (*La Lozana* se publica en 1528, pero en Venecia), naciendo así una tradición de represión sexual que ve con asombro perpetuarse. Es la sexualidad aspecto determinante de la vida humana. Como parte integrante del hombre, su presencia viva y activa sirve para dar al hombre una conciencia de liberación y le provoca un sentimiento pánico, fundamental para vincularse con el mundo y evitar la reificación: en este aspecto ve Juan Goytisolo un apoyo para el comienzo de la rebelión en la sociedad actual. Por el contrario, «el sometimiento resignado a los criterios se-

---

[41] «Presentación crítica», ob. cit., p. 3.
[42] *Disidencias*, p. 92.

xuales "productivos" de la sociedad desemboca, como ha visto muy bien Marcuse, en la aceptación de sus restantes dogmas y cánones»[43].

De aquí el gran interés de todo poder por preservar al individuo de su propio cuerpo, coartando el acceso al placer: es preciso acabar con ese goce como única forma de controlar totalmente al hombre. Goytisolo propone el disfrute como medio de escapar a la sumisión y control de los gobernantes. La sexualidad cobra así un valor amplio, no limitado al sexo. La cita de Marcuse parece encaminar el pensamiento de Juan Goytisolo a sobrepasar el sexo para expandirse por el resto del cuerpo. Marcuse[44] lo denomina libido, y radica en la capacidad de disfrutar de la totalidad del cuerpo sin aceptar restringirse a las zonas erógenas. Este aspecto, curiosamente, no está muy aclarado en sus ensayos o entrevistas, y sólo podemos verlo por lo que supone citar a Marcuse. Sin embargo, y pese a este escaso desarrollo teórico, en *Juan sin Tierra* tendremos una verdadera exposición libidinal, de disfrute del propio cuerpo y de la libertad que esto comporta, ya esbozada en *Don Julián.* Piensa que esta vitalidad está animada por una forma de vida diferente, nomadismo y desposesión que favorece el centrarse en el cuerpo, y lamenta y critica la postura de aquellos que atacan al poder pero alientan la represión del cuerpo sin pensar la concomitancia entre ambos puntos.

Tenemos, pues, un novelista en un constante proceso de búsqueda y con un continuo compromiso en los planos personal, estético y social. Partiendo de su situación personal, de origen burgués, enclavado en un medio, Cataluña, Juan Goytisolo va penetrando su propia realidad y la de su entorno. La ampliación de los horizontes en el triple plano citado conduce a unas creaciones modernas, inquisitivas, que suponen la pérdida de la transcendencia característica de la novela anterior. El arte ya no es cómplice de unas estructuras que lo asimilan con facilidad. Se trata de hundir el conformismo de la vida, caracterizado por unos horizontes marcados de antemano. La creación literaria se desliga de la

---

[43] *Libertad,* p. 106.

[44] Cf. H. Marcuse, *El hombre unidimensional,* Barcelona, Seix Barral, 1968.

rígida normativa y genera sus propios esquemas. En un período de transición económica y política se produce una disgregación de los valores, y el novelista crea una alternativa tras una búsqueda constante, que precisa unas nuevas formas literarias. Al hombre manipulado le corresponde una lucha entre sus intereses vitales y los que le ofrecen como imprescindibles. De este enfrentamiento surge el hombre dividido, indeciso, que se plasma en las revueltas estructurales de la novela. Éstas tratan de concienciar al lector sobre su situación real, de darle los instrumentos necesarios de crítica para que opte por lo que considere más adecuado. Para ello, es preciso desvelarle su pasado. Frente a la dicotomía buenos-malos se busca su origen con el fin de mostrar la falacia y la mitificación. Se trata de analizar siempre, de enseñar a dudar de una sociedad que determina la preeminencia de valores relativos, como los económicos, presentándolos como absolutos (la libertad, la felicidad).

En el momento actual de crisis, la función del novelista no es sólo el mostrar la realidad, sino el dar una alternativa a la sociedad hacia la que caminamos, fundamentada en la repercusión de la unidad del hombre y en un permanente sentido crítico, unidad sólo recobrable a través de una búsqueda de nuevas relaciones en una nueva cultura. No se trata, pues, de una alternativa al poder político, sino la destrucción de tal poder.

Juan Goytisolo escribe para una España concreta. Es su escritura uno de los granos de arena que testimonian sobre los últimos veinte años de un régimen personalista.

Durante más de siete años (1954-1962) su obra se destina a mostrar una situación. Estilísticamente, esta etapa se caracteriza por el acercamiento a un tipo concreto de literatura, objetivista y de realismo socialista, que denuncia la angustia del español. Esto supone dos características: *a)* Que el escritor se desentiende de las corrientes literarias que ve a su alrededor (Francia) y se fija en su público español. De aquí nuestra especial atención en esta primera etapa hacia el lector y las concesiones que el escritor hace en aras de su mayor inteligibilidad. *b)* Esto conlleva un sacrificio, porque contradice su acusada tendencia a la introspección y le ata a unos moldes literarios prefijados. En ambos casos, se demuestra una notable pasión por la situación de España y un deseo de participación política.

En su segunda etapa (desde 1963), ante el desarrollismo español, opta por mostrar el posible camino al futuro español. Ésta es la etapa de *Furgón de cola,* que culmina con la visión de una España europeísta [45].

Su crítica y alejamiento de la España oficial se convertirá para él en algo obsesivo y crónico. Si su primera etapa, la de su vida en España, representada por una crítica aún moderada, es más la búsqueda de una salida a una situación de agobio cultural (lo que intenta con *Problemas de la novela),* en su segunda etapa, la de su estancia en Francia, aumentan la carga política y los acerados comentarios contra la situación planteada por la censura española, que es más una intensificación de la primera que un verdadero cambio de rumbo.

Pero la acumulación va a provocar un cambio en la cualidad de su crítica. Al inicio de la tercera etapa no debió ser ajeno el final de la guerra de Argelia y su viaje a España. La primera le hizo asombrarse de las atrocidades cometidas por un país culto contra un pueblo subdesarrollado. El segundo le desilusionó de las perspectivas futuras de su patria. A este desengaño político siguió el literario, con la aparición de *Tiempo de silencio.* Tal acumulación de acontecimientos provocan una serie de ensayos posteriores que marcan un rechazo visceral del medio occidental culto, y se ensaña con los valores tradicionales y con la perpetua oposición a la política oficial española, que se reflejará en su última trilogía (1966-1975). Hay, pues, un paulatino alejamiento de los valores políticos y culturales en busca de un compromiso personal y una pureza revolucionaria que le lleva en ocasiones a posiciones conflictivas.

Su oposición resulta dialéctica, en el sentido de que trata, mediante sus polémicos artículos, de efectuar una crítica de los programas políticos de la izquierda, suscitando una serie

---

[45] Sobre este tema, cf. artículos de Clotas y Barral en «Treinta años de literatura», extraordinario de *Cuadernos para el Diálogo,* núm. XIV, mayo 1969, pp. 7-18 y 39-42; y de I. Montero sobre «La novela española de 1955 hasta hoy», en el extra 507 de *Triunfo,* 17 de junio de 1972, pp. 86-99.

de preguntas ante las posturas ambiguas o inamovibles de una izquierda establecida en una posición más cómoda que correcta. Tal crítica se plantea ya a partir de 1963 con su alejamiento de los comunistas al contemplar el cambio político y económico que se produce en España sin que éstos varíen su postura tradicional, y con el giro literario que impone Luis Martín-Santos. Ambas cosas marcan un cambio ante la realidad, que se aprecia en la «Trilogía de Mendiola», hasta llegar a una vinculación con las características más positivas de la cultura (mayor comunicación personal, disfrute de la vida, alejamiento del consumismo, etc.)[46]. Al no encontrar estos valores esenciales para el desarrollo de la persona, Juan Goytisolo se desprende del mundo occidental para buscar su salida en el mundo árabe. Su obra deja de ir a remolque de las modas para convertirse en una punta de lanza en la novela española. Para realizarlo, sus creaciones van progresivamente articulando nuevas incorporaciones en los aspectos compositivos de la novela y descubriendo nuevas facetas en la configuración de los personajes, lo que se une a la necesaria investigación respecto al lenguaje. Todos los niveles de la novela se encuentran afectados por esta evolución, alterados por tal búsqueda.

De aquí que su cambio estilístico sea notable. De lo objetivo pasa a llamar a la subjetividad del lector. Realiza una criba cultural, un ataque a los tabús; pasional, pero acompañado de un admirable esfuerzo intelectual. Creo, por tanto, que lo determinante de Goytisolo es la pasión, lo que caracteriza su obra. No es la pasión arrebatada, sino la despertada por un análisis constante que se traduce en la búsqueda diaria de una salida. Por ello contradice, primero, sus tendencias subjetivistas, al considerarlas inadecuadas para una circunstancia concreta, y opta por la objetividad. Esa pasión deslumbradora es la que le lleva luego a *Señas de identidad*, a *Reivindicación del conde don Julián*, búsqueda dolorosa que hace que su última trilogía despierte pasiones (de amor o de odio), pero nunca indiferencia.

[46] Juan Goytisolo, «La izquierda española, los nacionalismos magrebís y el problema del Sahara», *Triunfo*, núms. 693-694, 8 y 15 de mayo de 1976. Idéntica opinión puede verse en una serie de artículos que publicó en el periódico *El País* en mayo de 1978.

Juan Goytisolo es un testigo de excepción en el enfrentamiento individuo *versus* sociedad. En una primera etapa centra su obra en la sociedad, considerando la literatura como un reflejo testimonial de España. El resultado de este esfuerzo de adaptación a lo que en ese momento era necesario conduce, finalmente, a una vacuna de incredulidad y hastío estilístico en el novelista y el público que esteriliza por abuso la potencialidad crítica de la novela. Pero de esta acumulación de frustraciones en los personajes salta la ruptura posterior, donde la balanza se inclina hacia el personaje como centro de la obra y produce una literatura nueva, creativa, imaginativa, que potencia y alimenta la postura crítica y vigilante, denunciadora, propia de un verdadero intelectual y escritor. La pasión estética, social, emocional se transmite al lector, y esto es lo valioso, con un estilo adecuado, y lo provoca para que busque una nueva salida, una ruptura.

Cuerpo libre y escritura libre son sinónimos. Lograr ambos es difícil, imbricarlos en un todo es el logro literario de Juan Goytisolo en su última etapa, «una *baraka* o gracia que acompaña a quien, con rigor y sinceridad insobornables, se mantiene fiel a lo más secreto y precioso de sí mismo» [47].

---

[47] Juan Goytisolo, «Sir Richard Burton, peregrino y sexólogo», en *Crónicas sarracinas,* ed. cit., p. 172.

SEGUNDA PARTE

EL TESTIMONIO

1. EL «REALISMO SOCIAL»

Tenemos ya los datos necesarios para afirmar la voluntad de Juan Goytisolo de testimoniar sobre el tiempo que le tocó vivir de una forma crítica, para lo cual adopta el realismo social, concepto que se basa en las teorías marxistas sobre el arte. Su punto de partida puede situarse en la carta que Engels envió a Margaret Harkness, en la que comentaba sus impresiones sobre *Muchacha de la ciudad* (1887), novela que ésta le había enviado:

> El realismo, a mi juicio, supone, además de la exactitud de los detalles, la representación exacta de los caracteres típicos en circunstancias típicas [1].

Este texto plantea los dos aspectos implicados en toda obra literaria: lo típico, es decir, el contenido de la obra, y la representación, que supone la selección del lenguaje que sea más adecuado. Sin embargo, la definición de Engels no es tan clara y lleva en sí el germen de los problemas que posteriormente arrastrará el realismo socialista.

En primer lugar, lo típico no es una categoría subjetiva, sino que es producto del estudio de la sociedad. Cada sociedad (esclavista, feudal, capitalista) tiene una infraestructura económica que la caracteriza. Esas relaciones económicas son propias de cada modelo de sociedad. La obra representa esas relaciones, típicas de esa sociedad. En segundo lugar,

[1] F. Engels, «Carta a Miss Harkness» (abril 1888), recogida en *Textos sobre la producción artística*, de Marx y Engels, Madrid, Comunicación, 1972, p. 165.

la expresión «representación exacta» escamotea todos los problemas del lenguaje artístico y deja abierta la puerta a la consideración del realismo como única forma válida. Pues sólo ese realismo será «exacto» con respecto al medio. Sin embargo, eso no es Engels quien lo dice. Ya en 1908 Lukacs ponía en guardia ante el peligro del mecanicismo [2].

A este predominio del realismo no fue ajena la labor crítica y teórica de Lukacs [3]. El triunfo del realismo no se hubiese convertido en dictadura estética sin la presencia de sectarios, y ya Lenin aparece desde muy temprano la idea de la literatura como servicio: «el espíritu de partido» [4].

Esta etapa la culmina Plejanov quien, en *Arte y vida social* (1913), sistematiza tendenciosamente las teorías literarias que él considera ortodoxas y superpone intención a calidad, dando un predominio absoluto a la primera sobre la segunda. Esta teoría se vio fundamentada al aparecer en la Unión Soviética el formalismo (término que englobaba a todos los artistas de las vanguardias de los años veinte). Triunfante la Revolución de Octubre, pero acosado el país por un cerco exterior y una guerra civil, los dirigentes adoptaron posturas intransigentes. La censura de todo tipo de disidencias con respecto a las normas oficiales fue dura y tajante. En 1923, Trotski escribe *Literatura y revolución,* libro en el que se refiere despectivamente al movimiento futurista, calificándole de «una tempestad en el mundo cerrado de la *inteliguentsia*» [5]. La crítica se anquilosó primero y se suprimió después en aras de una revolución sacralizada. Así se arrinconó la teoría del desarrollo desigual de Marx, se olvidó su idea de que el influjo económico sobre la superestructura era

[2] G. Lukacs, *Sociología de la Literatura,* Barcelona, Península, 1973, p. 67 (Prólogo a *Historia evolutiva del drama moderno).*

[3] Véase, por ejemplo, sus *Ensayos sobre el realismo,* Buenos Aires, Siglo XX, 1965, donde analiza y ensalza a Balzac («La grandeza poética de Balzac», p. 73) y a los realistas rusos, Tolstoi, Dostoievski, Gorki.

[4] Lenin, «El contenido económico del populismo y su crítica en el libro de Strave» (1895), en Lenin, *Escritos sobre la literatura y el arte,* Barcelona, Península, 1975, p. 71.

[5] L. Trotski, «Literatura y revolución» (1923), recogido en León Trotski, *Sobre arte y cultura,* Madrid, Alianza, 1971, p. 55.

«en última instancia» y se atacó duramente la posición de Lukacs, tachándola de idealista.

Todo esto llevó a una revisión de la teoría literaria y condujo al propio Lukacs a una autocrítica en 1949, en la que negó todos sus escritos anteriores a 1932. Como señala Torre, esta situación era injustificable por un estado de aislamiento exterior como había sucedido en 1917-1921. Era, sencillamente, consagrar una teología nueva, convirtiendo el análisis en dogmas acorazados[6].

De este nuevo Lukacs, «San Lukacs» lo denominará Goytisolo, parte la teoría de la novela realista social. En 1932 escribe *¿Reportaje o confirmación? Observaciones críticas con ocasión de la novela de Ottwalt*, en el que defiende, «en contraposición al psicologismo, un contenido puramente social»[7]. Se cierra un ciclo que va a excluir a otras tendencias presentes en la contienda. El realismo social, entendido de forma chata y partidista, nacido en un contexto histórico lleno de dificultades, se convierte, ya en el estalinismo, en la única tendencia permitida y ortodoxa. De esta forma, y mecánicamente, se traslada al campo literario la lucha económica. Los personajes van a escindirse en dos campos, el burgués denostado y el obrero alabado. Se ha pasado, así, de considerar la novela social como muestra del *homo oeconomicus* marxista, a un sociologismo superficial, de campos opuestos.

Esta corriente ortodoxa fue aceptada rápidamente en la Italia de Mussolini y durante los duros años de la postguerra mundial. Su influencia, junto con los valores documentales de los escritores norteamericanos, será determinante sobre la novela española de la década 1954-1964, y muy especialmente sobre Juan Goytisolo. Sin embargo, y pese al empuje con que este modelo llega a España, hay unos especiales problemas de adaptación a la situación específica española. Según Gimferrer, para Goytisolo, y es exponente paradigmático de esta generación, se trataba de «crear una obra didácticamente eficaz, encaminada al despertar de la conciencia polí-

[6] A este respecto, véase la «Cuarta Parte» de Guillermo de Torre, *Problemática de la literatura,* Losada, Buenos Aires, 1951. En ella se trata esta lucha con detenimiento.

[7] Lukacs, *Sociología de la literatura,* ob. cit., p. 122.

tica del lector»[8]. Intenta provocar una toma de conciencia en el lector ante los problemas de España. El propio Goytisolo, con *Problemas de la novela,* y el miembro teórico del grupo de Barcelona, Castellet, con la también conocida *La hora del lector,* son los adalides teóricos de este cambio. De esta forma, en Juan Goytisolo se aúna una doble faceta de creador-teorizador que, junto con su indudable calidad literaria, le convierte en claro ejemplo de la evolución de la novela española durante treinta años, evolución acompañada de una insobornable dedicación y entrega. Así, veremos la andadura del escritor hacia una novela de realismo social (adjetivo eufemístico de «socialista») cada vez más perfecta, de acuerdo con los cánones teóricos.

Se puede apreciar en Goytisolo el influjo que una teoría literaria previamente establecida e importada llega a tener sobre el proceso creador de un escritor, máxime si consideramos que sus comienzos no tienden al objetivismo. En efecto, sus dos primeras novelas, *Juegos de manos* y *Duelo en el Paraíso,* son marcadamente subjetivas y tendentes al lirismo. Los recuerdos de los protagonistas, David y Abel, nos muestran, según veremos, una preferencia por la introspección y la melancolía.

En aras del realismo social, tal introspección y subjetivismo se eliminan progresivamente a lo largo de las tres novelas siguientes, las que forman la trilogía «El mañana efímero», y se busca la objetividad en los temas tratados y un lenguaje objetivista, reflejo del habla de los personajes. De un ámbito burgués va descendiendo progresivamente a las capas sociales más bajas, introduce chabolistas en sus relatos y llega a hacer en *La resaca* una novela de chabolas donde la perspectiva se ha invertido. Ya no es la burguesía contemplando el mundo de la miseria, como en *Duelo...* o *Juegos...*, sino que es ahora el mundo burgués objeto de rencorosa contemplación por parte de los desheredados. Para ello se ve forzado a eliminar los componentes líricos, intimistas e individualizadores de sus primeras obras en aras de unos personajes de grupo, esquemáticos y porta-

---

[8] P. Gimferrer, «Riesgo y ventura de Juan Goytisolo», en *Radicalidades,* cit., p. 6.

dores de valores de clase. Sin embargo, y aquí radica la quiebra de esta escuela, el objetivismo absoluto no se lleva a cabo. No basta mostrar, hay también que impresionar la sensibilidad del lector, ponerle en antecedentes, hacerle ver que el culpable no es el personaje, sino la sociedad que le rodea. Todo esto lleva necesariamente a un subjetivismo encubierto, producto del mismo planteamiento teórico. El objetivismo aleja los valores líricos e individualizadores, se emplea para explicar pero precisa para denunciar de una intensidad procedente de una selección de datos, de una exposición formal y temática que debe oscilar y equilibrar el distanciamiento y la emotividad, la calidad y la sencillez estilística. Era una empresa difícil y de dudosos resultados, pero ilustra muy bien la capacidad de un escritor para manejarse en tan inestable equilibrio y el empobrecimiento de una literatura sometida a condicionamientos no literarios, sobre todo cuando la teoría atiende más al brochazo que a los matices.

2. ESTRUCTURA NOVELESCA

La trama

La trama de esta fase de la novelística de Goytisolo se presenta con un esquema tradicional de tres partes: *a)* un planteamiento del ambiente donde se va a mover el personaje: el barrio, los amigos; *b)* un nudo formado por el mundo de relaciones que establece con sus amigos y familiares y en las cuales se encuentra atrapado, y *c)* un desenlace, en el que la muerte es más positiva que la integración social.

La composición no plantea problemas notables, pero su exposición y desarrollo no es idéntico en todas las obras. Cada una de ellas tenderá a una adecuación con su contenido. Sus dos primeras novelas tienen un predominio del planteamiento sobre los otros dos componentes. Se busca destacar la influencia del entorno y de las circunstancias sobre el carácter de los protagonistas, que se ven condicionados por la sociedad hasta el punto de carecer de fortaleza para resistir el choque. Desde el comienzo se supone el catastrófico final, por lo que se excluye toda posible intriga y se centra la novela sobre la denuncia de estas condiciones sociales. La mínima intriga que puede suponer la preparación de un asesinato o el mismo asesinato es una anécdota que se utiliza para dar un cierto interés a la novela, pero no constituye la esencia de la misma.

Éste es el planteamiento que conduce *Juegos de manos*, donde los dos primeros capítulos diseñan la irresolución en que se mueve la vida de los componentes de la banda, de los que caracteriza especialmente a David, que sirve de paradigma vital y nos enfrenta con el universo familiar absorbente, caduco y el mundo agresivo y hostil para el personaje[9]. La desorientación del personaje conduce a la apatía, y ésta se marca en una lentitud estilística que produce una sensación de agobio, de pesadez ambiental sobre el personaje. Así, un buen ejemplo lo tenemos en el monólogo de David, en *Juegos de manos*, a lo largo del capítulo IV. Se aúnan componentes lingüísticos y actitud vital. En cuanto a los primeros se puede destacar un «tempo» lento a través de la abundancia de los verbos copulativos, carentes de sustancia semántica, que se añade a la utilización de elementos dobles de caracterización, bien sustantivos o adjetivos coordinados y yuxtapuestos, dando una lenta andadura a la prosa y una ambientación que se acumula sobre una serie de detalles seleccionados de la vida del personaje, en un deseo de agotar esos detalles como puntos explicativos de la actitud de David ante el mundo, ante los compañeros y ante sí mismo, sirviendo simultáneamente de explicación y autojustificación, de defensa personal y ataque al entorno familiar y social. Este múltiple enfrentamiento se expresa a través de oraciones adversativas y concesivas, conduciendo al personaje a un conflicto sin salida a través de los diversos planos que va señalando. Así, un pasado familiar, representado por el abuelo, hombre duro, le enfrenta a su padre, ser débil y sin carácter, y a su mundo presente, sin deseo de poseer, sin voluntad de mando. Ha heredado lo peor: el dinero del abuelo y la falta de voluntad del padre para la lucha. Por otro lado, David se encuentra coaccionado por

---

[9] Al objeto de facilitar la lectura de este estudio, ofrezco en el Apéndice un resumen argumental de las novelas de Juan Goytisolo. Su función es, fundamentalmente, recordar al lector los nombres, línea argumental y papel que desempeñan algunos de los personajes más característicos de cada novela, los que son más aludidos en el presente trabajo. Deben, pues, considerarse dichos resúmenes como realizados en función de este estudio, por lo que pueden presentar una serie de lagunas y omisiones voluntarias, y no pretenden sustituir, ni mucho menos, la lectura de las obras. Asimismo, en dicho apéndice-resumen se dan las ediciones por las que se rigen las citas del presente estudio.

su nivel familiar con el hartazgo de dinero y una mediocridad personal, carente de ilusiones, por un egoísmo que le distancia del hambre de los arrapiezos que poseen una libertad de movimientos. Su educación no ha podido ser más desdichada y ha originado una falta de carácter que le aparta de todo el mundo, que le condena a la soledad. Una apatía casi biológica que se expone mediante una catarata de recursos diversos, ligüísticos, semánticos, temáticos para dar un paradigma vital de un joven producto del medio social y de la educación en el miedo: la inacción [10].

Podemos apreciar que Juan Goytisolo acumula elementos para impedir que la crítica y el testimonio pasen desapercibidos incluso al lector más desatento. El hundimiento de David tiene varias facetas marcadas. Por un lado, el pasado familiar condiciona su vida. Tiene dinero, pero carece de la energía de sus antepasados para mantenerlo. Pertenece a una clase poseedora pero no dispone de la fuerza vital necesaria para mantenerse en la cúspide. Su familia le ha otorgado dinero, pero no le ha educado para luchar. Por otro lado, el dinero que posee y del que no disfruta le hace sufrir y le aparta del resto de sus semejantes. Similar a los otros niños por sus deseos, los valores cualitativos se ven cortados por la presencia de un elemento cuantitativo como es el dinero. Así, la falta de voluntad de riqueza le aparta del medio familiar, pero este medio condiciona sus relaciones con los demás. Todo se confabula para reducirlo a la más completa soledad [11].

La trama intensiva de relaciones internas en *Juegos de manos* se transforma en las novelas de la trilogía «El mañana efímero», en una trama extensiva. El testimonio no procede ahora de un sistema de relaciones internas del personaje, sino que se fundamenta en los contactos entre gentes diversas. Lo que era acumulación de condicionantes psicológi-

[10] Respecto a este punto, la opinión de los críticos es bastante unánime. Corrales Egea, refiriéndose a *Juegos*..., dice que «presentaba un aspecto limitador, y se quiere incluso lateral, de la sociedad urbana española» (ob. cit., p. 70).

[11] Para Nora estos temas son la soledad, el ansia de evasión y la hostilidad del mundo. Los tres se complementan y son facetas del mismo objeto. Eugenio G. de Nora, *La novela española contemporánea*, Madrid, Gredos, 1970 [2], tomo III (1939-1967), p. 296.

cos es ahora un conjunto de imposiciones sociales. Se critica a partir de una ampliación del campo de los personajes. Éstos crecen en número y cada uno de ellos es portador de una de las características que antes acumulaban David o Abel. Esto posibilita una visión más amplia de diferentes estratos sociales, y así se sacrifica la psicología a la necesidad de testimoniar que se impone el autor.

En *Juegos* se presenta a un grupo que actúa mediante una serie de normas internas cuya característica es la radical oposición a las normas externas y que trata de crear su propio universo y forjarse un escape a su vida. Tal grupo conforma una banda, que aparece más esquematizada en *Duelo en El Paraíso.* Frente a la redención de la mediocridad por medio del delito, Abel se plantea la huida como solución. En *Duelo* se rompe la intriga al partir la novela «in media res»: Abel está ya muerto. Durante cuatro capítulos, el autor diseña el ambiente del niño, la mezcla de tedio e ilusión de lo cotidiano, la fantasía que la víctima pone sobre su vida y futuro, ahondando poco a poco en un pasado vacuo que conduce a un futuro desesperanzado. Sólo la muerte, rodeada de mágico encanto, ofrece una salida a la monotonía. Los personajes se enfrentan a un dilema: o seguir la senda frustrada de los padres, sin aliciente, o intentar la huida. En el nudo de estas dos obras aún cabe la elección, aunque la huida se revele finalmente imposible y conduzca a un desenlace inevitable, la muerte [12], rápida y asumida libremente. Por inconformismo, la muerte es elegida y esperada. David y Abel pueden evitarla, pero marchan a su encuentro. El primero como forma de liberarse de un oscuro complejo de culpabilidad y por inadaptación total al mundo, tanto al familiar como al de la banda o al de los barrios bajos. Abel la acepta por encontrarla un prestigio mágico procedente del mundo homicida de la guerra y de las figuras irreales y felices de los hijos de doña Estanislaa. Para am-

[12] Para Sobejano, la tensión imaginación-realidad, evasión-compromiso, subjetivo-objetivo denotarían una búsqueda de «las verdaderas señas de identidad». Cf. Gonzalo Sobejano, *Novela española de nuestro tiempo,* Madrid, Prensa Española, 1975 (recogido en *Juan Goytisolo,* Madrid, ed. Fundamentos, 1975, p. 26).

bos es una salida prestigiosa y digna, el final de la lucha, la negación de todo lo aprendido. Se rechazan los valores enseñados como eternos y se niegan a integrarse en una decadencia social, a caer en un lento desmoronamiento. La muerte es elegir su destino y burlar lo impuesto por padres y educadores, una burla definitiva y más intensa que las caretas y los disfraces. Defienden la dignidad a soñar otra cosa, protestan por no dejarles ser otros [13]. Son unas víctimas triunfantes. Esta conclusión venía ya motivada por el resto de la novela. El planteamiento sienta las bases para un catastrófico final. El ambiente es tan determinante que falsea toda relación humana sincera e imposibilita una realización.

El sucesivo avance del personaje hacia su destino se realiza mediante el empleo de los subcapítulos. Denomino así a cada una de las partes en que el autor divide un capítulo, y que se indican expresamente por algún recurso tipográfico (interlínea doble, asteriscos, etc.). El subcapítulo supone un esbozo. En su brevedad, contiene ambientación, diálogo, reacciones de los personajes ante los hechos, reflexiones. Esto imposibilita una profundización, aunque favorece la ligereza en la construcción y cumple funciones diversas. Facilita la selección de datos. La novela deja de ser una novela-río para centrarse en aquellos aspectos que interesan al autor, sin necesidad de dar explicaciones sobre lo no novelado.

Al mismo tiempo, es un recurso que presenta la realidad como fragmentaria, formada de retazos. El personaje ya no es de una sola pieza, sino una serie de facetas que el lector debe ensamblar, con lo que se le fuerza a retener datos en la memoria, ordenarlos, es decir, participar mínimamente en la construcción de la obra [14]. Posibilita la libertad estructural al autor, que puede avanzar o retroceder en el tiempo, montar las escenas a su gusto y de acuerdo con la finalidad que

[13] Para Juan Ignacio Ferreras el «mérito de la obra consiste en denunciar la crueldad de la guerra civil por medio de la problemática centrada en la misma guerra, pero materializada en un tema, a primera vista, infantil». *Tendencias de la novela española actual*, París, ed. Hispanoamericana, 1970, p. 96.

[14] A este respecto es esclarecedora la teoría enunciada por Andrés Amorós en *Introducción a la novela contemporánea*, Salamanca, Anaya, 1971, especialmente el cap. IV, pp. 53-62.

pretenda. Toma a los personajes en los momentos que considera más interesantes, recoge retazos de vida y la obra nace no de los fragmentos recogidos (los cuales son siempre intrascendentes, pues nada importante puede suceder en un mundo dominado por la rutina), sino del orden en que se coloquen. De este modo se entremezclan personajes y situaciones, se contraponen unos a otros y se puede trasladar la novela en el tiempo y el espacio, por lo que resulta un buen recurso compositivo.

Esto es especialmente útil en «El mañana efímero». La trilogía se ocupa de espacios más extensos y por ello la movilidad espacial es más necesaria. Ya en *Fiestas,* obra estructuralmente de transición, dedica dos capítulo y medio para presentarnos una barriada, que se amplía a todo un pueblo en *El circo. La resaca* dedica sólo dos capítulos para todo el universo de relaciones que se establece en las chabolas barcelonesas, llenas de miseria e ilusiones, cuyos habitantes luchan por una vida mejor mediante el robo o el deseo de organizarse ante la imposibilidad de redimirse por el trabajo. Todo este universo necesita de la movilidad y del fragmentarismo, el saltar de lugar y cambiar de personaje para crear una cosmovisión. Se trata de imbuir al lector en un mundo de miseria física y decadencia moral, de señalar los condicionantes sociales [15].

El nudo de la trilogía es la lucha sin convicción y el desengaño. Cada personaje se sabe condenado de antemano. Pipo teme crecer y le resulta inevitable, Utah es consciente de que huye de una realidad inhóspita, Antonio ve cortadas todas sus aspiraciones, incapaz de llegar al centro de la ciudad, de cambiar su vida. Cada personaje es un ejemplo de progresiva claudicación. Si las dos primeras novelas presen-

---

[15] Buckley interpreta que en esta trilogía «la realidad pierde fuerza, deja de ser el elemento dinámico de una tensión para convertirse en elemento abrumadoramente estático», y en consecuencia, el escritor logra sus mejores pasajes en la tensión ser-deber ser, se debilita el realismo por tesis previas y no observa la realidad obsesionado por el deber-ser. Cf. ob. cit., pp. 155-156. «Existe, por lo tanto, una íntima contradicción entre el Goytisolo crítico, que propugna la objetividad, el "posible-posible", y el novelista que nos ofrece una realidad subjetiva, deformada: "posible-imposible"», Buckley, ob. cit., p. 147.

taban la alternativa de la muerte como quiebro a la sociedad, «El mañana efímero» nos presenta en el nudo una integración forzosa donde el personaje atrapado pasa a ser ejemplo vivo del poder social contra la individualidad. La muerte era una escapatoria y como tal una postrera rebelión. En una gradación descendente, el individuo es vencido en la lucha y forzado a vivir, lo que supone el máximo fracaso, el definitivo triunfo de la Voz (=poder) que acosa a Pipo en *Fiestas:* la permanencia de acuerdo con los modelos impuestos por la sociedad, la condena de vivir como ser social, anodino, vacío, sumido en la amargura.

Esta gradación descendente que concluye en la sumisión encuentra su mejor exponente en *La isla.* En esta novela, junto con *El circo,* es donde se da una clara división en tres capítulos, cada uno de los cuales se corresponde con el planteamiento, el nudo y el desenlace. En ella toda ilusión ha caducado. Las relaciones se han ido deteriorando y el individualismo ha disgregado a la persona, la sociedad divide para poder mejor vencer. En *La isla* ya no hay ningún Giner que intente la unión, como en *La resaca,* ni aparece la fantasía de una futura víctima, Pira. El nudo es lo pedestre y vulgar, la cotidianeidad sin sentido ni futuro. La sociedad mata toda ilusión y enfrenta a los individuos en luchas estériles para perpetuar la inoperancia y el hastío. Frente a la pasada ilusión de los niños y las aspiraciones de los jóvenes, los adultos están desengañados, condenados al fracaso, integrados plenamente, enjaulados. De esta forma, la estructuración en tres partes de la novela está al servicio de un contenido manifiesto, la denuncia de la apatía impuesta. Los pequeños acontecimientos y anécdotas (un atentado, una muerte, un robo) carecen de un verdadero interés compositivo. Son componentes secundarios de una ordenación más profunda. El planteamiento presenta las condiciones sociales, el nudo las apetencias e ilusiones personales en contraste con la sociedad, y el desenlace es la caída. La realidad acaba acogotando y sometiendo. Se presentan circunstancias normales que pueden haberle sucedido al lector, a las que puede incorporar sus experiencias, y muestra, a través de los personajes y su evolución, las limitaciones de un orden integrador, al que acusa de inmovilista y castrante. Éste es un proceso de conquista del autor, que va dominando la trama y la coloca al servicio de sus intereses de denuncia, según se aprecia en el siguiente cuadro:

	Planteamiento		Nudo		Desenlace	
	Cps.	Condicionantes	Cps.	Infrac.	Cps.	Fracaso
Juegos . .	2	Pasado-Grupo	2	Atentado	1	Muerte=cambio
Duelo . .	4	Pasado-Familia	1	Huida	1	Muerte=cambio
Fiestas . .	2,5	Barrio	2,5	Orgullo Cómplice	3	Muerte de Pira Integración
El circo .	1	Pueblo		Rebelión	1	Humillación
La resaca	2	Chabolas	2	Huida	3	Impotencia
La isla . .	1	Grupo	1	Pensar	1	Soledad

Puede apreciarse cómo en las dos primeras novelas predomina el planteamiento debido a la presencia abundante de los recuerdos. Las personalidades que por ello se crean son de una gran fuerza y tienen la opción de la muerte como salida. Simultáneamente, la abundancia de los recuerdos posibilitan un mayor lirismo al ser embellecidos por la mente de quien los evoca [16]. Tal lirismo carece de sentido en las novelas de la trilogía, donde la realidad se muestra con crudeza. En estas novelas y en *La isla* los tres componentes se equilibran por la necesidad de dar mayor peso a los condicionamientos que los personajes sufren en sus relaciones con el mundo y con otros personajes. Toda la fuerza recae ahora sobre el nudo, donde se analiza la infracción social como algo profundo y la incapacidad para triunfar sobre las normas [17].

[16] Obras consideradas por Gimferrer como «lo más valioso de la extensa producción de Goytisolo comprendida entre 1954 y 1966» (ob. cit., p. 4). También, vid. Pilar Palomo, *Historia general de las literaturas Hispánicas,* Barcelona, ed. Vergara, 1967, páginas 697-375.

[17] «Debe hacer novela social, popular. Sin embargo, su irreprimible tendencia poética introduce otras dimensiones». F. Morán, *Novela y semidesarrollo,* Madrid, Taurus, 1971, p. 373. «Los per-

Frente al desenlace rápido de *Juegos* y *Duelo*, las restantes obras ofrecen una mayor lentitud, debido a la necesidad de resolver sobre varios personajes y al mismo proceso durativo de la integración. Se logra avanzar por el camino que conduce a la denuncia de las imposiciones sociales, al fracaso vital como norma de vida, más integrador que la muerte. La continuidad sin sobresaltos es el triunfo deseado. El orden es una vida muerta. Juan Goytisolo irá poniendo progresivamente la novela al servicio de la denuncia, la acomodará al testimonio que se le pedía al autor [18].

Los temas

Un segundo aspecto importante de la estructura de esta primera época de la narrativa de Goytisolo son los temas, contenidos especialmente significativos que contrastan o se complementan al servicio de una idea. Se plantean como la lucha del soñador y el débil contra las normas de la sociedad, de donde sale derrotado. Bajo este tema genérico se crean una serie de motivos y símbolos que se reiteran a lo largo de las diferentes novelas.

Inseguridad y desorientación es un motivo básico. Todos los personajes dudan de sus objetivos más inmediatos y de la forma de lograrlos. *Juegos de manos* contiene ya todas las características y ofrece el escape de la insatisfacción. La desorientación y apatía del grupo no tienen un cauce ade-

---

sonajes hacen juegos de manos con el propósito de evadirse del círculo vicioso en que viven», según P. Gil Casado, *Novela social española*, Barcelona, Seix Barral, 1968, p. 23.

[18] E. de Nora define esta lucha como «el imperativo de verdad, impuesta por la ética social del escritor, y el vuelo de una fantasía» (ob. cit., p. 293), y Santos Sanz, en *Lectura de Juan Goytisolo* (Barcelona, Ámbito literario, 1977), opina: «Hay, por ello, mucho más de imaginación, rica, fecunda, pero incontenida imaginación novelesca, que de vivencias reales de los asuntos tratados» (p. 25). Creo que esta opinión resume bien los planteamientos reiterados por otros críticos. Según Cirre, esto supone que la «fantasía le conduce (al autor) a terrenos imprevistos y, de la realidad como es, pasa a la realidad como debiera ser». «Novela e ideología en Juan Goytisolo», en *Ínsula*, Madrid, enero 1966, número 230.

cuado [19] e incapacita para captar la realidad de forma operativa. Aparece entonces la ensoñación como sistema de huida, centralizada en el personaje Tánger. Éste altera la realidad y la acomoda a su gusto, crea su propio mundo, se inhibe de los demás y genera el segundo motivo importante, el empleo del disfraz y la careta. Disfraz y ensoñación son el bloqueo ante una realidad ingrata y nada luminosa. En él se centra la soledad, el aislamiento incluso del grupo, al que rehúye y que sólo le acoge para utilizarlo en su provecho, la hostilidad ante el mundo y la profunda soledad e incomunicación, que Nora ha señalado como características de Juan Goytisolo [20], según ya anotamos.

Los personajes se encuentran en un mundo amenazador, rodeados de oscuridad. Proyectan sus fantasmas y temores sobre los objetos y los dotan de una vida tenebrosa. La oscuridad se convierte en símbolo de su vida, la apatía es turbiedad, sus deseos son imprecisos. Así encontramos en el mixtificador una búsqueda de la tiniebla para ejecutar su juego, para impedir el reconocimiento, como le sucede a Tánger en *Juegos:* «Sentado en el rincón más oscuro del estudio se entregaba a sus mixtificaciones» (p. 118). Y de este planteamiento participan todos los personajes, que se sumen en la penumbra (p. 118) y se recogen en la turbia luz de las habitaciones (p. 19).

Similar impresión de suciedad y abandono recoge Abel en la mansión que habita, según veremos, aunque en *Duelo en El Paraíso* el mixtificador gana en importancia. Ya no es un simple cómplice, sino el verdugo. Se pasa de la imaginación como simple refugio sin proyección importante sobre la realidad, caso de Tánger, a la puesta en práctica de lo imaginado. Tanto el influjo del ambiente de guerra sobre la mentalidad de los niños refugiados como su mayor decisión para conquistar una futura ciudad de los muchachos, en la que serían los dueños y señores, afectan los actos de el Arquero para llegar al crimen. Este niño vive intensamente el estado de guerra, acepta y difunde las consignas bélicas,

[19] «¿Por qué no vamos a emborracharnos?» *(Juegos,* p. 64). «David permaneció en la habitación vacía, vacilante, desorientado» *(Juegos,* p. 191).

[20] E. G. de Nora, ob. cit., p. 296.

las llamadas a la muerte. Ahora el disfraz pasa a ser una forma de integración en la brutalidad, el sueño de creerse adulto conduce al asesinato. No es un alegato contra los niños, sino contra las condiciones que los adultos les han impuesto, el modelo de vida que tiene por meta la destrucción de los demás, de quienes son distintos al grupo, cosa que ya se apuntaba en David y que ahora se amplía. Frente a la oscuridad, la luz se presenta como símbolo de la verdad, de la realidad asumida.

En la trilogía desaparece el enfrentamiento entre el mixtificador y el protagonista. Pipo y Utah aúnan el deseo de cambiar de vida (David, Abel) y de huir (Tánger, el Arquero). Se presentan otros soñadores, como Pira o Celia, pero de menor calidad literaria, un tanto deslavazados y comidos en su papel por la necesidad de dar una mayor relevancia a los restantes personajes. Ahora los protagonistas son capaces de separar con mayor claridad los sueños y la realidad, para que finalmente desaparezca el mixtificador en *La resaca.* En esta novela el ensueño radica en alcanzar la dignidad. No se trata de un sueño irrealizable, sino de una realidad que se cree posible. Por lo menos así lo predica el cartel que preside el mundo de las barracas, ostentando un nivel de consumo al alcance de la mano y cuya presencia constituye una constante ironía ante la miseria. Todo el mundo de ensoñación se fundamenta en un consumismo inalcanzable. Simultáneamente, la oscuridad desaparece. No tiene sentido en una novela donde la realidad sangrante es ya una denuncia suficiente. Basta mostrar para denunciar. Ésta es la idea que preside, de forma ya clara, esta novela. Los juegos dejan de tener valor ante la dureza que la realidad ostenta. No es preciso buscar en los deseos turbios de los personajes cuando basta mirar alrededor [21]. Por ello, en *La resaca* la luz es dura y brillante:

---

[21] Para Gil Casado no se ahonda «en los problemas de estas gentes o en el medio ambiente en que viven, los cuales constituyen el pretexto para la novela» (ob. cit., p. 177). Lo que no le impide incluirla en el apartado referente a la vivienda. En cambio, para E. de Nora es una «novela-reportaje del suburbio barcelonés» (ob. cit., p. 299).

«Un desolado y poco constructivo panorama de los suburbios

«El sol le cortaba como un cuchillo» (p. 177). El calor idiotiza e irrita a los personajes: «La canícula excitaba los nervios de la gente, y a cada instante, estallaban riñas y disputas» (p. 171). Se crea así un nuevo símbolo, el sol, al que no se esconde la crueldad y que tendrá gran importancia en *Señas de identidad.*

Durante siglos, la literatura había tenido en el sol un elemento simbólico marcadamente positivo. Procedente de la teoría neoplatónica, incorporado literariamente a través del Renacimiento, el sol era el símbolo de la Suprema Belleza, la representación de la divinidad. Sin embargo, tal concepción comienza a quebrarse y ya a principios del siglo XX en España el sol ostenta una ambigüedad simbólica, donde sus valores positivos van dejando paso a su representación como elemento que sirve para mostrar las lacras humanas. Este valor de la luz como medio para revelar la verdad, verdad siempre dura y hostil, es factor fundamental en Juan Goytisolo. Su origen puede estar en el cine neorrealista italiano, donde el calor del sol es una de las penalidades de las clases trabajadoras y un martirio dentro de las viviendas de hojalata. El sol levanta el polvo, hace ostensible la suciedad, reflecta sobre los vidrios de los cristales rotos y cortantes. Simultáneamente, el sol muestra la dureza sin paliativos en que se desarrolla la vida de los habitantes de los arrabales urbanos. Se convierte así en un aliado del novelista para dar luz sobre lo que es la realidad. Su valor será positivo para el novelista, pues le ayuda en su finalidad testimonial y de denuncia, y negativo para el personaje en tanto en cuanto añade un condicionante externo a la dificultad de su vida y le fuerza a contemplar sus condiciones reales, impide que se esconda. Así, la penumbra será una ocultación voluntaria de la realidad en *Juegos...* y el sol aplastante de *La resaca* será la ineludible presencia de la marginación social de los personajes, que éstos no pueden evitar ver. Podrán actuar o no sobre ella, pero no esconderse en la ignorancia.

---

barceloneses», según Santos Sanz Villanueva, *Lectura...*, ob. cit., p. 43. (Este estudio ha sido incluido en *Historia de la novela social española*, ya citada.)

El otro motivo interesante de *La resaca* son los anuncios publicitarios, que contrastan lo que pregonan con la miseria de las chabolas. Este motivo aparece circunstancialmente en las otras dos obras de la trilogía, pero alcanza en la última su mayor fuerza: el caldo de pollo ávidamente escuchado por los niños hambrientos en *La resaca* (p. 36).

El tema básico de la trilogía es la lucha por la vida, por una dignidad y libertad de elección. No se trata de romper la sociedad, sino de desarrollar en ella lo que se pregona admisible, pero que resulta inalcanzable. La integración social supone una total y absoluta sumisión. Los motivos y símbolos se unen para mostrar la importancia real de alcanzar algo fuera de lo que está predeterminado[22]. En este campo, *La resaca* resulta la obra más lograda. Equilibrada entre sus partes, la miseria es resaltada por el sol. El mostrar sin comentarios, simplemente haciendo hablar a los personajes y describiendo lo que se ve, llega aquí a su punto más alto. El testimonio de que la miseria existe es suficiente denuncia[23]. Los personajes están liberados del pasado, los recuerdos se limitan a lo imprescindible en los adultos, como es el caso de Giner con sus recuerdos de prisionero y derrotado de la guerra.

El destrozo social se culmina en *La isla*, donde lo predominante es la falta de decisión personal para actuar, el sometimiento sin condiciones ni esperanzas[24]. El símbolo que recorre la novela es el del canario, constantemente acechado por el gato. El encerrarse en la jaula no evitará la catástrofe final. La pureza es destrozada por la maldad y cruel-

---

[22] «Si se aceptan sus premisas estéticas, *Fiestas* y *La resaca*, son dos obras de una eficacia indiscutible». Gimferrer, ob. cit., página 9.

[23] «Ese subjetivismo estimado en sus dos primeras novelas se va desvaneciendo; lo sustituye una conciencia social». Santos Sanz, *Lectura...*, ob. cit., p. 44.

[24] «En la novela no sucede nada, expresión simbólica del mundo vacío, disoluto de las gentes que lo habitan». Santos Sanz, *Lectura...*, ob. cit., p. 75. «Son personas que viven en un grupo aislado del resto del mundo, incapaces de comprender o de interesarse por aquellos que caen fuera de su esfera» (Gil Casado, ob. cit., p. 27).

dad[25]. Éste será el final de Claudia, el acabamiento de su capacidad de amar y compadecer, de su voluntad de cambiar.

Uno de los motivos que recorre la obra completa de Goytisolo es el de la música. Forma parte del ambiente en que se desenvuelve el tema. Se coloca en momentos cruciales, para dar un significado más intenso a esa situación, y simboliza sobre el estado de ánimo de los personajes[26].

Estos temas se plantean técnicamente con una perspectiva de alejamiento de los hechos narrados. Los acontecimientos son recogidos por el narrador como si fuese una cámara que filmase una escena o un observador imparcial que no entrase en lo descrito. Pero esto tiene más de ideal que de realidad y es contrastado y anulado en la práctica novelística por otros componentes. Al operar con palabras, el autor no puede menos que transmitir una serie de connotaciones, dadas por su selección paradigmática y su composición sintagmática, amén de las inevitables connotaciones culturales e históricas precisas de un momento dado (así, la ausencia del clero y los militares en estas obras es sintomática, incluso más que el término «obrero»). De hecho, Goytisolo no pretende un objetivismo a ultranza ni un behaviorismo, aunque lo defienda en alguna ocasión de una forma genérica como deseable. Más que un perfecto acabado técnico en una corriente literaria busca aquellos recursos que puedan resultar más incisivos a la hora de influir sobre la sensibilidad del lector, por lo que alterna la «fotografía» de los detalles cotidianos significativos para acentuar la hipercrítica del destinatario sobre el entorno con los datos anímicos sacados de la conciencia de los personajes, en un vaivén repetido con una finalidad didáctica y testimonial.

Compaginar el punto de vista objetivo y hacer participar

---

[25] «En la alfombra —como una condensación del horror del mundo— había un minúsculo montoncillo de plumas» (p. 165).

[26] Especialmente el vals «Dios nunca muere», en *Duelo en El Paraíso* (pp. 111, 206); la copla de la guerra civil en *La resaca* (página 79); o la forma de diferenciar ambientes: el culto con L. Armstrong y K. Weil, el popular con «Adelita» y «Cuatro balazos», en un proceso de aplebeyamiento de los personajes (páginas 98, 144, 148 de *La isla).*

al lector de los sentimientos de los personajes, emocionarle, era el fin apetecido. La denuncia tiene necesidad de arrastrar al lector. Aunque abandone progresivamente la interiorización y el subjetivismo de sus primeras novelas, la conducta externa del individuo no es suficiente para mostrar una riqueza interior. Es preciso explicarla más, so pena de que los actos resulten gratuitos. ¿Cómo entender que un personaje está nervioso sólo porque enciende un cigarrillo? Esto es posible en el cine, que juega con la imagen, pero no con la palabra escueta. Por eso precisa de los recuerdos, del pasado, de los diarios, que concluyen en *La isla.* El autor adopta ahora el punto de vista de la protagonista, Claudia Estrada. Esta perspectiva facilita el análisis de una búsqueda desesperanzada, con la crudeza de los esquemas defensivos que preludian *Señas de identidad.* Se muestra así una cosmovisión sin salirse del punto de vista. No debe considerarse esto una solución sencilla. En unos momentos en los que se identifica denuncia social=objetivismo e introspección=decadentismo, el plantearse la necesidad de utilizar los recursos más apropiados para la denuncia supone salirse de un camino fácil, máxime cuando Goytisolo había alcanzado, tras cinco novelas, el objetivo propuesto en lucha con lo que era su estilo inicial. Es, pues, romper moldes de su generación del realismo social, enfrentarse políticamente (la izquierda considera este movimiento como el único estéticamente válido) y buscar una salida enriquecedora. Amén de que la primera persona tiene sus limitaciones y sus problemas propios, que el novelista debe solventar, para lo que realiza la prueba de esta técnica, que se continúa con los cambios de punto de vista del narrador en sus relatos.

El proceso de búsqueda de un punto de vista correcto se muestra palpablemente en los relatos de *Fin de fiesta*[27], cuatro narraciones, cada una con cuatro personajes. El núcleo lo forman las relaciones esposo-esposa, a cuyo alrededor se mueven los otros dos personajes. Lo importante es que cada relato tiene un narrador diferente, con lo que el problema es contemplado de forma muy distinta en cada caso.

---

[27] Juan Goytisolo, *Fin de fiesta,* Barcelona, Seix Barral, 1971.

Así, tenemos como narradores un chico, el marido, la esposa y un amigo de la pareja[28].

(2) Loles ⟶	Marido	⟷	Mujer	⟵ Jorge (4)
(3) María ⟵	II	↑	III	Chico I
		amigo:	Ramón (1) Paco (2) Jaime (3) Bruno IV	

Sobre la base de una pareja se nos plantean diferentes perspectivas de similar problema: la incapacidad para la comprensión de los demás y, en consecuencia, la soledad en que se debate cada personaje.

La nueva técnica viene pedida por el tema. El deseo de profundizar en los aspectos que configuran la realidad, en la intimidad del personaje, necesita esa primera persona. Y el mismo conflicto varía según la parte interesada que lo contemple.

Son fundamentales los problemas de la construcción de la novela. Tras dos primeras obras tendentes al subjetivismo y al análisis de los condicionantes psicológicos de los personajes, el autor irá limando las incursiones a la conciencia para explicar reacciones y concesiones a partir de *Fiestas*, y pasa a considerar el objetivismo como la técnica literaria más acorde con el testimonialismo, desnudando la obra de aquellos aspectos que no tengan un referente constatable en el mundo real español. De esta forma se aparta de la posible acusación de tendenciosidad, reproche que venía dado por motivos políticos, no literarios. En este contexto socioliterario presenta a los protagonistas infantiles en el proceso de creación de su personalidad con una serie de condicionantes sociales. En los adultos sigue manteniendo el recurso al pasado personal como revelador de las motivaciones de sus actos y miedos. Se trata de un sacrificio del objetivismo en aras de una mayor claridad expositiva, pues tales an-

[28] Las flechas indican el sentido del afecto. Los números romanos se refieren al narrador y lugar que ocupa el relato en la obra, y los arábigos añaden los demás personajes de un relato.

gustias no se muestran ni son demostrables, sino que pertenecen a una conciencia histórica y son las supuestas llagas de un pueblo en mítica y constante lucha política, heridas de un combate siempre perdido y esperanzado. La subjetividad de los adultos es una denuncia constante transmitida en charlas sobre lo perdido con la guerra o sobre los beneficios obtenidos de la victoria.

Todo ello limita el campo de acción novelístico, supone un sacrificio literario con el fin de buscar un rendimiento de efectividad social de la novela, lo que no compensa, pues el valor y la influencia literaria depende de su categoría estilística, que es su verdadera finalidad social. Juan Goytisolo se ciñe a una técnica próxima a lo cinematográfico: corta, empalma, monta para enfrentar a los personajes a momentos claves en sus relaciones sociales y políticas que se ligan íntimamente a su evolución personal y la condicionan. La obra se ordena en función de la denuncia del estatismo social que asfixia la iniciativa individual y condena al individuo a la sumisión o a la muerte, lo que es grave en el caso de los jóvenes. Sobre ellos recae el peso de la acción por coincidir con el momento vital del autor y ser un ejemplo de la frustración por falta de un futuro participativo.

Los datos no se ordenan de forma lineal, sino que se rompe la secuencia temporal o se dejan huecos sin novelar. Se seleccionan datos nimios, sin importancia trascendente en el orden social o histórico para denunciar una historia española compuesta exclusivamente de pequeñeces, carente de ideales reales políticos. Por otro lado, este fragmentarismo indica la parcelación y descomposición del hombre actual como totalidad, y, al mismo tiempo, posibilita la inclusión en la obra de espacios amplios, como un barrio o un pueblo, del que se entresacan aspectos significativos que compongan una visión amplia, aunque se pierda en profundidad.

En fin, del anterior análisis se desprende que en lo referente a la estructura hay que considerar dos partes en esta primera etapa de Juan Goytisolo, aunque sin una separación tajante entre ambas. La primera la forman sus dos primeras novelas y la segunda las cuatro restantes. Destaca, ante todo, la evolución literaria, la constante búsqueda de formas expresivas adecuadas a los fines propuestos. Se trata de unas obras que hay que juzgar y considerar dentro de las circunstancias sociales y literarias en que nacen, necesarias en su momento para empujar al lector a una postura crítica. La literatura no era un fin, sino un medio, un instrumento en una lucha política. Esto es discutible, así como lo son la validez o no validez de estos medios concretos de composición novelística en una literatura política. Se puede decir que los hay más adecuados, pero el esfuerzo de Goytisolo en este aspecto es modélico.

3. EL AMBIENTE

En toda novela realista los componentes de la ambientación (calles, tipos, etc.) son fundamentales. No sólo porque dan una base de verosimilitud a los personajes, sino también porque son un factor esencial en la composición de la novela. En el caso concreto de Juan Goytisolo en esta primera etapa de realismo social el ambiente, configurado como un *hic et nunc* muy determinado, tiene un valor relevante. Su función será incluso tan importante para la forma novelesca como para los contenidos testimoniales. El deseo de otorgar una base de incuestionable actualidad a la obra, de hacerla sustituta de una prensa amordazada, hace que el tiempo y el espacio vitales de los personajes adquiera un valor tan notable que los convierte en un verdadero personaje social: el cúmulo de condicionantes, de normas y costumbres, de hábitos de vida que, sin estar explicitados en lugar alguno, son una rémora para el individuo.

El espacio

Una parte de los condicionamientos que sufren los personajes del primer Goytisolo nacen del entorno que les rodea: la ciudad, que es localización preferente (Madrid, Barcelona), aunque con incursiones a pueblos vecinos agobiantes, y la vivienda. Sólo en las dos primeras novelas la casa juega un papel determinante. La descripción que se ofrece es una proyección de los temores y angustias del personaje sobre ella, tanto por lo que tiene de castillo como por la repulsión que provoca. Una extraña ambigüedad entre lugar de cobijo, oscuridad tranquilizadora y centro de reunión familiar, detestado. Tanto para Tánger en *Juegos de manos,* como para Abel en *Duelo en El Paraíso,* la vivienda o la habitación reflejan y simbolizan las angustias vitales o la mentalidad de sus habitantes[29]. Las descripciones condicionan el ánimo del lector y le predisponen a una determinada consideración sobre los personajes y su vida. Tiene un marcado carácter simbólico para indicar la desolación y el abandono.

Esta soledad es más acusada en el tratamiento de la ciudad, que redunda así sobre el tema de la angustia. *Juegos* se abre con la presentación de la banda en una calle oscura, a la sola luz de un farol, con las aceras húmedas y reflejos mortecinos, dentro de una escenografía muy propia del cine neorrealista. El narrador no se recata en darnos descripciones urbanas donde la suciedad, los tonos grises y el silencio angustioso o el estrépito sin sentido contrastan y forman un mundo desolado y agresivo, causa inicial de la frustración de los personajes y de sus actuaciones desbocadas.

La habitación de Tánger nos conduce a un personaje de mentalidad huidiza, irresponsable y temeroso. La mansión que habita Abel representa la muerte en vida, la más completa caducidad de un mundo sin sentido, pero aún imperante, una estructura envejecida que se desmorona sin esperanza ni futuro, símbolo de todo aquello de lo que Abel desea escapar. A la casa se opone el bosque, lugar de vida y agresión, centro de libertad alejado de la rutina y promesa de lo desconocido, posibilitador de la responsabilidad y el futuro. La casa es la clausura personal, el encarcelamiento psicológico del personaje.

---

[29] «Las paredes, pese a sus cuatro metros de altura, estaban literalmente cubiertas de grabados, recortes de papeles, chales, carteles taurinos y de feria, farolillos y máscaras», *Juegos de manos,* p. 36. «Su silueta traía a la memoria el recuerdo de épocas pasadas y esplendores muertos, de los que la escalinata de mármol resquebrajada y el roto soporte de las columnas constituían otras tantas pruebas. Una parálisis progresiva inmovilizaba cada objeto en su propio gesto, convirtiéndolo, desmoronado ya y maltrecho, en testigo atormentado de su tránsito», *Duelo en El Paraíso,* p. 57.

El estatismo provoca la reacción de huida del mundo agobiante. El universo está teñido de irrealidad, es un ensueño macabro, como sucede en la «tarde de lepra» de *Juegos*, donde se decide el asesinato de Guarner tras una fiesta sombría y llena de presagios negativos. Toda la acción se desarrolla en un claroscuro que simboliza los sombríos ánimos de los personajes, similar al de láminas fotográficas. Hay una destacada ausencia de colores vivos que remarcan el ambiente opresivo y se unen a la lluvia que cae a lo largo de toda la novela, con una fuerte influencia del neorrealismo italiano [30].

Los ambientes abiertos no suponen una mayor libertad, pues son círculos dominados por la sociedad, son su producto. La ciudad no es un mero marco, es un factor actuante sobre los personajes. Lo mediocre e incoloro mata la belleza. El bosque de *Duelo* tiene aún rasgos poetizados y el autor metaforiza los detalles [31], pero también encierra la muerte, al igual que la ciudad significa el tedio y cada vez se va haciendo más descarnada y hostil. Goytisolo se aleja del entorno como medio para marcar el subjetivismo de los personajes y encuadra la ciudad sin belleza, sin reflejos, y la dureza se esconde tras las cosas y la naturaleza: «Las ráfagas coléricas del viento y el histérico chillido de las aves le impidieron continuar» [32]. La realidad ambiental machaca ahora de forma constante, resulta más efectiva que el choque brusco y se marca otro tipo de encuadre cinematográfico.

La influencia del cine sobre la obra de Juan Goytisolo es muy acusada. Partiendo del neorrealismo italiano, introducido en España por Bardem y Berlanga, que lo ponen al servicio de la crítica social, la novela de Goytisolo evoluciona tomando diferentes aspectos cinematográficos. En sus dos primeras novelas domina la imagen y el color. En *Juegos de manos* y *Duelo en El Paraíso* se hace hincapié sobre imáge-

---

[30] Cf. M. Alvar, «Técnica cinematográfica de la novela española de hoy», en AA. VV., *Prosa novelesca actual*, ob. cit., pp. 9-29.

[31] «Una atmósfera quieta, mágica parecía suspender milagrosamente todo el valle», *Duelo en El Paraíso*, p. 27.

[32] *Fiestas*, p. 43.

nes ambientales (calles húmedas, paredes sucias, sol entre los árboles) que suministran un simbolismo de oscuridad, miseria, depresión. El predominio de tonos grises suscitan una tediosidad y la detención destaca el estancamiento social, a la vez que crea la impresión de actos repetidos e inútiles. De este modo, la técnica descriptiva sustituye a los análisis morosos de la psicología de los personajes, inadecuados para el fin testimonial que se pretende, concuerda con el rechazo del psicologismo e introspección «burgués» de la novela anterior. Además, trata de adecuarse al nuevo tipo de público, más acostumbrado a «ver» que a «oír». Se busca, pues, una técnica acorde con el nuevo lector que incorpore posibilidades de denuncia inatacables por la censura y aparentemente objetivistas.

En el camino hacia una mayor objetividad, en la trilogía de «El mañana efímero» el peso recae más sobre el montaje de la novela. Serán ahora las secuencias novelísticas la base de la obra. El autor selecciona el material, corta y empalma fragmentos de vida para intensificar un elemento o para contrastarle con otro. De la recurrencia o la oposición surgen las falacias sociales. Se repite lo mísero y el fracaso personal y se contrapone a la boyante situación del acomodaticio. Sin explicitarlo con reflexiones, el choque deseo-realidad se «ve».

Finalmente, a partir de *Señas de identidad*, Goytisolo toma del cine lo denostado. El horror de King-Kong, el cambio cultural de Lawrence de Arabia, la osadía de James Bond patentizan los deseos ocultos de la sociedad: la potencia sexual reprimida, la homosexualidad rechazada, el temor que conduce al refugio uterino. La película sirve para fundamentar un ataque y airear la frustración que encierra cada mito.

Es a partir de *El circo* cuando ese peso del montaje novelístico es mayor. La ambientación abandona ya la casa como centro de proyección de la psicología del personaje y se iluminan otros lugares de mayor valor social. Es significativo que ya en *Fiestas* la casa se contemple como una casa de vecinos, y el piso que habita Pipo contenga personajes, como el maestro, que no forman parte de la familia, sino que son un vínculo entre el mundo agobiante de la familia y la realidad exterior. La casa ya no es un lugar de refugio, sino un centro abierto a todas las corrientes procedentes de la sociedad. Este ambiente se destruye más a partir de *El circo*. Aquí las casas juegan un papel de contraste. Mientras el pueblo de Las Caldas ostenta una moralidad aparente, respetuosa con las costumbres, el mundo cerrado del domicilio conoce la vida subterránea, la inmoralidad y las pequeñas miserias, como la habitación de Flora conoce sus debilidades sexuales. Los edificios dejan de ser lugares privados exclusivamente para representar actitudes sociales, como sucede en el Casino, símbolo de la inalterabilidad de las cosas, lugar de permanencia de las costumbres sociales del pueblo, donde éstas se imponen y desde donde se vigila su cumplimiento. El ambiente ya no suscita dudas, sino que destaca la continuidad como forma de vida, crea una falsa seguridad, la seguridad externa que congratula a las damas del pueblo y a don Julio, es símbolo de su ostentación de capitostes y equilibrador de su frustración interna. El ambiente da a estos personajes una seguridad que no encuentran en su vida, colocan las apariencias sobre su interioridad. Por el contrario, para los jóvenes (Elisa, Juana, Celia) es un símbolo de su vida penosa, contrasta con sus angustias, les repele e incita a la huida.

La relación se estrecha más entre la chabola y los suburbios. La chabola es un lugar abierto que recibe los ruidos del exterior y emite todas las penas hacia el resto del barrio. Miseria y angustia se traslucen a través del latón. Es todo un descenso el que culmina en *La resaca*[33]. En efecto, a lo largo de las novelas Juan Goytisolo ha ido descendiendo en los ambientes sociales. En *Juegos de manos* y *Duelo en El Paraíso* se parte de una posición de clase alta. Los jóvenes burgueses, enclavados en el centro de Madrid, analizan su situación, con la única intromisión de Ana, extraída de una barriada obrera. Pero Ana sube a buscar a la banda, que desconoce el chabolismo, no ha oído jamás hablar de barrios obreros, y la muchacha no aporta nada esencial, sólo una

[33] L. Gould Levine considera que los personajes «se acercan momentáneamente a las puertas de lo ideal, pero luego, el autor-padrastro les impide el paso y los catapulta a la muerte, como en el caso de Abel, o a la violación sexual como ocurre a Antonio», *Juan Goytisolo: La destrucción creadora*, México, Mortiz, 1976, pp. 16-17.

frustración personal. El barrio obrero es sólo un elemento secundario que ha generado indirectamente un motivo más a la banda. Abel no llega a conocer las verdaderas condiciones de vida de los refugiados. Se sabe un potentado con respecto a ellos, pero acusa motivos personales, mayor libertad, sin llegar, lo mismo que le sucede a David, a analizar el abandono que encierra tal libertad como contrapartida.

Fiestas parte ya de la barriada obrera aludida en *Juegos*. Pipo y los demás personajes pertenecen a ella, desde donde contemplan las cercanas chabolas de los emigrantes murcianos, aunque sea como un telón de fondo aún alejados del dolor de esa vida. Las privaciones y deseos de los chabolistas se presentan ya en *El circo* con un personaje destacado, Atila. Actúa en la parte alta de la ciudad, pero nos ofrece un pensamiento procedente de ese inframundo, aunque de él sólo tengamos una visión nocturna, aún poco definida.

El final de este descenso llega en *La resaca*. Ahora el autor se centra en el mundo de las chabolas y contempla la parte alta de la ciudad. Es lo opuesto a *Juegos de manos*. La perspectiva ambiental se ha alterado esencialmente. Del enfoque burgués del mundo se pasa a la miseria. Si en *Juegos de manos* el eje espacial de la novela lo ocupa el centro urbano de Madrid con una circunstancial evocación de los barrios obreros de postguerra a través de Ana, barrio que no se ve sino mediante la descripción que de él hace la muchacha, en *Fiestas* dicho barrio es ya el centro donde se desenvuelven las peripecias de los personajes. Desde este lugar se vislumbran las chabolas, de cuya descripción visual se ofrecen datos también en *El circo* a través de Atila. *La resaca* marca ya una inversión en la ubicación, pues ahora el escenario son las chabolas y lo tangencial es el Centro. Este descendimiento parece deberse a la propia experiencia del autor. De acuerdo con los planteamientos generales de esta generación, era conveniente ir en un barco para luego hablar de los pescadores, o documentarse sobre el pozo para hablar de una mina. El paso de un territorio a otro en las novelas de Juan Goytisolo indican un progresivo conocimiento de las realidades que expone y sólo las escribe a partir de que las va conociendo. Estamos, pues, ante una obra novelística de referentes, es decir, en la cual el mundo externo a la novela es fundamental y donde la calidad literaria se mide por la adecuación, lo más fiel posible, de la creación a la realidad. Esto es lo que hace que el espacio sea un componente básico de estas obras, hasta el punto de actuar como un personaje de gran importancia, personaje sumamente valioso, puesto que, en definitiva, condiciona y coarta la libertad y el funcionamiento de los restantes personajes de «carne y hueso». Es un elemento impalpable, pero omnipresente y muy poderoso.

A medida que el autor se adentra en mundos más míseros, crece la necesidad de la huida. El deseo de escapar se produce al principio de una forma muy diluida. Los actos singulares suponen un ataque a lo establecido y un medio de cambiar la sociedad, el comienzo de una realización personal. Salir de un ambiente equivale a romper las normas jerárquicas, como le sucede a Abel con sus escapatorias al bosque, pese a los consejos del maestro y de doña Estanislaa, pues es un ámbito de libertad y el peligro acaba con la monotonía. Frente a un ambiente de prisión, el peligro de lo nuevo y atípico cobra una fuerza inesperada. Ya en la trilogía, la necesidad del cambio de espacio es acuciante y el viaje centra las aspiraciones de los personajes, con él se sienten libres. Incapaces de enfrentarse al medio habitual, piensan en la huida como salvación [34].

La superación de la pobreza y mediocridad tiene su mejor representación en *Fiestas* con la niña Pira. Pipo se evade imaginariamente, Arturo anhela la desaparición de las chabolas del barrio, pero la niña es la ilusión completa de libertad, mucho más fuerte e intensa que la que Abel tenía por marchar a Gerona. Busca una ciudad grande, sueña un cuento de libertad y amor. Italia es la salida de la pobreza: «En cuanto ella consiguiese algún dinero, añadió, se embarcaría para Italia. Una vez allí se presentaría ante la Curia y su padre, al reconocerla, la llevaría con él al castillo y no volverían a separarse» (p. 30). Es un sueño puro. No sabemos si Pira tiene padre, ni dónde vive, ni qué hace, pero

---

[34] «El tema del viaje imposible es aquí, como lo será poco después en *La resaca*, un factor simbólico para expresar la absoluta imposibilidad de escapar a las circunstancias que nos rodean, el fracaso de cualquier proyecto de superación o de huida», S. Sanz Villanueva, *Lectura...*, ob. cit., p. 50.

representa la aspiración a un mundo mejor. Como en el caso de Abel, su escapada se resuelve en la muerte. En Abel, aceptada; en Pira, asesinada por un demente peregrino que la promete acompañarla. El sueño irrealizable del viaje es una necesidad que no tiene cabida. La fuga imposible es un recurso para destacar las cortapisas de un ambiente que frustra todo sueño. La ilusión se quiebra ante la realidad y el círculo habitual se convierte en cárcel.

Cada personaje inicia su propio camino de huida, pero su desconocimiento del mundo que habita le convierte en un ser perdido en la niebla. Cada paso que cree dar hacia la liberación se convierte en un caminar en círculo, como Utah, que cree viajar hacia el sueño de Las Caldas y camina hacia su perdición. Los personajes están mediatizados y su futuro predeterminado sin salida. La novela se convierte en la narración de la frustración y proyecta sobre la mente del lector la inevitabilidad del fracaso.

A veces se presenta una escapatoria que pudo ser, la de la emigración, según se ve en *La resaca:* «Si no llega a ser por mí, todavía andaría por ahí muriéndose de hambre» (página 14). Pero los adultos ya no pueden salir y los jóvenes están atados por circunstancias ajenas a ellos. Éste es el caso de Antonio, chabolista de *La resaca,* que aspira no ya a un palacio en Italia, sino al simple derecho a emigrar a otro país que ofrezca mejores perspectivas de trabajo y ascenso social. Su aspiración la cortará el engaño de su amigo, que le deja sin el dinero necesario. La crueldad nace del robo de que es objeto por un compañero. La sociedad se concreta ya en los actos individuales. Se pasa del sueño irrealizable y de condicionantes genéricos a detalles que la sociedad impone al individuo. El ambiente se conforma en una serie de actos realizados por los personajes contra otros personajes.

A medida que se desciende en la escala social se hace un análisis más penetrante del ambiente y de su influencia sobre el individuo. De un movimiento hacia la realización personal se pasa a la búsqueda de la riqueza, de un ambiente inmóvil se tiende hacia una miseria más profunda. El imperio de la norma genera la necesidad de escapar a ella *(Fiestas)* y la carencia de recursos materiales conlleva la búsqueda del bienestar material *(La resaca)*, la satisfacción de los mínimos recursos vitales.

Se ubica ya *La resaca* en el mundo de la miseria y en el caldo de cultivo del futuro delincuente. Aquí no hay paredes que respeten y cobijen la intimidad, el barrio es social, la casa está abierta a los demás, la vida privada es patrimonio común. Es el espacio deshumanizado por la miseria y alejado de la oscuridad, radiante de luz para que se ostenten las condiciones miserables de vida, donde un carnaval puede llevar a la tragedia del envenenamiento de una niña. Las chabolas son las dominantes, y el Centro, como lo denomina Giner (p. 147), se limita a defenderse de la posible amenaza de la subida de los chabolistas con rejas y puertas. Un mundo donde ya no hay Casino de hipocresía, sino un bar de degradación humana [35]. El ambiente imposibilita las relaciones normales. La miseria lleva a la desesperación y el anhelo de huida se convierte en una cuestión de supervivencia. Frente a la angustia por el tedio de *Juegos*, *La resaca* da el hambre y la injusticia como fundamento de la huida. Escapar no es una carrera loca, sino que hay unas metas concretas: lograr el mínimo de dinero o de trabajo para tener dignidad. Esto no hubiese sido posible plantearlo en un espacio burgués, es preciso llevarlo a su entorno de hambre. Las chabolas son una creación del hombre y la sociedad impide su desaparición. La ciudad genera esta miseria y la miseria perpetuada conduce al delito y al fracaso personal, pues la sociedad coarta con la ley. De esta forma, esta novela refleja perfectamente un tipo de pensamiento extendido en el momento de su publicación: la necesidad de considerar y juzgar a una persona de acuerdo con los condicionantes que le han venido impuestos.

La isla supone un contraste con *La resaca*. Al mundo de las chabolas opone el de las clases adineradas en un ambiente de desidia. Pero el espacio no juega más papel que el

[35] La presencia del bar es también antigua en la obra de Juan Goytisolo, como no podía ser menos en un escritor español realista. Aparece como lugar de exhibición de la fuerza en *Juegos de manos* (p. 101), como centro de animalización y compadreo en *El circo* (p. 88) y especialmente detallado como local de reunión y embrutecimiento en *La resaca* (p. 16).

deambular sin sentido del grupo entre las casas lujosas y las tascas típicas, considerando típica la miseria, y entre las fiestas y el plebeyismo de las corridas de toros. Por algunos esbozos (p. 42) creo que el ambiente y el contraste hubiese jugado un importante papel en la película de la que esta novela era guión, pero ahora el espacio es un simple marco al vacío existencial de Claudia y sus amigos.

La frustración es el resultado de todos los intentos de escapar. El ambiente espacial se presenta como un poderoso factor de integración, más efectivo que las leyes coercitivas, con propiedades de actividad sobre el personaje. No es un mero marco, sino un elemento beligerante en la novela. En las primeras obras es aún nebuloso el influjo, proyección en parte de la mente del personaje sobre el mundo que le rodea. Posteriormente, los detalles se hacen más palpables, hasta concretarse en personajes de *La resaca* con el robo de Metralla o la inoperancia de Cinco Duros. En definitiva, el espacio se presenta como un importante factor estructurante y estructurado. Estructurante porque completa la visión de una realidad novelística, es decir, que las ideas sobre las circunstancias de los personajes y del mundo se confeccionan de forma novelística; no como ideas, sino como elemento narrativo. Se produce mediante la criba de datos que complementan la idea de inmovilidad y falta de salidas del mundo actual y actúan sobre los personajes. Estructurado porque se resaltan las características que el espacio ha ido acumulando durante siglos hasta generar unas limitaciones en las condiciones de vida que configuran de antemano, dentro de unos límites, las posibilidades de quienes lo ocupan.

El tiempo

El espacio está plagado de proyecciones de ambiciones y temores de los personajes. Tales proyecciones se sitúan en el presente histórico del novelista. Una obra que busca ser antievasiva y denunciadora de una situación concreta señala las lacras sociales para concienciar al lector del mundo en el que vive, y lo realiza sobre dos pilares básicos. Primero, mediante una fijación temporal en el presente del autor, marcada por la abundancia de fechas y la constante presencia del reloj para puntualizar las horas. En este aspecto, el tiempo y su transcurso se convierten en un tormento para los personajes y la novela se acerca así a la angustia que la presencia de la muerte ocasiona en el hombre. El tiempo se convierte en opresor de la condición humana. Segundo, mediante una técnica básica para seleccionar el tiempo novelado y su transcurso, fundada en el empleo de los capítulos y el corte novelesco. Si exceptuamos *Duelo en El Paraíso,* cuya acción no permite demasiadas elipsis temporales, y *La isla,* fundamentada en el fluir del tiempo, las novelas utilizan el paso de un capítulo a otro o de un subcapítulo a otro como recurso para la elisión de momentos que no son significativos para el proceso del personaje, con lo que se produce un salto temporal, un hueco en la vida novelada. Su función es evitar la reiteración de episodios, las repeticiones y lograr una selección significativa, aunque lo sea no por su intensidad o intriga, sino por resaltar la monótona sucesión de actos [36].

En definitiva, el ambiente en su conjunto, tiempo y espacio, es componente esencial de este tipo de novelas, y alcanza una categoría de personaje, un peso con componentes sociales e ideológicos que aplasta a los personajes. Veremos, en primer lugar, el valor del transcurso del tiempo y luego nos fijaremos en las técnicas de la temporalidad.

El transcurso del tiempo

«La segundera avanzaba con odiosa lentitud. [...] Era exasperante.» Esta cita de *Juegos de manos* (pp. 198-199) es significativa del valor y del peso del tiempo para los personajes. El paso del tiempo es un problema fundamental, tanto por su transcurso como por la necesidad que el personaje tiene de consumirlo, de agotarlo. La sensación de un tiempo muerto por no vivido, por no haberlo sabido llenar de con-

[36] Sobre el tema de las novelas que duran veinticuatro horas, cf. Darío Villanueva, *Estructura y tiempo reducido en la novela,* Valencia, Bello, 1977. Estudia obras españolas y, entre ellas, *Duelo en El Paraíso, El circo* y *Reivindicación del conde don Julián.*

tenidos, sean éstos experiencias o emociones, es agobiante. La mediocridad, la falta de alicientes, la ausencia de esperanzas y perspectivas de una vida intensa les coloca ante el fracaso de la vacuidad. La monotonía y el desencanto son su porvenir. El pasado, huero y sin sentido, les hastía, y el futuro se presenta como copia del pasado.

Aparece la angustia ante la vida. Faltos de ocupaciones, de intereses, de alicientes, de amor, de participación en la construcción de un futuro, el discurrir del tiempo conduce a los personajes a una muerte prematura, bien por la aceptación del suicidio, bien por la sumisión a los moldes sociales, verdadero asesinato de su desarrollo personal y social. La solución posible y el planteamiento del problema se da ya en *Juegos de manos,* donde los personajes queman su tiempo con alcohol. Las borracheras serán frecuentes a lo largo de esta novela, aunque no exclusivas de ella [37]. Son el recurso defensivo de vidas agotadas y carentes de posibilidades para combatir la sociedad. Se entregan así a la soledad como único recurso, encerrándose en sí mismas, en sus fantasmas como refugio.

Los personajes de Juan Goytisolo consideran el pasado no sólo una rémora sobre su presente, sino incluso un condicionante ineludible. Éste es un aspecto interesante que aleja a esta novela de otras corrientes, en las que se produce lo que Pouillon ha denominado contingencia [38]. Si la contingencia consiste en concebir un presente como no condicionado por el pasado, posibilitando así una realización vital propia de un ser libre y responsable, en las novelas de Goytisolo los personajes perciben el presente coartado por su pasado y, en consecuencia, que la vacuidad de su presente está labrando un futuro sin sentido. Tal pasado es concebido con extrema amplitud. El personaje no contempla su vida como libre y responsable, sino condicionada por un pasado más remoto, el que le otorga su propia familia, su clase social, con todos los moldes que la sociedad tiene establecidos para cada grupo. Esto no es sólo un condicionante social, sino algo más íntimo, pues supone aceptar por diferentes caminos

[37] Cf. *Juegos de manos,* pp. 12, 107, 164, 251, etc.

[38] J. Pouillon, *Tiempo y novela,* Buenos Aires, Paidós, 1970, página 124.

(educacionales, subconscientes, legales) los esquemas impuestos, que ya no son contemplados como tales, pues han sido asumidos por el personaje hasta el punto de considerarlos esenciales y parte integrante de su personalidad. Es la interiorización de unos modelos externos que proceden de un pasado temporal tan potente que posee una fuerza casi genética.

Esto hace que los mismos acontecimientos tengan un valor diferente para cada personaje. En *Juegos...*, Agustín contempla la muerte de David como algo lógico, como un suceso inevitable por el pasado del verdugo y de la víctima. Pero para el resto de los miembros de la banda, tal asesinato supone el fracaso de sus aspiraciones como grupo y como individuos. Así, en las dos primeras novelas de Goytisolo, se produce un determinismo bien resuelto, pues los componentes socioeconómicos se revelan con tal fuerza que pasan a ser elementos esenciales de la psicología del personaje. Los determinantes de clase influyen y condicionan el carácter, por ejemplo, el que David y Abel tengan abuelos ricos es factor fundamental. La riqueza les aparta de unos muchachos pobres que ven más libres, pero no les otorga la fuerza de carácter necesaria para luchar por ese dinero. Su psicología está desclasada, la odian y les limita. Por el contrario, el rencor de Ana o del Arcángel nace de la falta de medios económicos, y ese rencor es esencial en su conducta, e inevitable. Todos tienen una sensación de inutilidad que les lleva a actos repentinos. Es constante en las dos primeras novelas la presencia de un reloj detenido, forma simbólica de indicar el estancamiento. Pero de más calidad novelística que este recurso es el transmitir tal detención mediante la circularidad o la recurrencia de detalles por parte de un personaje. En este sentido, el más logrado es doña Estanislaa en *Duelo en El Paraíso*. Esta dama rememora constantemente a sus hijos muertos. Lo hace ante sus hijas, ante Abel, ante el soldado que custodia el cuerpo del niño... La incapacidad de vivir un presente, el protegerse en un tiempo caducado, el aislarse en unos sueños que luego truncó la realidad con la desaparición de sus hijos es la mejor expresión novelística de esta quietud que presagia la muerte. Es también el recurso que esta dama emplea para esconder su responsabilidad en el fallecimiento de sus hijos. Intentó educarles a su imagen y semejanza, no les dejó formar su propia vida y esto les condujo a la muerte. La madre es responsable de ello, pero se niega a reconocerlo. Así, este estancamiento en la circularidad es también una denuncia de los condicionantes familiares sobre los jóvenes. Esto hace de doña Estanislaa un personaje bien logrado, que reúne en sí la carencia del futuro y la causa de esta vacuidad, la imposición social y castrante sobre los hijos, y todo ello con una técnica circular y recurrente muy superior a la simple repetición de *Juegos de manos.*

Frente al predominio del estancamiento de las dos primeras novelas, en la trilogía «El mañana efímero» se analiza un tiempo en movimiento hacia un futuro desolador, sobre el cual el personaje no tiene poder. El fluir del tiempo hunde al personaje, la ilusión se convierte en frustración en los niños y los adultos saben condenado al fracaso todo proyecto. El tiempo se alía con la sociedad en contra del deseo de libertad del personaje. La frustración se ahonda con la pérdida de ilusiones primero y con la acomodación a los moldes sociales después, de una forma inapelable, como lo afirma Pipo en *Fiestas:* «La vida seguía su curso y resultaba imposible volver atrás» (p. 230).

En *Juegos* el pasado es interpretado por cada personaje y revierte sobre su vida. Parte de los condicionamientos sufridos por un niño y explica las causas de un fracaso personal ocasionado por las imposiciones familiares y educativas. A través de los recuerdos, el autor ofrece toda una intrahistoria de un colegio o de una familia (sobre todo en los capítulos II y IV). A través de los diarios o del soliloquio de David, cesa en el movimiento y el presente se vuelve hacia un pasado inmediato y personal. No hay un análisis histórico explícito, sino unos acontecimientos concretos que señalan el presente como resultado de una educación inadecuada. Los personajes sienten necesidad de descargar el peso de sus vidas y aclaran a los amigos los complejos y angustias que generan actitudes aparentemente turbias. En general, se trata de una crisis educativa y social. Para David el problema reside en que le ha sido otorgada con visos de racionalidad una forma de vida que no se sostiene: ni en el dinero se encuentra la felicidad, ni en la seguridad un fundamento del futuro. El pasado que se les da como ejemplo no es válido, como tampoco lo son las acusaciones que reciben de muchachos alocados. La marginación voluntaria es la necesaria reacción contra los moldes y la experiencia que sus mayores quieren imponer. El pasado familiar laborioso, la presente universidad, la falsa urbanidad representan para ellos un conjunto de convenciones que son la materialización de los modelos sociales generales y coercitivos. La familia como célula es insuficiente: «Había adivinado muy temprano que el mundo no concluía entre las cuatro paredes de la casa», afirma David (p. 173). Esta constatación le enfrenta a las imposiciones normalizadoras, aleja a Ana de la mansedumbre de su padre y de las pretensiones de su madre, les lleva al aborrecimiento a los miembros de la banda. En una sociedad totalitaria, cualquier elemento que se rompa supone chocar con el Estado. Romper con el pasado es rebelarse contra el presente, quemar las naves con un acto como el asesinato de Guarner es marginarse y poner en cuestión toda una forma de vida. Frente a la intolerancia apabullante de un presente determinado estos rebeldes ostentan la marginación. La negación del pasado tiene valor por ser tal, no por como se produzca. De esta forma, el pasado muestra mejor que el presente. Los personajes no-niños son producto de una educación que proyecta sus sombras en el presente. Ésta será la marca característica de los adultos en la obra completa de Juan Goytisolo y el fundamento de su lucha en la segunda etapa novelística.

Diferente es el caso de los niños, tal y como ya se configura en *Duelo en El Paraíso*. Un niño no tiene pasado. Su pasado es el presente en el que se está formando. Vemos el camino que sigue Abel, para quien cada acto es un paso hacia un futuro que el lector ya conoce desde el comienzo, su muerte. Por ello, la novela no es de intriga, aunque el esquema temporal sea similar al de una obra policíaca (primero, el homicidio; después, descubrir al culpable). Sabemos que el asesino es un niño refugiado, lo de menos es su nombre. Donde radica la verdadera intriga es en los móviles del crimen y la aceptación de éste por la víctima, es decir, en el proceso de formación de Abel y en sus relaciones con los demás. Es una obra que estudia la formación de un futuro, no la intriga. En esto radica fundamentalmente su lirismo, en la narración de una personalidad que se va haciendo a lo largo del tiempo en unas circunstancias determinadas, en la interpretación que un personaje realiza de tales condicionantes, asumidos y llevados a su choque con un futuro mágico y aceptable para Abel, la muerte.

En conjunto, los condicionantes que se sienten como individuales puede adivinarse que tienen fundamentos históricos. Es el peso del tiempo muerto que resta movilidad a los personajes, que viven más en el pasado que en el presente, se explica mejor por los recuerdos que por sus propios actos, lo que carga de una excesiva lentitud a la novela, aunque también proporciona una serie de momentos de indudable belleza. En la trilogía los componentes temporales aparecen de forma diferente.

Se trata en «El mañana efímero» de un estatismo producto directo de las condiciones sociales. Ya no es, como en las primeras novelas, una mezcla de presión social y decaimiento personal, sino sólo una imposición del medio que fuerza a la resignación. Si Pipo muestra el proceso de caída infantil, el Gorila ejemplifica en *Fiestas* la consideración de la vida como algo incontrolable por la persona, sometido a la imposición social. Y se siente culpable por haber transgredido las normas sociales, por su delito. Este sentimiento es tan poderoso que la libertad le llegará cuando haya pagado su culpa. El futuro está implícito en el pasado y marcado por la norma social.

En *El circo*, Utah contempla su pasado y sus actos como un círculo que se cierra progresivamente en torno a él para aprisionarlo y derrotarlo. Su intento de huir mediante las transformaciones se salda con un fracaso inevitable: «Se sentía aproximar cada vez más al borde de la sima, pero no podía impedirlo» (p. 237). La realidad se convierte en pesadilla que se hace cada vez más tétrica a medida que el tiempo cerca al personaje y juega en contra de la libertad y a favor de la integración social. Frente al individuo con una vida limitada, las normas tienen antes y después posibilidades suficientes para imponerse, debido a lo cual el retroceso como recurso disminuye en estas novelas de la trilogía. Los condicionamientos del pasado pierden fuerza ante una situación que se convierte en intemporal por ser social. Frente a la individualidad creadora y responsable, libre, necesitada de un transcurso y progresión, la sociedad presenta un tiempo donde cada instante es idéntico al anterior, donde la historia se repite, donde el eterno presente es un infierno. La ilusión no tiene cabida porque el pasado es como el presente y éste idéntico al futuro: una situación inmóvil, un cliché fotográfico constantemente reproducido.

El pasado aparece más esporádicamente en la trilogía. Las novelas se centran en el presente y los recuerdos pasan a ser un componente más de los límites en los que se mueven los adultos, como sucede con el crimen del Gorila. La rémora del pasado desaparece, lo que proporciona una mayor rapidez a la novela. El retroceso temporal es una técnica adecuada en sus dos primeras obras para un análisis detallado, pero en este caso puede entorpecer la denuncia o desviar el testimonio de la realidad. Se puede emplear, pero siempre al servicio de la idea crítica esencial, es decir, con limitación en su uso. En las novelas que componen la trilogía, las vueltas atrás dejan de ser una detención pretendidamente lírica para ponerse al servicio de la rapidez. Su función es aclarar los motivos de un personaje y, sobre todo, exponer los condicionamientos de los que parte para el futuro. Un recuerdo puede sustituir toda una serie de actos repetidos en el presente. En vez de presentarnos en diversas ocasiones al Gorila nervioso al ver un policía, es más rápido y directo para el lector recordar el asesinato cometido. Así, cada retroceso es un trampolín analítico, con el consiguiente ahorro de espacio novelístico para dedicarse a otros personajes. Es uno de los múltiples condicionamientos del personaje colectivo, la necesidad de esbozarlo sin profundizar en él. El tiempo deja de ser un componente vital para convertirse en un factor estructural, el pasado pasa a ser un sustitutivo del movimiento del personaje en el presente. Con ello sufre el objetivismo como técnica, pues no vemos actuar al personaje, sino que el lector debe creerse lo que dice, lo que recuerda y la valoración que otorga a los acontecimientos pasados. En contrapartida, se crea un personaje dislocado y parcelado. El penduleo presente-pasado nos coloca ante un fragmentarismo que rompe con el personaje de una sola pieza del que sabemos toda su vida y andanzas. Se ofrecen las parcelas de vida consideradas por el autor de mayor interés: la destrucción de las ilusiones, la búsqueda de un sentido a la vida, la desilusión ante los valores sociales. El personaje entra en una serie de contradicciones sociales y personales, y se muestra disgregado en una sociedad inmóvil.

Para impedir que la denuncia se intemporalice y subrayar la responsabilidad que la sociedad española de los años cincuenta tiene en este estatismo, Juan Goytisolo se preocupa de marcar el transcurso del tiempo y datar la obra con precisión. Ambos aspectos alcanzan su mejor exponente en *La resaca* y *La isla.*

La resaca transcurre entre los primeros días de junio y el 11 de agosto. Comienza un domingo (p. 7) y, posteriormente, va aludiendo al paso del tiempo en cada capítulo:

Cap. 2: «Su aprendizaje se prolongó durante toda una semana» (p. 59)=primera semana.
Cap. 3: «Había dado comienzo la Semana del Suburbio» (p. 81). «Había acabado la Semana del Suburbio» (p. 104)=segunda semana.
Cap. 4: «La víspera de San Juan» (p. 117)=23 de junio.
Cap. 6: «A mediados de julio» (p. 171).
Cap. 7: «El domingo, 11 de agosto» (p. 181).

Mientras en *Fiestas* los acontecimientos son producidos por agentes externos a los personajes y en *El circo* veinticuatro horas bastan para ejemplificar toda una forma de vida personal y social, pues todo se reitera, señalando así el peso abrumador de la sociedad sobre el personaje, en *La resaca* el tiempo narrado se amplía para mostrar el efecto de esa inmovilidad sobre el personaje y cómo éste asume progresivamente el papel que la sociedad le ha encomendado. En las dos primeras novelas de la trilogía, la sociedad impone sus condiciones sobre los adultos, y el Gorila y Utah son destruidos por inasimilables, mientras los niños, Pipo y Luz Divina, aceptan progresivamente integrarse en un medio muerto. En *La resaca,* tanto jóvenes como adultos, Antonio y Giner, van interiorizando su derrota. Necesitan tiempo para convencerse de la inutilidad de su empeño para alterar la sociedad y conseguir una forma diferente de vivir, lo que sería un triunfo inaceptable para la sociedad. Este ambiente estancado es el de la década de los cincuenta, el de la España eterna. El año podría deducirse por ciertos acontecimientos: *Fiestas* se desarrolla durante el XXXV Congreso Eucarístico, celebrado en Barcelona del 27 de mayo al 3 de junio de 1952, y *La resaca* cita a Pío XII, fallecido en 1958. En realidad, lo importante es que cualquier año es idéntico a otro, sin perspectivas ni esperanzas, y la monotonía abrasa toda ilusión.

Esta sensación de acabamiento es la base de *La isla*. Fechada en el «XXI año triunfal» (p. 18), complementa con la fecha explícita el encuadre espacial de Torremolinos. Claudia es el personaje de esta primera época de Goytisolo que mejor indica el proceso de hundimiento e inutilidad, de desgaste progresivo que la sociedad ocasiona sobre los deseos de lucha del individuo. El adormecimiento es la no-vida, la inacción que se pretende sea única idea del personaje: «Vivir era disolverse hasta acabar» (p. 88). Éste puede ser el lema de todo un grupo que culmina el planteamiento de las novelas anteriores, la asunción del papel social de inactividad, la denuncia de las clases dirigentes incapaces de llevar adelante una acción, la ausencia de futuro para todo un país: «Ya no pensábamos en el futuro, nos contentábamos en vivir para el día» (p. 56) [39]. El pasado esperanzado de Claudia se ha resuelto en un apático vacío. El autor ha encontrado los determinantes. Cada personaje piensa sobre su pasado y, de acuerdo con su trayectoria, ve condicionado su futuro. A medida que consume su tiempo, las posibilidades de realización se van cerrando y cada esperanza que se extingue cierra posibles caminos y fuerza a una única vía: la inacción.

De esta forma, las novelas de Juan Goytisolo se caracte-

---

[39] «El ahora en que transcurre toda la acción de *La isla* depende de estas breves miradas hacia el pasado, hacia el paraíso perdido. Sin ellas, el lector no comprendería la angustia vital, el cinismo, la ironía, el aburrimiento..., es decir, todas aquellas características que integran la auténtica realidad presente en los personajes», Buckley, ob. cit., p. 170. Creo que esta opinión es extensible a las restantes novelas.

rizan por ser una exploración de los moldes que impone la sociedad española. Progresivamente su denuncia es más lúcida y penetrante. El tiempo del personaje deja de ser un mero marco para irse integrando en la psicología. La idea de la España eterna e inmóvil se transforma en componente novelístico, deja de ser una abstracción ideológica para convertirse en literatura y una buena muestra de la capacidad del autor para, dentro de los límites teóricos del realismo social, crear una novela cada vez más perfecta.

Técnicas de la temporalidad

Juan Goytisolo resuelve el problema del tiempo con tres técnicas. La primera, la simultaneidad, es una técnica objetiva, pues depende de la composición de la novela, de la selección de episodios y posterior montaje. La segunda es el retroceso, que participa de la composición novelística y de la introspección del personaje. Finalmente, tenemos la descripción, que transmite al lector las impresiones directas del narrador, orientándole hacia una determinada cosmovisión temporal.

La única novela con una simultaneidad clara es *El circo*. El pregón de las fiestas de Las Caldas, al comienzo de la novela, es un verdadero índice temporal que sitúa los momentos en los que los personajes, en lugares diversos y al mismo tiempo, se mueven. Se evita así la constante presencia del reloj, lo que supone un avance novelístico sobre las obras anteriores. Por otra parte, el viaje que realiza Utah de Madrid al pueblo posibilita la constante superposición del pensamiento del personaje y de los acontecimientos que se desarrollan en Las Caldas, creando una trágica ironía donde las ensoñaciones y mixtificaciones de Utah contrastan con la realidad y le conducen hacia la catástrofe. El destino juega con él y combina los telegramas del viajero con el asesinato que comete Atila, para que Utah parezca culpable. La necesidad de mostrar la vida de un pueblo durante veinticuatro horas condiciona una simultaneidad que puede resumirse en tres focos. El primero se produce en la primera parte y es de contraste subjetivo. Utah-Elisa por un lado, don Julio-Celia por otro. Es la contraposición esposo-esposa y amante-amada que opone a los personajes y los ambienta en círculos sociales diferentes. Se logra así la unión tiempo-espacio y mostrar diversos lugares. El segundo sirve al nudo de la novela: viaje de Utah (pp. 110-116) y la casa de los Olano (pp. 126-128); por la tarde, de nuevo Utah simultanea su viaje con el partido de fútbol de Atila (pp. 156-164) con una funcionalidad argumental y costumbrista. En la tercera parte se acumulan las desilusiones y fracasos: el pecado de Flora y el fracaso de la fiesta de Luz Divina, hija de Utah (pp. 174-183); y el triunfal baile del Casino contrasta con la persecución que sufre Utah, el fracaso amoroso de Celia y el asesinato de don Julio, en claro contrapunto (pp. 209-242).

La poca frecuencia del empleo de la simultaneidad, tan útil para la denuncia combinada con el contrapunto, tiene explicación. El simultaneísmo es una técnica consistente en la realización de dos acciones en el mismo tiempo y diferente lugar. Pero estas acciones no tienen por qué tener una función antitética. En el contrapunto hay una simultaneidad, pero cada una de las acciones es la antítesis de la otra. A una situación trágica le contrasta una escena cómica o apacible, bien con el fin de distender la tensión de la novela o, por el contrario, de mostrar la amargura en medio de la felicidad. Su función es menos técnica, busca más la oposición emotiva y semántica. Así, podemos decir que en el simultaneísmo se puede dar la complementariedad de las acciones mientras que en el contrapunto se produce un contraste cuya finalidad puede ser variada, trágica o cómica, o ambas a la vez, finalidad que depende del enfoque de la obra.

Sin embargo, el empleo de una técnica compositiva como el contrapunto no es sencillo. Requiere, primero, una novela lo suficientemente compleja en su estructura para mantener coordinadas con múltiples recursos (contactos entre los personajes, señales temporales localizables, identificación de los mismos elementos sensoriales por dos personajes alejados, etc.) dos acciones opuestas en su significado, lo que supone un relato muy cuidado y elaborado para que el recurso se aprecie sin que resulte falso o traído a destiempo. En segundo lugar, esto precisa un público capaz de aprehenderlo como tal recurso y valorarlo. Ambas circunstancias, por su complejidad, resultaban inapropiadas para testimoniar de un modo claro y directo. Por esto, podemos encontrar incorporada esta técnica, pero de forma muy leve y siempre evidente, contrastando fuertemente con la acción principal de la novela.

En las primeras obras el contrapunto es observado y comentado por los propios personajes. El autor lo utiliza para dirigir la atención del lector hacia el contraste entre la situación tensa del personaje y la tranquilidad del entorno [40], o entre un problema real y una nimiedad, que hace aparecer aquel sangrante. La intencionalidad de la cita puede llevar a resaltarse con letra bastardilla [41]. En *El circo,* el contrapunto se presenta de forma más integrada, como la huida de Utah y la fiesta del Casino.

El fragmentarismo que implica el contrapunto supone una concepción del mundo. Ante la incapacidad de los personajes para aprehender globalidades, el mundo y su vida se presentan fragmentarios e inconexos. Se analizan como una serie de compartimientos estancos: familia, amigos, sociedad, son componentes que forman parte de su vida, pero que no se relacionan. Se sienten divididos, su cosmovisión se forma de retazos y su vida carece de integridad, por lo que están destinados al fracaso. Su identidad la alcanzan en uno de los componentes de su personalidad, el social. La sociedad les ofrece el reconocimiento a costa de renunciar a los rasgos individuales.

Vemos, pues, que pese a ser una técnica básica en la novela objetiva, la simultaneidad no aparece con frecuencia. En mi opinión, dos pueden ser los motivos: uno, que el plantear unas novelas dilatadas en su duración interna no favorecen esta técnica. En segundo lugar, que tal técnica obligaría al lector a concentrar su atención en los puntos de contacto de las diferentes escenas, ya que no podría

---

[40] Así, en *Juegos de manos,* mientras David está en el piso de Guarner para matarlo, en el portal la banda contempla a un niño jugando con un guardia (p. 199).

[41] «Gran rifa de *Chocolates El Gato*». «*Ustedes recibirán algo inesperado el mes de junio*». Casi a pesar de él levantó la cabeza y observó la comitiva de murcianos. Verdaderamente la casa anunciadora había cumplido su promesa: nadie en el barrio había previsto aquella expulsión», *Fiestas,* p. 183.

emplearse el reloj como medio único, sino que habría que utilizar recursos auditivos, táctiles, etc., que fuesen comunes a ambos planos espaciales. Esto supondría una elaboración más cuidada y, en consecuencia, un lector más capacitado para apreciarla e interpretarla adecuadamente. La necesidad de captar a los lectores o su benevolencia creo que es un condicionamiento importante para cualquier desarrollo técnico novelesco. Por otro lado, un excesivo mecanicismo en la simultaneidad produciría una degradación similar a las de las novelas de folletín. Pese a estas dificultades, el simultaneísmo temporal posibilita el tránsito del protagonismo individual al personaje colectivo, importante cambio al ampliar el ámbito novelado.

La segunda técnica anotada es la del retroceso temporal. En el capítulo precedente vimos su función estructural. Ésta no difiere mucho de su valor temporal, pero tiene motivaciones técnicas que conviene reseñar. El cortar el tiempo, la posibilidad de hacerlo retroceder es una técnica cinematográfica muy empleada por los novelistas italianos y estadounidenses. En *Juegos de manos* el empleo de esta técnica es aún excesivamente mecanicista y poco motivado, pero presenta ya el problema: «Mi niñez, que me había parecido algo muy simple, ahora que trato de abarcarlo por entero, me parece de pronto enormemente complicada. El recuerdo que conservo de ella es turbio y fragmentario y, cuanto más medito en sus menudas incidencias, menos digna me parece de caer en el olvido» (p. 171). Esta cita de David es un buen ejemplo del tratamiento que Goytisolo hace de la técnica del retroceso en sus dos primeras novelas. La aparición de dos términos contrapuestos, «simple» y «complicada», introduce una distorsión que hace concebir el recuerdo como «fragmentario». Recuerda una selección de acontecimientos sencillos individualmente, y opuestos entre sí. En su monólogo interior, el personaje selecciona los datos a exponer y trata de hallar su vinculación con el momento que vive. Se plantea así una subjetividad desarmónica, dividida, incapaz de comprender el mundo que habita. En una sociedad con graves contradicciones, el personaje participa de ellas, su propia temporalidad es «turbia», forma parte de la disgregación y confusiones generales. El joven siente deshacerse su personalidad. Su niñez, la niñez de los personajes en general, difiere de lo esperado. Los padres no supieron inculcarles unos valores convincentes, su presente vacío se nutre de un pasado contradictorio. Todos los detalles, el más mínimo, es una repetición de lo que les sucede a otros. Una inauguración, un robo, una banda, cualquier dato basta para señalar ese pasado que entra en oposición con su educación e ilumina la causa de la confusión del presente. La vuelta al pasado se lleva a cabo con el empleo de una técnica sencilla. Por prejuicios se abandona por inútil el monólogo interior, perfectamente asimilable para el retroceso temporal.

Esto nos llevaría a un segundo aspecto, que es la sumisión de los recursos estéticos a la finalidad de denunciar. El autor confunde la técnica novelística de los años veinte con el esteticismo apolítico, cuando éste es una actitud personal ante la vida que no invalida los avances literarios realizados. Se hace predominar el valor ético sobre el estético y considera que la denuncia, para ser efectiva, debe ser sencilla, lo que conduce a una serie de renuncias de logros narrativos. De este modo, y en un aspecto tan importante y difícil como el retroceso, el discurso literario se hunde al obligarse el autor por las circunstancias socioliterarias a conformar el tema (opresión, disgregación) con una exposición que no le corresponde, pues nos da una selección lineal en el tiempo, con lo que la subjetividad del personaje aparece al mismo tiempo con una forma ordenada y un contenido caótico. La dificultad suscitada por el cruce entre el punto de vista retrospectivo adoptado y la isocronía del monólogo interior entre el tiempo real de lectura y el tiempo novelístico del personaje, junto con los contenidos caóticos de la mente y la necesidad de hacerlos asequibles a un lector incipiente, hace que el resultado sea la búsqueda de un equilibrio literario insatisfactorio, en el que predomina la claridad de la denuncia a costa de restar valor estético.

La tercera técnica es el uso de medios temporales para marcar la inmovilidad, en paralelo al estatismo espacial analizado. Cuando llega un momento importante o la muerte se encuentra cerca, el tiempo se detiene creándose un estatismo lleno de presagios nefastos. No es un valor absoluto, sino que la visión que de él tiene el personaje es lo que suministra su función novelística. El personaje siente al tiempo devorador, una serie de momentos pasados y presentes que condicionan su vida y la abocan a un final predestinado. Y esta inevitabilidad es la que el autor transmite al ánimo del lector.

Veamos cómo se realiza esto, de forma esquemática, en Flora uno de los personajes de *El circo*. Flora es el personaje que soporta la carga del paso del tiempo en la novela. El tedio y el aburrimiento, la monotonía son la marca psicológica de este personaje. Cada vez que aparece con una cierta fuerza en la novela, domina el vocabulario temporal: hora, tarde, otoño, meses, año. La sensación destructora se realiza graduando la amplitud temporal. La presencia del personaje se inicia con lapsos amplios (año, estaciones), complementados por espacios abiertos (paseo, calles). A medida que el novelista avanza en la penetración de este personaje, tiempo y espacio se van concentrando y estrechando: tarde, café, cine, hasta llegar a la angustia máxima que supone el tedio de una hora concreta vacía en una habitación cerrada. Se crea un clímax que conduce, por su tensión creciente, a un estallido antisocial, rompiendo las normas, tan frecuentes en estos personajes angustiados y sin futuro: citarse con el tonto del pueblo, al que nadie hará caso si lo cuenta.

Este proceso se acompaña estilísticamente con frecuentes locuciones temporales y con complementos circunstanciales que inician la oración o el fragmento, con lo que se resalta la frustración que supone el transcurso vacuo del tiempo en una soltera ya madura, incapaz de esperar nada de la vida. Simultáneamente, se contrasta presente y pasado. El pasado remoto, cuando era joven, con novio y esperanzas, y el pasado próximo, con la libertad que otorga el verano, presentan unos valores morales adormecidos. El presente, el otoño, supone la vuelta a la cotidianeidad: el tedio de las amistades, las prohibiciones y los sitios poco recomendables. Es el aburrimiento absurdo, impuesto como norma. La muerte lenta e inevitable provoca la hipocresía y alimenta los golpes, inútiles (para la sociedad) y frustrantes (para el personaje), como el pecado de Flora.

De lo anterior se desprende que es ostensible en las novelas la ambientación en el presente histórico español, entendiendo éste como la plasmación novelística de las vivencias que atraviesa el autor, incluido el problema de su niñez durante la guerra, que se complementa con una tendencia a limitar la acción novelística en el tiempo y en el espacio para evitar la novela-río decimonónica, y concentrar todo el valor y sentido de una vida en una etapa que no sobrepase un par de meses como máximo. Esto conduce a incrementar al máximo el contenido de la temporalidad, para que trascienda lo anecdótico y se convierta en síntoma de toda una vida y ésta en símbolo de una clase o grupo social, así como el lugar elegido representa a España con el paso del tiempo, señala la angustia del hombre por la pérdida de una vida irrecuperable en actos mecánicos que la vacían de contenido, imposibilitando la realización humana integral, lo que lleva a un sentimiento de fracaso y de impotencia que impide abrigar esperanzas para el futuro [42].

Esta concepción temporal se traslada a la novela mediante una serie de técnicas que resultan demasiado sencillas para reflejar adecuadamente un pensamiento tan angustioso y conflictivo. Así, se nota un desequilibrio en la separación establecida entre la necesidad de no ser demasiado difícil en la técnica y la de transmitir al lector la angustia que oprime al personaje, que es una sensación compleja. Se muestra así el novelista más capaz en el manejo del paisaje que en el empleo del tiempo, lo que es normal si consideramos la dificultad de tratamiento que éste ofrece. Pero ambos aspectos, tiempo y espacio, no se configuran como entes autónomos, sino imbricados con las vivencias y concepción del mundo de los personajes, vistos a través de ellos.

[42] Para Pouillon (ob. cit., pp. 127-128) el empleo del imperfecto en particular y del pasado en general en una novela que narra acontecimientos presentes no tiene otro fundamento que mostrar la acción novelística como un espectáculo que se desarrolla ante nosotros y del que no participamos. Su sentido o valor no sería propiamente temporal, sino espacial, de distanciamiento. El presente sería más objetivo, pero impediría el análisis del proceso de degradación.

4. PERSONAJES

Tras analizar, por una parte, la visión del tiempo y del espacio, así como la proyección sobre ambos de los estados anímicos de los personajes, y por otra, el acercamiento al objetivismo que el autor intenta en cada novela, será obvio afirmar que los personajes se presentan en la novela desde un doble y complementario punto de vista: el externo, marcado por el narrador en tercera persona, y el interno, caracterizado por el monólogo interior del protagonista. Hemos visto que no hay una total separación entre ambos planteamientos, ya que a menudo se interfieren, bien simbolizando en los objetos sensaciones o sentimientos de los personajes, como la melancolía o la alegría; bien con la crónica impersonal que el mismo personaje hace de su pasado (véase, por ejemplo, el diario de David). Paradójicamente, un sistema de doble presentación, externo e interno, como éste crea unos personajes más circulares pero al mismo tiempo faltos de relieve, y siempre configurados por cuatro niveles: el aspecto físico, el dinero o clase social a la que pertenecen, su psicología y su lenguaje. Dentro del análisis psicológico merecen especial atención las figuras del mixtificador y del líder, ambos relacionados con la banda.

Antes de comentarlo es necesario aclarar ciertas constantes estructurales de este esquema. Si bien los personajes secundarios cuentan con estos niveles de caracterización, sólo los más importantes participan de todos ellos. Además, la mayor o menor participación en los niveles citados no supone mejor o peor caracterización. Hay personajes que participan de ellos y son borrosos, y otros, con menos participación, tienen mayor fuerza, lo que permite resaltar que estos niveles son moldes, dada la semejanza entre los personajes de diferentes novelas.

El físico de los personajes

A lo largo de las novelas de esta primera etapa de Goytisolo destaca el notable parecido existente entre los niños. Son éstos los más detalladamente descritos, en el sentido de que las informaciones que de ellos se aportan son más abundantes. Mientras que en los adultos se limita a una caracterización física muy genérica, en los niños y adolescentes el autor resalta una serie común de rasgos de la cara. La técnica descriptiva puede apreciarse que es un logro progresivo a lo largo de la carrera de Goytisolo. Así, tenemos que la descripción de David va surgiendo a lo largo de la primera novela; los detalles se hallan desperdigados y tienden a acumularse en la parte final de la obra, lo que parece indicar un primer intento en el que el físico del personaje carecía aún de importancia [43]. Sin embargo, en él se encuentran ya las características que forman la imagen de toda una galería repetida de figuras.

En *Duelo en El Paraíso,* su protagonista, Abel, tiene ya una realidad física más unitaria. Se nos describe casi de entrada y posteriormente sólo se le añade el rasgo del pelo rizado (p. 70) [44], como acontece con Pira, presente desde las primeras páginas [45] y con una aureola que es un elemento

[43] «Despeinado, pálido, David inspiraba más bien pena» (p. 84). «Sus ojos azules parpadeaban» (p. 195). «Cabello dorado y ojos claros» (p. 192). «Ojos dulces» (p. 185).

[44] «La mecedora estaba ocupada por un niño de diez u once años, de cabello rubio y rostro agraciado [...] con ojos asustados y azules» (p. 35).

[45] «[El rostro] era pálido, muy pálido, como de porcelana blanca, con una naricilla ligeramente respingona y ojos oscuros y vivísimos. El cabello, muy rubio, estaba peinado con una sola trenza. En torno a la frente unos mechones rebeldes formaban una aureola dorada que, incendiada por el sol de la tarde, simulaba una especie de nimbo», *Fiestas,* p. 13.

nuevo y determinante, según veremos posteriormente. Esta aureola cobra ya un mayor sentido en el Antonio de *La resaca*[46], pues adquiere todo su significado angelical y termina por configurar el rostro de los muchachos, único elemento físico al que se presta atención[47].

El retrato físico de los personajes se centra en dos puntos esenciales: los ojos y el cabello. Un cabello rubio y/o rizado y unos ojos claros o dulces son toda la caracterización de un personaje. Añadamos a ello que estos rasgos no se prodigan en la novela. Es decir, que el personaje tenga unos ojos llamativos no significa que lo vean así otros personajes, puesto que no se repite el tema o el apodo, limitándose la descripción —excepto en el caso de Antonio— a un solo momento de la novela. Los citados son los únicos personajes con una caracterización física. En los demás, personajes secundarios en general, los datos aparecen de forma circunstancial y limitada. De ellos sólo sabemos cómo visten o que son fuertes —poca cosa si recordamos las minuciosas descripciones del siglo XIX y el importante papel que desempeñaban en la novela—. Aquí la escasez de rasgos, la presentación negativa, se debe a que forman parte de un mundo ignorado, al que se desprecia.

Tal planteamiento, constante en la obra de Goytisolo, tiene, además, otro rasgo pertinente que ya había aparecido en la descripción de Pira («Aureola dorada que ... simulaba una especie de nimbo»): el de la santidad física de los personajes. Cuando habla del libro de los niños santos, Alvarito recuerda los dibujos: «Ingenuamente había intentado imitar las actitudes de los mártires dibujados en el libro con una

[46] «Dos luceros y una pinta de ángel, como tienes tú, no bastan [...] Sus compañeros le llamaban, despectivamente, Ojos Lindos» (pp. 72-73). Incluso los sobrinos de Claudia, niños que son circunstanciales en la novela y de esporádica aparición, responden al mismo tipo: «Tenían el pelo casi dorado [...]. Los dos parecían cortados por la misma tijera» *(La isla,* p. 16).

[47] Toda la crítica ha llamado la atención sobre este aspecto basándose en el ya citado artículo de Cirre, que señala la presencia reiterada de figuras «arquetípicas», el líder y el mixtificador. Entre los primeros estarían Mendoza, el Arquero y Metralla. Buckley añade una tercera figura, la víctima, que separa del mixtificador y que serían David, Abel, Utah, Pipo y Antonio (ob. cit., p. 158).

corona de santidad milagrosamente sostenida sobre su rubia y angelical cabeza», y también, «que había un dibujo de San Tarsicio en la cubierta[48]. En el caso de Abel es simbólica la pleitesía que le rinde la naturaleza: «Se abrió paso a través del sendero de alfalfa, que el viento doblaba y abatía, como una doble fila de sirvientes que se inclinaban a su paso»[49]. La similitud entre las citas obedece a una imagen prefijada en la mente del autor, una impresión personal que se repite en sus primeras novelas, desaparece en *El circo* y vuelve a surgir en *Señas de identidad,* donde veremos que cumple una función diferente.

A los ojos y el cabello se añade un tercer rasgo, propio de la iconografía tradicional del catolicismo, a través del cual toman una nueva dimensión los dos primeros: pasan a ser complemento de un factor dominante que imprime a toda descripción un significado iconográfico y le da un valor subjetivo, sugerido por el propio autor y no por la realidad. Esta misma idea se ve confirmada si consideramos que los tres niños descritos como santos son también las futuras víctimas. Su físico anuncia su destino, o, mejor dicho, su sacrificio final impone al autor la imagen de un físico acorde con su papel en la novela.

Clase social

Junto con el físico, el nivel social diferencia a los personajes en las novelas de Juan Goytisolo, aunque no es un elemento constante, ni siempre cumple la misma función.

Los personajes de *Juegos de manos* son acomodados, excepto Ana, y todos lo sienten como causa de su fracaso y tedio. Según afirmación de David:

> Yo era un niño tibio e incoloro, de escasa vitalidad y de una salud enfermiza que constituía el tormento de mis padres. Nací en el seno de una familia distinguida y bien relacionada de la que soy el último vástago (p. 171).

---

[48] *Señas de identidad,* pp. 23 y 21.

[49] *Duelo en El Paraíso,* pp. 38-39.

Se inicia en esta novela otro tema que alcanzará su grado más significativo en *Señas de identidad* y analizará entonces: el del abuelo rico. La riqueza de la familia de David procede de la fortuna hecha por su abuelo en un ingenio de las Antillas [50]. En *Juegos* el nivel social es homogéneo. La única que podía resultar un personaje contrastante, Ana, tiene poca capacidad de oposición, ya que anida un odio tan irracional que hace imposible para la banda encontrar en ella un cauce para sus deseos.

En *Duelo en El Paraíso* el planteamiento cambia. Ahora es un niño de buena familia, Abel, que nota cómo le aparta su origen social de los que desea por amigos [51]. El sentimiento de culpa por su pertenencia a una clase social más favorecida es palpable. Los personajes se sienten diferentes a quienes les rodean o desean huir de ese ambiente que les ahoga sin ofrecerles satisfacciones compensatorias. El mismo problema se plantea, desde otro punto de vista, con un desposeído, Atila, que sale con Juana, una muchacha que pertenece a una buena familia de Las Caldas. Y ésta es la opinión que le merece la clase alta y sus componentes: «Sí, pero cuando estás con tus amigos no dejas que me acerque. Entonces eres la señorita Olano. La señorita Olano alternando con gentes de su clase...» [52]. Como el resto de los personajes de la clase media, Pablo tiene un fuerte sentimiento de culpa que le hace doblegarse a los deseos de aquel que ostenta mayor decisión: «Hiciera lo que hiciese, Pablo se sometía siempre» (p. 87).

Sin embargo, no sólo es la distinta clase social que ocupan los personajes lo que les separa. David y sus amigos son de clase alta, y, a pesar de ello, resultan incompatibles. Todos ellos se sienten segregados del resto del mundo y hacen lo posible para ser admitidos en el círculo de los que admiran siguiendo un camino de degradación personal. Así

[50] *Juegos de manos*, p. 171.

[51] «Había algo en su aspecto que le hacía sentirse avergonzado del suyo. Los niños vestían trajes sucios y gastados; durante el verano se paseaban medio descalzos y desnudos. Su pobreza no parecía preocuparles lo más mínimo [...]. Abel se sentía, por contraste, engolado y ridículo. Deseaba mezclarse con ellos, hacerles olvidar sus diferencias» (pp. 162-163).

[52] *El circo*, p. 76.

lo siente David[53] y Abel con respecto a los refugiados[54]. Así actúa Pablo con respecto a Atila, al que va a ayudar en un robo para ser aceptado por él[55].

En cada una de las novelas contrastan dos clases sociales, pero su función no consiste en señalar diferentes niveles cuantitativos entre los personajes, sino en indicar de forma más subjetiva la carencia de alicientes. Es un ambiente del que reniegan porque les resulta aniquilante de la personalidad, su misma falta de perspectiva hace imposible la superación y su oposición a los condicionantes sólo puede resolverse en fórmulas que les degradan todavía más.

Sin embargo, existe aún en estas primeras obras cierto reparto de papeles según el nivel social. En *Juegos de manos* la banda es un grupo degenerado cuya incapacidad para analizar la situación le conduce al desastre. Pero no es un miembro de su clase, sino Ana, muchacha de la clase obrera, la que introduce en el grupo la idea del asesinato y del odio alimentado desde su niñez despreciada[56].

Similar planteamiento, aunque con mayor dicotomía, encontramos en *Duelo...*, donde el burgués Abel va a ser sacrificado estúpidamente por los refugiados, y en *El circo,* donde Pablo es arrastrado por Atila al robo y al asesinato. En los tres casos se trata de una caída provocada por las necesidades sociales no satisfechas de los miembros de una clase inferior y favorecida por la debilidad moral de los componentes de la clase media. Este reparto de papeles va a ser reafirmado y concretado en las dos últimas novelas de la primera etapa de Juan Goytisolo, *La resaca* y *La isla.* En *La resaca* es un medio miserable el que conlleva, por su

[53] «Nunca me han considerado uno de los suyos —dijo—. Es como si hubiera una barrera», *Juegos de manos,* p. 182.

[54] «Aunque los niños fingieran considerarlo como uno de ellos, ninguno le dirigía la palabra al menos que fuera indispensable. Un muro, más fuerte que sus propios cabezazos, le separaba de los otros», *Duelo en El Paraíso,* p. 201.

[55] «—No tengo miedo.
—Eso espero.
—Iré donde tú vayas», *El circo,* p. 161.

[56] «Sus miradas se posaban en mis piernas estrechas y mientras me dirigían preguntas estúpidas, sentí que brotaba en mi interior la llama del odio» (p. 95).

misma pobreza, la degradación. Los que allí habitan son como animales. Su envilecimiento no está en el robo, sino en su segregación del resto de la sociedad. La participación en la banda es una salida para Antonio que, como Abel, David o Pablo, siente la necesidad de unirse a los más fuertes y ser aceptados por ellos [57]. Verdadero cliché en la obra de Juan Goytisolo, el pensamiento de Antonio es clave para entender la actitud de sus personajes y nos permite centrar el problema de su degradación. Todos los protagonistas sienten la misma desazón y su tormento proyecta una nueva luz sobre el tema social: las clases más bajas no suponen en sí una degradación, que procede de la sociedad que imposibilita toda salida digna del individuo. El ejemplo más evidente está en *La isla,* donde la clase alta se hunde por su incapacidad de encontrar nuevos horizontes que la salven de su encarcelamiento y porque sólo sabe utilizar su dinero para degradar a los demás y a sí misma.

Sea cual sea la clase escogida, la caracterización social de un personaje precisa de un punto de referencia y de un contrapunto. Se lo proporciona una galería de comparsas que dibujan un fondo de ambientación y decorado para la actuación de los protagonistas. No son más que esbozos para colmar el vacío que, de otro modo, les rodearía.

En las dos primeras novelas, tales personajes apenas tienen otra misión que la decorativa. Así sucede en *Juegos...* con el grupo de canarios, cuya acción política sirve de resorte para lanzar a la banda, aunque tal grupo está desdibujado y no le vemos más que en una breve charla de café (pp. 98-105). Lo único que conoceremos de ellos serán algunos nombres, como Gerardo o Jaime. Lo mismo ocurre con los personajes ambientales de *Duelo...* que, a pesar de su ausencia, bien por su muerte (Dora) o por su lejanía (la madre de Abel), siguen pesando sobre los protagonistas.

En «El mañana efímero», la situación varía. Una novela testimonial no puede carecer de ambiente referencial sobre el que denunciar. Se amplía el círculo de personajes secundarios, aunque no ganan en profundidad. Siguen siendo un

---

[57] «La necesidad de hacer algo heroico a los ojos de la banda le atormentaba de nuevo», *La resaca,* p. 71.

trasfondo cuyo grado de despersonalización culmina en *La resaca* después de un proceso doble. En una primera fase se emplea el apodo para determinarlos: Cinco Duros, Cien Gramos, Neorrealista, etc. La segunda fase excluye ya cualquier apelativo: es el caso de «la mujer del imaginero», de quien ignoramos el nombre, incluso cuando la encontramos hablando con una amiga. Y, por descontado, carecen de físico, lo que indica que le importa más al autor su función social que «presentar» un cuerpo.

Existe, sin embargo, un personaje ambiental asiduo que va cobrando cada vez más relieve: es el mendigo. Esbozado con el Proletario de *Juegos de manos,* adquiere mayor consistencia en *Duelo...*, pues se le dedica un capítulo casi completo, el IV. El Gallego que traba amistad con Abel en el bosque le ofrece ya la visión de una experiencia acumulada a lo largo de los años y que debe enfrentarse a la violencia de los tiempos. Se trata, pues, de un personaje más amplio que en *Juegos...*, cuya función es servir de contraste, especialmente con doña Estanislaa, que pertenece a otro ambiente, cerrado y limitado, frente a su mundo libre. Sin embargo, sus bienintencionados consejos a Abel son piedras añadidas al camino del desastre. La personalidad del mendigo se define todavía más en *La resaca,* donde posee ya un nombre propio, Evaristo, más personalizador que los apodos. Evaristo se asemeja al Gallego. Ambos son veteranos de la guerra de Cuba, pero mientras éste tiene una serie de rasgos de desvarío (chapas de botella, concursos absurdos, descubrimientos dudosos), Evaristo es un hombre asentado en la realidad, con medallas de verdad, su negocio de colillas, etc. Su ilusión es que le permitan vivir en la chabola, único refugio que posee. La idea del asilo le espanta, supondría una pérdida de libertad y la sensación de ser un inútil, arriconado tras los servicios prestados. Su suicidio, al recibir la orden de desahucio, no es el de un mendigo extravagante o el de un crítico molesto y pendenciero. Él está integrado en la sociedad, ha combatido y espera un reconocimiento, el derecho a vivir en ella. Su desahucio es más doloroso porque supone la negativa social a sustentar lo que se considera inútil y un obstáculo al lucro. Por eso merece la atención del escritor, que recalca intencionalmente su último rasgo de ciudadanía, el detalle de los potes donde recoge la sangre de sus venas abiertas (pp. 177-180).

A medida que avanza la producción de Juan Goytisolo, el número de estos personajes va creciendo y aumenta su presión sobre los protagonistas hasta el punto de asfixiar sus ilusiones. Paralelamente a la evolución caracterizadora del mendigo, que pasa de ser un simple apodo a una figura con rasgos propios y termina siendo víctima consciente de la sociedad en *La resaca,* constatamos, de una novela a otra, un mayor detallismo en el ambiente que rodea cada clase social. Las dos últimas obras ofrecen un planteamiento más analítico de la influencia que sobre el personaje ejerce una clase social, bien por su mismo momento histórico o su posición con respecto a los demás niveles de la sociedad. Ésta se estructura generalmente en tres clases diferentes: la clase baja, asediada de necesidades y privaciones, es víctima del resto de la sociedad, que la incita a enriquecerse y la rechaza simultáneamente. Su mejor esbozo lo tenemos en *La resaca,* donde el trabajo no gratificado conduce al derrotismo. La clase media aborrece a los chabolistas y suspira por ascender. Mantiene vigentes las normas sociales, mediante las cuales marca su diferencia con los inferiores y quiere igualarse con los superiores. Es la clase más tratada. Aparece en *Juegos de manos, Duelo en El Paraíso, Fiestas* y *El circo.* La clase alta, que emplea su dinero y tiempo en el ocio absurdo, atiende sólo a su capricho personal. Estaría representada por *La isla,* aunque esbozos de algunos personajes los encontremos en *Juegos de manos* (el padre de David) y en *El circo* (don Julio).

De una forma general, podemos notar una gradación inversa en el tratamiento de las clases en las sucesivas novelas. En *Juegos...* y *Duelo...* muestra la burguesía. En «El mañana efímero», el autor abandona su medio originario para descender a un mundo cada vez más mísero. La miseria de *El circo* contrasta con una burguesía rural seudocaciquil, compite con una casa de vecindad ruinosa en *Fiestas* y, por fin, reina en *La resaca.* En cuanto a *La isla,* al denunciar la corrupción de los dirigentes, presenta otro tipo de envilecimiento que prestigia el enfrentamiento definitivo del autor con su propia clase: en *Señas de identidad* culmina la miseria moral que se oculta tras las apariencias[58]. La clase media, la más numerosa, carece de valores. Procede en parte de la clase alta venida a menos y mantiene todos los prejuicios de su pasado esplendor sin tener dinero para alimentarlos. Otra parte está formada por profesionales y oficinistas, mantenedores de una normativa social que no practican. De este modo, se configura en la obra de Goytisolo como una clase vacua, fachada de orden y riqueza, puntal de unos valores impuestos y que trata de imponer a los demás, aunque ella misma no los cumpla. Los detentadores de estos valores son los miembros de la clase alta, incapaz de administrarse en *Juegos...*, enfrascada en amores que se compran *(El circo)* o totalmente corrompida *(La isla)*. Finalmente, la clase baja, entre cuyos miembros se cuentan los vecinos pobres, carece de capacidad de reacción, defiende unos valores que le han sido impuestos y que no responden a sus intereses. Sólo unos pocos personajes lúcidos escapan a esta decadencia generalizada que va descarnando Goytisolo. La plasmación literaria de un grupo impone unas limitaciones asumidas conscientemente por el autor, solicitadas por sus circunstancias, y que conducen a una reiteración en sus creaciones. Se condicionan las obras a un testimonio y denuncia que precisan de un lenguaje y de una sintaxis narrativa amoldada a los análisis de la mixtificación de la realidad por los medios oficiales de comunicación. Intenta en cada novela desvelar la realidad, por lo cual lo literario se encuentra muy mediatizado por el predominio de la función y destino ético de la obra sobre el estético. Si bien es cierto que se profundiza en el análisis del grupo o clase social, se hace a costa de una pérdida del estudio del personaje hasta el punto de encontrarse éste en muchos momentos situado en función del medio. Se rebaja la categoría personal para incidir en las limitaciones que soporta el individuo, que se esquematiza, según vamos a ver a continuación, en exceso[59].

---

[58] Sanz señala que en *La isla* «el tratamiento técnico de la novela es puramente objetivo». *Lectura...*, ob. cit., p. 76.

[59] Esto fue considerado un logro por Lukacs, que le hizo saber a Goytisolo su aprecio por *La resaca,* lo cual es significativo. Con-

Psicología de los jóvenes

Pese a su principio objetivista, en las novelas de Juan Goytisolo es tan importante la visión interna del personaje como la externa, y ambos puntos de vista resultan complementarios. Tanto a través de una narración objetiva, como de una técnica subjetiva —monólogo interior— se le imprime al texto una fuerte carga de juicios de valor que Castilla del Pino denomina evaluación [60].

Esto es especialmente llamativo en sus dos primeras obras, en las que el psicologismo de los personajes es dominante y ordena todos sus actos. Si el físico de ciertos personajes, sobre todo los niños, se realizaba con un único troquel, lo mismo ocurre en el aspecto psicológico. David y Abel comparten idénticos sentimientos y pensamientos, pese a tener uno veinte años y el otro doce. Y ambos se resumen en Antonio, según veremos. David presenta un estado anímico de continuo derrotado. Sus declaraciones, sus pensamientos y lo que de él nos cuenta el narrador es reiterativo en este sentido [61].

Juan Goytisolo divide a sus personajes en dos campos diferentes: a un lado tenemos una víctima que personifica lo odiado; al otro, los verdugos, incluso aquellos, como Pablo o Ana, que no participaban directamente en la muerte, pero son factores fundamentales para que el asesinato se produzca. Pablo porque roba las carabinas y Ana porque les proporciona la excusa para romper. Ninguno de los dos están presentes cuando se deciden las ejecuciones, pero el espíritu de ambos, su ansia de matar, ha inspirado el acto que se consumará poco después [62].

---

frontar Ernesto Parra: «Juan Goytisolo: ni dios, ni amo», entrevista aparecida en *El Viejo Topo*, núm. 26, noviembre 1978.

[60] Cf. Castilla del Pino, *Hermenéutica del lenguaje*, Península, Barcelona.

[61] «Con la mirada fija en el mobiliario de la pieza, se abandonaba suavemente a su destino», *Juegos...*, p. 229. Lo mismo le sucede a Abel en *Duelo en El Paraíso*, p. 202.

[62] Esto lo califica Buckley como «fútiles intentos de superación» (como Ícaro), estrechamente ligados a otro mito, el del hijo pródigo. A estos dos mitos, el crítico suma un tercero, el de Proteo, encarnado por el mixtificador (ob. cit., p. 163).

No hacen falta motivos justos para matar, están en la violencia del ambiente que el propio Guarner hace notar en *Juegos...:* «El ambiente [...] está lleno de sangre. Parece que los jóvenes la olfatean desde lejos» (p. 90). Y lo repite el profesor en *Duelo en El Paraíso:* «Hace más de tres años que se han acostumbrado a oír estadísticas de muertos, de asesinatos, de casas destruidas y de ciudades bombardeadas.»

Los autores materiales de los asesinatos sienten que han cumplido una misión, su sueño de cortar las amarras que les unen a la sociedad, su ruptura personal, sin un objetivo definido. Los demás, sus compañeros de aventura, huyen y les niegan. La muerte no ha probado nada, salvo su incapacidad para resolver la crisis en que viven y el sentimiento de integrarse, derrotados, en la sociedad que odian, pero que les ofrece como salida la posibilidad de sentirse seguros. Asesinos y cómplices son igualmente unos fracasados. Solamente las víctimas consiguen romper su unión con lo que desprecian. Para todos se plantea el problema de una infancia mediatizada por una convivencia familiar y educativa absurda. La repetición de fórmulas negativas marca la constante oposición entre los diferentes miembros de la familia y subraya la reacción depresiva del personaje que encuentra en el ambiente una excusa y un motivo de hundimiento. La hipocresía del mundo que le rodea provoca el menosprecio de unos valores tradicionales que nadie toma en consideración, que no se cumplen, que no son más que medios para alcanzar fines inconfesables. La mediocridad domina su niñez. Sin embargo, pese a los dolores y tristezas de su infancia, el personaje, al perderla, la sublima o intenta mantenerla artificialmente. El miedo a una sociedad caótica le lleva a una mitificación que es a la vez mixtificación. La denuncia del mito de la niñez se hará a través de la figura del mixtificador.

Entre los personajes no es idéntico el reparto del testimonio. Niños y jóvenes son más claros en sus actos y sobre ellos se aprecia mejor el peso social. Los adultos están menos objetivados, pues el recuerdo de su pasado pesa sobre el presente. Pero todos sufren un proceso de desintegración sobre el que testimonian. Así, se denuncian las diferencias sociales y la mentalidad que representa el personaje.

El personaje se enfrenta a ciegas con la realidad. Su falta de profundización lleva a un cierto tipismo, aunque en esto hay una evolución desde el estereotipo de *Juegos...* a los análisis de Claudia, dentro de similares planteamientos. Se parte de una situación externa o empírica que puede ser, según el personaje, de rechazo o aceptación de las reglas sociales impuestas desde la familia. Entre los personajes más caracterizados, sólo en Claudia se omite este primer paso. El segundo paso es la interiorización y análisis del mundo, elaborando una teoría sobre su situación, para pasar a la experimentación de sus hipótesis. Aquí, según el camino elegido, se triunfa o se choca. Se trata, pues, del empleo de una serie de recursos cuidadosamente ordenados para denunciar un sistema social que imposibilita toda actuación basada en la toma de conciencia de un grupo o clase social y fuerza al empleo de las energías en el lucro personal y la insolidaridad. Disconformes como David o integrados como Flora, los personajes de Juan Goytisolo plantean la lucha contra la sociedad. Los jóvenes y los miembros de la clase baja lo airean y buscan una salida: Gloria, Abel, Pipo, Utah, Giner. Los de la clase alta, don Julio o Claudia, lo soportan. Pero toda su frustración nos ofrece el mismo esquema: diferencias sociales cuantitativas (dinero, cultura, normas), relaciones falseadas que conducen a una palabra clave, soledad, y conllevan el ostracismo [63].

El personaje va descubriendo que esta soledad, sentida primero en la propia familia, la padecen todos los miembros de la sociedad. Lo que podía ser una condena ha perdido su valor de castigo. Acuciados por las continuas agresiones sociales, su soledad se transforma en una concha que le protege del mundo. El problema será analizado de forma cada vez más profunda por Goytisolo, sobre todo a partir de «El mañana efímero».

David, en su niñez, se sentía acomplejado por estar alejado de los demás, de los niños pobres a los que admiraba y deseaba por amigos: «Los hijos de los aparceros que correteaban por la era me atraían con sus gritos» (*Juegos*, p. 175).

[63] «Estaba solo» (*Duelo*, p. 200), «Estamos solos» (*Fiestas*, página 228), «Cada uno en su concha» (*La resaca*, p. 53), etc.

El mismo apartamiento siente Abel viendo jugar a los refugiados vascos por el bosque: «Los niños refugiados le atraían. Algo menores que él se movían con independencia absoluta» (*Duelo...*, p. 162). Desde este momento, los muchachos plantean su lucha contra la totalidad de la sociedad para conseguir alejarse del medio que desprecian. A David se le ofrecerá la posibilidad de matar, a Abel la de huir, pero ambos fracasan, como fracasan sus educadores en el deseo de inculcarles el desprecio por esos niños más pobres pero más libres y gráciles que ellos. Como David, Abel siente desmoronarse el mundo de su infancia. El abandono en que se encuentra le lleva a crearse su propia vida en un mundo hostil donde no tienen cabida las ilusiones: «Aquel día —concluyó— me di cuenta de que ni los Reyes ni los padres existían, puesto que en los momentos más difíciles me dejaban en la estacada» (página 173). La única diferencia entre ellos estriba en su concepción de la muerte. Ambos la aceptan como inevitable e incluso deseable. David la ve como el final de una existencia sin sentido, la espera con apatía: «Ahora ya no tiene importancia» (p. 232). En cambio Abel, influenciado por el relato que le hace doña Estanislaa de la de sus hijos, la contempla como una evasión hacia un mundo mágico y alejado de la mediocridad ambiental [64].

Si las víctimas se parecen, lo mismo acontece con los verdugos. En *Duelo,* Pablo, el amigo de Abel, asume y resume los papeles que en *Juegos...* se reparten los miembros de la banda. Esto plantea dos problemas narrativos: ¿Resulta interesante resumir todos los aspectos anteriormente dispersos en un único personaje? La respuesta parece ser positiva, pues la división y reparto de un mismo papel, el de frustrado, entre diversos protagonistas conduce a la repetición constante de ideas, a la creación de caracteres muy similares que se diferencian sólo en pequeños rasgos. Pero ¿es adecuado centrar este resumen en un niño de doce años? En este caso creo que la respuesta debe ser negativa. Los niños de Juan Goytisolo pecan de precoces, aunque el caso de Pablo permita atisbar el motivo. El autor les atribuye una

[64] «Es interesante comprobar cómo esta desilusión [...] de que el paraíso perdido no podrá ser jamás recuperado, coincide con un cambio de edad en el protagonista». Buckley, ob. cit., p. 171.

capacidad de planteamiento y análisis propia de muchachos diez años mayores, tal vez porque la guerra acelera la maduración.

En *Juegos* cada miembro de la banda pretende recoger una visión diferente del mundo. Sin embargo, el grupo forma una totalidad. Las diferencias entre sus elementos son más funcionales —cada uno desempeña un papel en la acción— que de análisis de situación o psicológicas. Arrastran su propia mediocridad entre quienes les ofrecen un modelo incapaz de llenarla. La educación y los valores tradicionales que tratan de inculcarles se revelan vacuos y sin sentido para sus vidas. A la banda le resulta inútil la educación recibida, no sirve a sus anhelos y resulta inoperante en el mundo actual. La sociedad ha establecido su escala de valores, y coloca en un puesto predominante el dinero y las apariencias. A ello se opone esta banda creando un nuevo sistema centrado en lo extraordinario, elemento tan poco ajustado a razón productiva que la única salida que encuentran es el significarse mediante la muerte [65] que nace de este sentimiento de impotencia ante la realidad.

Cuando David medita sobre una niñez que reconoce como algo «turbio y fragmentario» (p. 171), el recuerdo nace de su propia contemplación en el espejo [66], donde percibe al otro, al que realmente es, al muchacho que se sabe incapaz de matar. Poco a poco, sus padres, sus abuelos, sus maestros, sus amigos han ido formando un personaje sin voluntad. De esta forma, el espejo no es sólo el medio de autoconocimiento del individuo, sino también un elemento novelístico cuya función es señalar unos deseos del personaje y mostrar a continuación con más violencia cómo la presión que la sociedad y los acontecimientos ejercen sobre su vida se burlan

---

[65] «—Me aburro [...]. Me es preciso quemar las naves... [...] Matar». *Juegos de manos*, p. 149. Estos jóvenes «constituyen un grupo más extravagante que representativo, compuesto por tipos humanos que coinciden en una problemática social y existencial complicada y más bien gratuita». Salvador Clotas, «Treinta años de literatura», en *Cuadernos para el Diálogo*, Madrid, extraordinario XIV, mayo 1969, p. 13.

[66] «Todo fluye, se escapa, permanecemos siempre extraños. El espejo le devolvió una imagen blanca» (p. 169).

de tales aspiraciones hasta inutilizarlo física o psicológicamente[67]. Este proceso de inutilización total se cumple en *La isla,* donde el espejo recoge la degradación absoluta de los personajes (p. 19). Deja de ser exponente de posibles ilusiones para pasar a ser el testimonio doloroso de la decadencia física y de la imposibilidad de un aguante prolongado. Toda ilusión ha caducado.

Hasta ahora hemos visto una clara división entre la víctima y el verdugo, ambos frente a la sociedad, en un esquema que podría representarse así: víctima/verdugo : sociedad. Esta fórmula va a ser relativamente abandonada en «El mañana efímero», que busca acercarse más objetivamente a los personajes. El monólogo interior pasa de ser una modalidad técnica de la repetición de actos a un discurso más explicativo y completo. Disminuye en frecuencia, lo que da a la trilogía más objetividad, aunque se conservan algunos, necesarios para ilustrar las motivaciones de los personajes. En un proceso de cambio técnico siempre surgen dificultades que aparecen especialmente en una novela de transición, como *Fiestas.* Pipo se siente sólo en medio de la muchedumbre que celebra el Congreso Eucarístico y clama por un ser querido e inalcanzable: «Mamá», gritó (p. 228). Sin embargo, se introduce con él un nuevo componente: el de la lucha contra el propio cuerpo. Este tema, que puede interesar a cualquier novelista, llama aquí la atención por su discordancia con el resto de la obra. Mientras un personaje se fija en un viaje a Italia irrealizable para una niña, como le sucede a Pira, algunos como Arturo o el profesor Ortega centran su atención sobre el problema de las chabolas, de los niños abandonados y segregados por el poder, con sarcasmo el primero y apenado el segundo, y otros buscan aparentar socialmente; cuando la sociedad presiona sobre todos de forma tan diferente, el plantear como problema dejar de ser niño porque así lo marca la fisiología, lo que

---

[67] V. Ch. Meerts, *Technique et visión dans "Señas de identidad" de Juan Goytisolo,* Analecta Romanica, Helf 31. Vittorio Klosterman, Frankfurt an Main, 1972.

El primer capítulo de este folleto, «Le miroir (espejo) ou la naissance à soi», está traducido e incluido en AA. VV., Juan Goytisolo, *Fundamentos,* ya cit., pp. 93-108.

conlleva adoptar, por tal imposición natural, unas responsabilidades sociales, es sacar al personaje a otro plano y alejarle del ambiente que se pretende denunciar. La integración de Pipo será un fracaso. La sociedad ha presionado indirectamente para que sea así. Pero lo que resalta en este personaje no es tal presión social, sino su análisis de la necesidad de integrarse por el hecho de crecer. El Gorila, amigo de Pipo, puede ser considerado inocente de su crimen debido a que la sociedad no quiso educarle. Así podría haberse insinuado en la novela. En cambio, el problema se enfoca desde el sentimiento de culpabilidad que invade a Pipo por denunciar al amigo. Nada esencial en la psicología del niño enlaza con el tema de la denuncia social, salvo la soledad, común a todos los personajes de Goytisolo: «Estamos solos. Los caminos no conducen a ningún sitio» (p. 227). Esta soledad les hace abandonar la búsqueda de un paraíso, caer en la angustia perpetua, entrar en el combate por la vida solos y sin esperanza dentro de un ambiente de excepcional violencia, simbolizada por la navaja como arma homicida y del crimen como constante alternativa. «Crímenes, atentados y atracos excitaban su fantasía. Secretamente, ambicionaba cometer hechos iguales» (Antonio en *La resaca,* p. 47).

Sólo la muerte les permite salir de un mundo al que no pueden ni saben enfrentarse por carecer de metas que les ilusionen. Los jóvenes protagonistas se sienten vacíos, participan de una insatisfacción generalizada en la época presente, perfectamente definida por Marcuse. El análisis del filósofo alemán respecto al momento cultural que vivimos se adecúa a su situación existencial. Aunque por motivos diferentes todos parten de una falta de amor que marca su vida y sus actos. «Es el fracaso del Eros, la falta de satisfacción en la vida el que aumenta el valor instintivo de la muerte. Las diferentes formas de regresión son una protesta contra la insuficiencia de la civilización: contra el hecho de que prevalezca el esfuerzo sobre el placer, la actuación sobre la gratificación» [68]. Los protagonistas buscan una nueva sociedad y emplean el término libertad de un modo un tanto

[68] H. Marcuse, *Eros y civilización,* Barcelona, Seix Barral, 1968, p. 108.

especial. Pero esto no significa que no sea coherente. Nosotros podemos aplicar nuestra idea de libertad, pero no debemos imponérsela a los personajes. Si aplicamos el análisis de Marcuse a la idea de libertad en las dos primeras novelas, lo encontramos acorde con la psicología que la sociedad ha desarrollado en el individuo al ir reduciendo el campo de la satisfacción personal. Llegado a un punto en el que lograr la libertad supone realizar un acto supremo, matar, si no se lleva a cabo, están abocados a la angustia o al suicidio. Se aprecia así la coherencia que el personaje tiene consigo mismo. Que su actuación cara a cambiar la sociedad sea inoperante es cierto, pero también lo es que su sufrimiento, en el fondo, es consigo mismo, tal como nos lo demuestran los últimos monólogos de Agustín y David y la sumisión de Abel ante el sacrificio final. Los personajes no buscan, de hecho, alterar la sociedad, sino una salida a su angustia. El planteamiento puede considerarse incompleto, que hay otras posibilidades, pero no falso.

Vemos cómo Pipo conserva ciertos rasgos de las primeras novelas: algo del cinismo de Luis Páez, la debilidad de David frente al mundo hostil, el recurso de Abel a la ensoñación como medio de vida. Similitudes que, sin embargo, se han debilitado con respecto a sus predecesores. Pipo es el final de una serie de protagonistas, niños o muchachos, que piensan en la posibilidad de escapar, y el preludio de otros personajes [69]. Como Abel, Pipo se siente en condiciones de formarse un destino y una personalidad. En ambos la realidad va a truncar sus esperanzas. No sólo no pueden escapar de su carácter, sino que ambos están destinados a sucumbir bajo el peso del ambiente. La imagen que tienen de sí mismos les desagrada, pero peor es la ruptura de su única ilusión. El integrarse en la banda y romper con el mundo de sus antepasados, los sueños de gloria militar, la seguridad de saber guardar el secreto de un amigo; todo se deshace al primer embate de la realidad. De las posibles salidas, sólo la trágica prevalece, y se intensifica en el caso de Antonio en *La resaca*. Si para los muchachos anteriores no basta sólo

[69] «Los niños son víctimas de un medio que impone unas duras leyes y que conforma un notable determinismo naturalista en todo el relato», S. Sanz, *Lectura...*, ob. cit., p. 59.

querer cambiar para triunfar, Antonio da un paso más al elaborar su propio ideal, el viaje a América, aunque él tampoco será capaz de vencer las limitaciones y será el medio hostil quien imponga el futuro.

Para Atila *(El circo)* y Metralla *(La resaca)*, la lucha se plantea en términos diferentes. Los dos viven con más libertad, pero también en una mayor pobreza [70]. Miseria y libertad les conducirán inevitablemente al delito, pues la primera les acucia y la segunda es falta de amor, de amistades; está subordinada a la necesidad de satisfacer el hambre. Atila fundamenta su salvación en el dinero estableciendo una relación directa dinero=decencia. Su anhelo de participación en la sociedad pasa por la huida de las chabolas que le arrastran al fondo y se apoya necesariamente en lograr unas condiciones materiales, más dignas, que él cifra en poseer. Muy similar, pero más profundizado en su análisis, es el carácter de Metralla. Físicamente, su retrato tiene precedente en el de Atila con «los cabellos ensortijados y negros; las cejas espesas y obstinadas; los ojos feroces, casi minerales» (página 78). Los rasgos subjetivos de ferocidad y cabezonería que percibe Juana en su amante son muy semejantes a la impresión que recibe Antonio de su compañero en el cine [71]. El pensamiento de ambos está puesto en una integración social y un ascenso rápido, logrado con el dinero y la posesión de mujeres. Para ello son capaces de zaherir a la familia, matar o abandonar al amigo cuando han sacado de él todo el provecho. Es una lucha despiadada por la vida que se esboza ya en las dos primeras obras. La «emulación» y el «afán de competencia» que denunciaba David (p. 178) como línea directriz de la educación que les inculcaban, deja de ser una idea para convertirse en actos. Asimismo, se nota un progresivo avance en la penetración de la psicología del

---

[70] Esta ambientación configuraría la picaresca urbana apropiada a nuestra época. Cf. R. M. Albérès, *Panorama de la literatura europea, 1900-1970*, Madrid, Al-Borak, 1971, p. 344.

[71] *La resaca*, p. 91. Nótese que Metralla y Antonio, como Pipo, o Pancho (niño de *El circo)* conciben sus fantasías a partir del cine, siempre presente en Goytisolo. Pancho viste como un vaquero del Oeste; Pipo imagina películas; Metralla y Antonio conciben su huida a partir de una película. Esto lo hace notar, muy acertadamente, Sanz Villanueva en *Lectura...*, ya citada.

personaje. La sagacidad de Metralla para engañar a los demás, tocándoles los puntos más sensibles, demuestra una caracterización más profunda y acertada, pues el engaño ofrece mayores ventajas que el rencor y el asesinato. Estos muchachos serán contrastados y equilibrados por tres adultos: Gorila, Utah y Giner.

Psicología de los adultos

Vamos ahora a analizar el proceso seguido por los adultos que se sienten apartados o aislados en el medio donde viven y que actúan fuera de las normas sociales. Como en el caso de los niños o los jóvenes, me limitaré a los casos más señeros, aquellos que, por su mayor participación en la novela, permiten un análisis más intenso.

Compañero inseparable de Pipo es el Gorila. Con él se destaca la dicotomía latente en las anteriores novelas y se convierte en maniqueísmo. En las dos primeras obras, el universo infantil y juvenil se contrapone al de los adultos: Guarner representa una concepción de la vida odiada a la que hay que destruir; Abel se siente excluido de «El Paraíso», dominado por los mayores; la banda de refugiados está oprimida por el profesor. Es la ilusión juvenil, aunque por caminos equivocados, la que se enfrenta a un mundo de adultos sin futuro.

En «El mañana efímero» incluso los adultos se dividen. Aparecen con unos rasgos acusados que establecen una oposición maniquea entre Gorila, Utah y Giner y el resto de la sociedad. Los dos primeros se presentan con unas actitudes pueriles que contrastan con el racionalismo que la sociedad exige a sus miembros, con una sinceridad simplista que será destruida por la hipocresía social. Por eso se entienden tan bien con los niños, resultando inmaduros y no competitivos. La complicidad entre Pipo y el Gorila se establece a partir de unos gustos comunes e infantiles que le permiten al rudo marinero la evasión [72].

[72] «El Gorila bajó a la cámara de popa y regresó con una pila de tebeos [que] [...] concluían dejando al héroe en una situación dificilísima de la que, inevitablemente, se zafaba», *Fies-*

Al igual que a otros mixtificadores de estas primeras novelas, la ensoñación no le conduce a la crítica, sino a la plena aceptación del medio social donde se desenvuelve. En ellos también el desdoblamiento de personalidad que les hace sentirse inocentes de sus actos, con los que consideran que no tienen nada que ver, nace de la tensión existente entre sus acciones antisociales y su respeto a las normas vigentes. El peligro de la captura aísla al Gorila más aún de lo que ya estaba por su origen social. La fabulación, tan propia del mundo infantil, será su defensa y un ejemplo del refugio que los personajes encuentran en la niñez. En el momento en que trascienden esa etapa y comienzan a tener uso de razón se enfrentan con un mundo en el que toda realidad es crueldad. Los adultos se acercan a la infancia en un evidente deseo de huida. Así le sucede a Utah cuando se encuentra con Pancho o a sus amigos: «Utah parecía enteramente feliz entre los niños. Su voz de payaso agotaba su gama de registros al dirigirles la palabra» [73]. En vez del escepticismo del Gorila y Utah, Giner se encara con la sociedad en un deseo consciente de alterar la situación. Por su pasado de luchador republicano sabe colocarse frente a su entorno y lejos de todo juego de luces. Giner ya tenía un precedente en Ortega, el viejo profesor republicano de *Fiestas,* que trata de defender a los desheredados y concienciarles. Giner parte del punto al que ha llegado Ortega. El profesor intenta educar, ser útil para comprender al final que nada es posible sin una unión que permita un trabajo eficaz. Por todo ello busca en sus compañeros ayuda para luchar

---

tas, pp. 92-93. Este rasgo de infantilismo lo comparte con el gitano Heredia, cómplice de Atila en *El circo.* «El Gorila, hombre de fuertes e intensas vivencias que, sin embargo, se forja una vida por completo al margen de los demás [...] Lo malo es que ese planeta ideal tiene una precaria existencia en el radical escepticismo de Goytisolo; por eso lo convierte en utopía inalcanzable», S. Sanz, *Lectura...,* ob. cit., p. 49.

[73] *El circo,* p. 200. «La irónica tragedia de Utah es producto del choque de dos mitos: el mito tradicional del paraíso perdido y el mito actual de la "reificación". La ironía del triunfo de la "reificación" consiste en ofrecer a Utah un paraíso reconquistado al convertir su sueño en realidad. La tragedia sobreviene cuando Utah se da cuenta de que, en rigor, nunca quiso convertir sus sueños en realidades», Buckley, ob. cit., p. 168.

por sus ideales y expone ante ellos la necesidad de agruparse para salir de la miseria. Esto hace que el compromiso sea mayor en esta novela que en las restantes, pues se señalan las causas más profundas de la separación entre poseedores y desposeídos: el empleo de la violencia por la banda contra la demagogia del poder, el abuso del lenguaje para ocultar la realidad.

He dejado para el final el estudio de Claudia, protagonista de *La isla.* El enfoque de este personaje, el hecho de que se presente a sí misma en primera persona y que el entorno se dé bajo su perspectiva, me ha decidido a separarle de los demás para su análisis. Por ser ella misma el narrador, no tenemos su descripción física. Sabemos que pertenece a una clase alta y que es bella. La encontramos en el momento en que regresa a Torremolinos, donde pasó una no agradable juventud. Tras su boda, llega la ilusión de la lucha por lo que considera justo junto a los nacionales, con los posteriores sacrificios de la postguerra. A partir de aquí su vida se va vaciando. Finge plenitud y felicidad, ser un escaparate de perfecciones en lo social y en lo familiar. Como dice su marido, «las clases altas debemos dar el ejemplo» (p. 100). La infelicidad por la conciencia de haber perdido la vida, por su vacuidad social; el desentenderse de la marcha del país, nada debe ser óbice para que resulten mantenedores de un sistema social y unas costumbres en las que no creen y violan continuamente, pero que deben aparentar respetar para poder medrar. El envejecimiento es el final de esa vida social que se ha transformado en costumbre. La incapacidad de amar, la autodestrucción termina siendo para el personaje una herida permanente que contempla con deleite, con masoquismo: el odio se convierte en hábito. Ese paso del tiempo, dolorosamente sentido por Claudia, se resume en una palabra: «Fugaces, ésa era la palabra» (p. 53).

Entre los personajes, Juan Goytisolo separa dos actitudes bien marcadas. En un primer momento destaca la ensoñación desmesurada, irrealizable por carencia de una visión crítica profunda. Esta falta de adecuación a las posibilidades reales del mundo en que viven contiene una parte de denuncia del agostamiento al que somete la sociedad a todo tipo de ilusión. No se permite a los jóvenes mantenerse inadaptados, deben acomodarse a lo que de ellos exige la costumbre, y los adultos como Utah resultan inaceptables, están destinados a la esquizofrenia, a la destrucción. Pero esta situación de irrealidad resulta poco práctica socialmente, por lo cual el autor evoluciona hacia planteamientos más realistas, donde niños y adultos se planteen metas accesibles, pero deshechas por ser perniciosas para la sociedad con mecanismos más sutiles, con el empleo del lenguaje como conformación y reflejo de un pensamiento inamovible. La labor social de zapa de las ilusiones se culmina en Claudia. Entre la ilusión desmesurada y el abotargamiento apático, los personajes de Goytisolo recorren un largo camino, muestra del proceso de análisis de las causas de tal situación que va realizando su creador [74].

El mixtificador

Para H. Marcuse, «bajo el principio de la realidad, el ser humano desarrolla la función de la razón [...] Llega a ser un sujeto consciente, pensante, engranado a una racionalidad que le es impuesta desde fuera. Sólo una forma de actividad de pensamiento es "dejada fuera" [...]: la fantasía está "protegida de las alteraciones culturales" y permanece ligada al principio del placer» [75]. La fantasía se convierte en el único rincón de la mente humana donde es lícita la permanencia de todo aquello que significa libertad plena, sin restricciones impuestas por la realidad ni por el *ego* del hombre. La sociedad actúa sobre la conciencia y elabora una razón útil para manejarse en el mundo: «El *ego* es el mediador

[74] Esto no supone una aceptación de la división de la obra en tres períodos (tal y como lo plantea Martínez Cachero, «El novelista Juan Goytisolo», en *Papeles de Son Armadans,* XCV, febrero 1964; al que luego siguen Cirre, art. cit., y Buckley, ob. cit.), ni en dos como quiere Sobejano, ob. cit. Creo más adecuada la visión que da el propio autor: «Yo pienso que no hay una ruptura entre la temática o en la problemática de mis primeros libros y de los últimos [...] La tal ruptura me parece más bien una comodidad establecida por los críticos». Entrevista con A. Tuñón: «Goytisolo: una tierra propia», *Camp de l'arpa,* números 48-49, marzo 1978, p. 75.

[75] *Eros y civilización,* cit., p. 27.

entre el *id* y el mundo exterior [...] para minimizar los conflictos con la realidad»[76]. De esta forma se establece la equivalencia razón=verdad=realidad, que relega a la fantasía a un juego inútil y falso, rebelde a la presión de los valores sociales. Se crea así un círculo vicioso en el que la realidad aparenta organización racional y la razón se asienta sobre los datos empíricos extraídos de la realidad. De este modo, ambas se apoyan mutuamente para constituirse en la única verdad. Por eso toda huida debe forjarse sobre la fantasía, fundamento de las mixtificaciones de los personajes de Juan Goytisolo.

A lo largo de este estudio hemos visto que toda una serie de personajes se van conformando paulatinamente. Con el mixtificador sucede lo contrario. Su figura, ampliamente desarrollada en las primeras obras, se va disgregando poco a poco, al repartir sus cometidos entre varios personajes y al ganar terreno la objetividad y la denuncia de la huida. Finalmente, el mixtificador acaba por desaparecer.

En *Juegos de manos*, la fantasía está a cargo de un único personaje, Tánger o Uribe. Sus ficciones se presentan al principio de una forma sencilla con la adopción y la elaboración cara al público de representaciones tomadas de las escenas más tópicas del cine norteamericano... «Oh, Johnny... Lo hice sin querer, te lo juro... Yo nunca te quise mal. Cuando *disparé...*» (p. 64). Sin embargo, el juego tiene un cierto valor premonitorio, como lo demuestra el término subrayado por el autor. Tánger es el personaje que con más lucidez analiza la situación en la que vive. Ha perdido su cielo y paraíso y se arrastra por una tierra que le disgusta, un ambiente que sueña abandonar. El deseo de remontarse de nuevo al cielo es acuciante. Pero reconoce que esto es imposible, por lo que «Uribe se entregaba a su locura favorita: su amor a los disfraces, al ansia de huir de sí mismo» (página 150). El disfraz es su forma de ocultarse y evitar lo que le desagrada. Ya vimos que su casa era el castillo mágico donde se encerraba. Con sus disfraces evita la agresividad, incluso la de sus compañeros.

Entre los mixtificadores, el espejo es un elemento im-

---

[76] *Eros y civilización*, cit., p. 41.

portante y cumple una doble función. Por un lado, sirve para afirmar el disfraz: Uribe confirma así su aspecto de actor y de payaso, lo que le lleva a actuar como tal en un grave momento. Resulta ser así un medio para denunciar el papel adoptado y del que no puede desprenderse. Pero, además, el espejo sirve en otras ocasiones de testigo contra el propio personaje, acusación de su permanencia, de la imposibilidad de evadirse. De aquí la negativa del Arcángel y Uribe a reconocerse tal y como son: «Dominado por un impulso brusco, aplastó el espejo contra el suelo» *(Juegos de manos,* p. 15). El espejo, a la vez que confirma la realidad de la que quieren huir, descubre lo engañoso de la apariencia tras la que se esconden. Uribe es el personaje que tiene como único cometido llevar el peso de la mixtificación. Posteriormente, su papel será repartido entre varios personajes. Se trata de no crear caracteres excesivamente simbólicos de una actitud, puesto que nunca se dan así en la realidad. El reparto de diversos aspectos psicológicos entre diferentes personajes les da mayor complejidad y evita el esquematismo.

En *Duelo en El Paraíso,* Abel tiene ciertos visos de mixtificación. Por ejemplo, su cuarto y la idea sobre la dificultad de comunicarse es muy similar en Uribe *(Juegos...,* p. 158; *Duelo...,* p. 190). Pero la que soporta en esta novela el peso principal de la mixtificación es doña Estanislaa. A lo largo del capítulo III se presenta el afán de la señora de esconder a sus hijos y de engañarse ella misma respecto a la crueldad del mundo. Considera a sus hijos lo más puro y perfecto. Al descubrir que no es así y morir sus hijos se encierra en su ensueño con los recuerdos ideales, se crea una pantalla de ilusión. La dispersión de rasgos que aparece en *Duelo...* se continúa en *Fiestas.* Aunque el personaje esencialmente mixtificador es Pira, otros como Pipo y el Gorila participan también de esta caracterización. Debido a la dispersión de estos rasgos, el perfil psicológico de la niña resulta bastante desdibujado, pero la fantasía sigue siendo en ella la defensa predominante contra una realidad hostil. Desde el comienzo de la novela, al tomar posesión de su nueva habitación, sabe rodearse con la decoración de un universo abigarrado que la reafirma en sus ficciones.

En primer lugar, por el *horror vacui* que sienten, estos personajes llenan su estancia de objetos —incluso cuando es posible tapan el techo con barcos—, se rodean de todo aquello que les es familiar y les ayuda en el vuelo de su imaginación, se esconden tras las paredes cubiertas de un sinfín de objetos que los preservan del exterior. La acumulación heteróclita es un síntoma de la constante necesidad que tienen de llenar su tiempo de una fantasía que les proteja de la racionalidad impuesta por el mundo, y, en consecuencia, de la crueldad. Por otra parte, y de forma complementaria, abundan las caretas tras las que esconderse. El mixtificador precisa no ser visto por los demás, aparecer ante los otros como diferente, manteniendo una apariencia de infantil pureza.

La fantasía resulta gratificadora y se convierte en su verdad. Confunde lo vivido con la fabulación, como Utah confunde su papel con la realidad en un gesto idéntico al de Uribe, tomado de la película de Orduña, *Locura de amor:*

«El viejo actor de todas sus comedias pareció despertar de pronto.

Transformado en Reina loca, sus ademanes se llenaron de sigilo.

—Chist... El rey duerme»[77].

A la sociedad no le basta con apartar ni devorar sus ilusiones; hace que la realidad lo invada todo como en *La resaca* y les arrolle hasta la soledad. En *La isla* ni siquiera se esconden ya. Toda mixtificación es inútil: los personajes tienen sus sueños e ilusiones, pero no se engañan y deciden plegarse a la realidad.

El mixtificador participa plenamente de la vida social. Su necesidad de evadirse mediante los disfraces es sólo un intento de crearse un mundo más habitable, evitar la lucha. Y esto les hace aprovechables para la sociedad: «Existe un significado, una Ley [...] A través de la máscara se desafía ese significado, esta Ley, y este desafío genera el significante: el texto de la novela. No obstante, el significado desafiado no queda destruido: domina el desarrollo del signifi-

[77] *El circo*, p. 228.

cante» [78]. Ante la soledad, el mixtificador opone el poder de creación. Busca vivir otra vida y se dedica, intensa y exclusivamente, a la formación de otro ser que le devuelva la esperanza y le arranque del tedio cotidiano. A la realidad enfrenta la magia de la emoción. La figura imaginada prolonga la vida de su creador y le convierte en divinidad en un doble sentido: al insuflar una nueva forma de vida, que puede alterar a su antojo, semeja los manejos a los que un demiurgo somete a su criatura, y al cubrirse el rostro con una máscara participa de la atribución divina de invisibilidad, poder ver sin ser visto, esconder sus sentimientos y su miseria para dejarse observar sólo a través de las criaturas que inventa. Así se enmascara Tánger, los niños refugiados, Utah, Pira, y así crea una imagen ideal doña Estanislaa.

Pero el intento de volver a un inexistente pasado mítico le hace al mixtificador instrumento en manos de la sociedad. Su salida es la frustración y la abulia. Se trata de un caso atípico dentro de los personajes arquetípicos. En el verdugo o la víctima se sacrifican los rasgos caracterizadores y se esquematizan progresivamente para marcar el valor social de la obra. Esta simplificación se palia con detalles personalizadores, bien sea el empleo de apodos, como en *La resaca*; bien ciertas manías *(Fiestas)* o expresiones *(El circo):* Cinco Duros, Arturo vigilando las chabolas, el lenguaje adolescente de Luz Divina y sus amigas. Se busca mayor efecto de testimonio, pero a costa de la psicología. Por esto un personaje tan individualizado como el mixtificador tiene que desaparecer [79].

El personaje, sumamente complejo y magníficamente logrado, es sacrificado en aras de una necesidad extraliteraria. Su enorme individualidad le habría posibilitado una notable capacidad de denuncia, pero no era lo suficientemente significativo socialmente.

[78] J. Kristeva, *El texto de la novela*, Barcelona, Lumen, 1974, página 234.

[79] Fernando Morán ha señalado este progresivo conformismo: «La tendencia conformadora (real=racional) va reduciendo la capacidad de negar al sistema como un todo» (ob. cit., p. 377). Para Buckley, en su tantas veces citado libro, «los mixtificadores Tánger, Utah y Pira se caracterizan por su constante inseguridad ante la realidad» (ob. cit., p. 159).

La banda

Un conjunto de personas que mantienen entre sí unas relaciones forman un grupo. Según los sociólogos, este grupo recibe nombres diferentes, dependiendo del número de miembros que lo compongan y del sistema de relaciones que se establezca entre ellos. Dentro de la clasificación que realizan en su estudio Anzieu y Martin, el grupo que nos presenta Juan Goytisolo en sus novelas se caracteriza como una banda. Para estos autores, «la banda tiene en común la similitud». «Consiste en buscar en los congéneres modos de pensar y de sentir idénticos a los propios, sin ser necesariamente conscientes de ello» [80]. Para considerarla constituida, estiman básico que la actuación de sus miembros no sea aislada, sino que cada uno lo haga arropado por un grupo poco numeroso que posibilite ciertos actos que no serían realizables en solitario e impongan una barrera a la libertad personal, al verse obligado el personaje a guardar las normas del grupo.

Una cuestión previa sería la delimitación, dentro de cada novela, de una posible banda. Para ello me parecen útiles los rasgos que le atribuyen Anzieu y Martin por comparación dentro de las posibles categorías de grupo humano. La banda posee una estructura organizativa débil, sin papeles diferentes entre ellos, en un lapso de tiempo que oscila de horas a meses. Formada por un número de individuos pequeño, desde un mínimo de tres hasta un máximo no conocido, cuyo punto común para relacionarse es la búsqueda del semejante en una actitud social, se busca el apoyo moral de las propias creencias. Para mantener unos lazos tan débiles sin conflictos en el grupo es suficiente una conciencia de metas mediana, sin objetivos definidos, con acciones comunes espontáneas y poco importantes para el grupo. Estos aspectos se plantean en todas las novelas de Goytisolo,

---

[80] Cf. Didier Anzieu y Jacques-Yves Martin, *La dinámica de los grupos pequeños,* Buenos Aires, Kapelusz, 1971, p. 25. Esta obra es un resumen de múltiples investigaciones sobre el tema. En ella puede verse abundante bibliografía específica sobre los puntos aquí esbozados.

aunque la única que trata plenamente del estudio de una banda es *Juegos de manos.*

En *Juegos de manos* y *Duelo en El Paraíso,* el autor se centra sobre estas bandas juveniles, aunque con perspectiva diferente. Posteriormente, la banda pasa a ser una parte de la realidad en «El mañana efímero», con lo que en la trilogía se logra una mayor entrada de otras realidades y se aumenta la capacidad de denuncia de la obra. Y finalmente, *La isla* ofrece un enfoque muy diferente, adulto, de la banda. Así, tendríamos novelas dedicadas al estudio de la banda *(Juegos de manos* y *La isla)* y novelas compartidas banda-sociedad (las restantes). Las bandas en las novelas estarían compuestas por todos los personajes principales de *Juegos de manos*; Arcángel, Arquero y demás niños (Emilio) en *Duelo...*; Atila, Heredia, Pablo en *El circo*; Metralla y sus amigos en *La resaca,* y todos los personajes principales de *La isla.*

La primera característica que mencionan los sociólogos citados es que «el placer de formar parte de la banda proviene de la supresión o suspensión de la exigencia de adaptarse al precio de una tensión psíquica penosa, a un universo adulto y social y a sus reglas de pensamiento y de conducta». Ésta es una característica fundamental en todas las novelas. Las bandas se enfrentan a los valores sociales establecidos. Crearse su propia escala de valores es una de las misiones que se imponen los personajes para atacar la escala de valores social. Éste es el primer punto que sirve para atraer a los miembros de la banda. Recordemos que las ansias de David y Abel de pertenecer a ella se basan en las muestras de libertad que dan sus componentes frente a la normativa social que se les impone a ellos. De esta forma, el grupo se va constituyendo como un medio de defensa ante los ataques de que son objeto los individuos. Antonio y Atila, por ejemplo, buscan en la banda una forma más efectiva de ataque contra una sociedad hostil.

Cuando se trata de salir del ambiente en el que se encuentran, de ascender socialmente, el sistema empleado es el robo, e incidentalmente el asesinato *(La resaca, El circo).* Pero al final, la presión social, a través de la afinidad y las clases, actúa como aglutinante: *La isla.* Esta evolución de la violencia antisocial en las novelas es paralela a la evolución misma de la banda.

Tendríamos, en líneas generales, una lenta concienciación de los personajes sobre sus posibilidades ante la sociedad, lo que reduce la violencia de sus actos, desde los asesinatos iniciales hasta la plena y paciente integración de Claudia, pasando por el robo como actitud intermedia. Se produce una aceptación progresiva de los valores sociales y un cambio en la concepción de la banda: deja de ser un grupo que se defiende luchando contra la agresividad social para ser el instrumento de las aspiraciones personales de su jefe, como sucede con Atila y Metralla.

La paulatina integración de la banda en los valores sociales tendría como pasos, primero, la ausencia de actos constructivos que supongan abrir un futuro y, por lo tanto, la ausencia de ideales alternativos: «No tenía porvenir. No estudiaba» (Raúl, *Juegos...*, p. 28). «Lo quiere ganar [dinero] sin trabajar» (Metralla, *El circo*, p. 133). «Sin trabajar ganaba en un solo día lo que su padre obtenía en una semana» (Antonio, *La resaca*, p. 90). El segundo paso sería la caída en los actos delictivos que proporcionan una emoción sustitutiva de la realidad y pueden calificarse de antisociales al efectuarse como demostración de rencor hacia el medio. La falta de ideales les conduce a la delincuencia. La banda supone un refugio ante la competitividad generada por la educación (David), el trastorno del entorno familiar por la muerte y la violencia (Abel) y la carencia de lazos familiares y de medios económicos (Pipo, Atila). Se constituye para suplir el afecto familiar y para enfrentarse con ciertas garantías de impunidad a la hostilidad ambiental legal.

Una segunda característica sería la «copresencia de varias otras personalidades análogas a la propia; por ejemplo, por su sincretismo mental y afectivo», que sirven de apoyo y justificación a la propia actuación, según Anzieu y Martin. Ante todo, es importante el compartir las ideas directrices de la banda, normalmente dadas por el jefe. Es indiferente que él las elabore; pueden proceder de otro miembro, pero el jefe las impone como objetivo al grupo. Así, observamos que el origen de las ideas está en Ana y el Neorrealista, pero las imponen Agustín y Metralla. Esto explica que en el grupo se unan caracteres opuestos complementarios: el duro, jefe de la banda (Agustín, Arquero, Atila, Metralla) y el pusilánime, que necesita ser dirigido y sentirse protegido. La consecuencia son unas relaciones sadomasoquistas que convierten al jefe en verdugo y al débil en víctima complaciente, con tal de ser aceptado por los demás. La semejanza en el vestir, que revela una concepción del mundo, es un factor esencial para pertenecer a la banda, pero mantener una disciplina férrea es la única forma de conservar la unión. En las dos primeras novelas, el sincretismo mental de la banda procede de la violencia. Su punto de unión es la fuerza: «Los débiles no tienen cabida en el grupo»[81], «En el grupo no se admitían cobardes»[82]. Cada miembro nuevo debe probar su valor o habilidad para ser admitido, como les sucede a David, Abel, Pablo, Antonio, con una serie de pruebas que aseguren su silencio y competencia para los fines de la banda.

Entre los adultos la vinculación procede más de su situación social que del verdadero deseo de estar juntos. Así, al menos, lo piensa Claudia, pues el resto del grupo se encuentra en constante necesidad de estar reunido para escapar de la soledad. Esta fuerte unión procede de que «la banda ofrece a sus miembros la seguridad y el soporte de que carecen» (Anzieu y Martin). Los jóvenes se sienten solos, aislados de sus padres, a los que desprecian y con los que no se pueden comunicar. La banda les ofrece el afecto y compañía que necesitan y la comunidad de ideas para su desvinculación familiar.

Un tercer aspecto de la banda es que «autoriza actividades que están en los límites de las reglas morales y sociales». El situarse al margen de las normas sociales les da a sus miembros la posibilidad del provecho personal, bien económico o afectivo, que no han encontrado dentro de los cauces sociales. En *Juegos...* se reúnen para combatir los valores odiados que no son cumplidos por quienes los representan.

---

[81] *Juegos de manos*, p. 62.
[82] *Duelo en El Paraíso*, p. 50.

Es lo que Giner denomina anomía[83]. En consecuencia, la banda crea su propia escala de valores, basada en la autodefensa del grupo y el empleo de la violencia contra las estructuras sociales. Esto provoca a su vez el rechazo de la banda por parte de una sociedad que trata de marginar a sus componentes. Pero no hay que olvidar que esta marginación se había producido ya sobre cada individuo, lo que les impulsó a integrarse en una banda, ya que no se sienten seguros en una sociedad que los relega a la dependencia familiar, evitándoles toda responsabilidad. Se crea así un círculo vicioso que coloca al joven en una situación cada vez más marginada y le va haciendo paulatinamente más peligroso. Que el golpe final se desvíe hacia un inocente no es más que la prueba de tan peligrosa irracionalidad a la hora de fijarse objetivos. Se trata de romper sin importar el blanco. Su incapacidad de cambio por ausencia de un análisis crítico les conduce a la autodestrucción. En *La isla,* donde la banda está formada por miembros de la clase alta, rompen las normas sexuales: «Los matrimonios modernos hacen eso. Uno por un lado, otro por otro» (p. 124).

Finalmente, en cada banda se plantea un momento culminante: el cumplimiento del objetivo para el que se constituyó. Hemos visto que nace como el único medio que tienen los personajes para autoafirmarse y sentirse seguros social y psicológicamente. Sin embargo, la duración de «la banda es bastante efímera». Como carece de unos objetivos a largo plazo, en cuanto los más inmediatos se consiguen, se disgregan. Sus componentes buscan un nuevo grupo o nuevas metas.

En resumen, diremos que Juan Goytisolo crea en sus novelas una serie de personajes que se sienten agredidos en su individualidad, lo que les impide forjarse una personalidad independiente. Esto provoca el rechazo de los valores sociales y lleva a la marginación. Se pueden separar los personajes en dos grandes bloques. Primero, los que plan-

---

[83] Cf. S. Giner, *Sociología,* Barcelona, Península, 1971. La define como «una situación en la que existe un conflicto de normas» (p. 198). En general, cf. cap. 9.

tean la escala de valores sociales como una forma de medro personal, adecuándola a su interés individual, lo que les convierte en delincuentes sociales, es decir, triunfadores en una sociedad básicamente injusta. Segundo, aquellos que intentan superar los valores sociales y crear una nueva sociedad, lo que se revela imposible y les lleva al fracaso personal y social. Se encierran en sí mismos o engrosan una banda que apoye sus anhelos antisociales.

Cada vez profundiza más Goytisolo sobre el personaje en motivaciones y actuación, y la reiteración de motivos y actitudes, incluso de gestos, termina degenerando en clichés. Llegado a un cierto grado de repetición, el autor encuentra limitados sus análisis y opta por emprender un nuevo rumbo. De hecho, los análisis realizados por Goytisolo le conducían a un callejón sin salida. Al tratar de mostrar los problemas que existen en la sociedad española de los años cincuenta, el ahogo de la juventud, se sitúa en una posición desde la cual no se vislumbra la salida. Condenados a la integración social o al fracaso, sus personajes denuncian una situación, pero parece no haber salida válida. El esquema que se aplica a la realidad resulta agotado y la interpretación que aporta al mundo es insuficiente. Por eso *La isla* inicia unas nuevas perspectivas, aún muy poco claras y definidas, pero con el importante aporte de un cambio estilístico y de enfoque, que abre las posibilidades de un nuevo camino que sólo se logrará a partir de *Señas de identidad.*

El diálogo

El diálogo es el recurso literario más útil para contrastar diferentes concepciones del mundo de los personajes, aunque se desvelan totalmente mediante el monólogo interior. Esto es importante porque el resto de los personajes desconocen esa parte de la conciencia de su compañero, con lo cual uno de los problemas que se plantea es la incomunicación. Sin embargo, ésta no nace sólo del desconocimiento que cada uno tiene del otro, sino que se da, además, en el caso de un diálogo entre personas de cosmovisión diferente, por el mantenimiento de unos intereses divergentes: ante el Congreso

Eucarístico, el enfermo contesta de forma cortante, con frases escuetas que preludian *La resaca*[84].

Es uno de los dos tipos de diálogo planteado preferentemente por Goytisolo en sus novelas, un contraste entre dos concepciones opuestas del mundo, ya que cada interlocutor pertenece a un estrato social diferente. Aquí, el joven congresista lleva a cabo un monólogo entrecortado, largo y retórico; no escucha lo que el enfermo dice, prefiere ignorarlo. Es más abstracto porque tiene satisfechas las necesidades concretas. Otro es un cambio de impresiones entre dos miembros del mismo grupo, referentes a sus ansiedades y problemas, en una crítica del mundo que les rodea. Estilísticamente, en ambos diálogos se pueden encontrar dos niveles diferentes. Uno, lento y discursivo, se emplea sobre todo en las tres primeras novelas. Véase *Juegos de manos* (pp. 55-62, 135-137 y 206-211), y todos los largos parlamentos de los personajes explicando su situación personal a los componentes de la banda, como en *Duelo...* En *Fiestas* lo alterna con otro más vivaz, predominante en las novelas posteriores. Más rápido, tiende a suprimir la adjetivación, aunque sin llegar a la sustantivación exclusiva, evitando la sequedad de un «sí» o un «no» y prefiriendo una oración breve que demuestre la posición del personaje ante un hecho.

El diálogo es el recurso que emplea el autor para mostrar los intereses y valores con los que comulga cada grupo.

---

[84] «—A ver, entendámonos. —El optimismo del elegante parecía haber disminuido un tanto. —Quien dice mal, dice que la cosa no mejora como es debido.

—Empeora —le interrumpió secamente el enfermo.

—[...] Como dice nuestro fundador: "Donde hay esperanza no se cobija el miedo".

—Su fundador no perdió nunca una pierna por falta de guita.

—Lo sé, lo sé; todo esto es muy penoso. Pero ahí está la cualidad fundamental del hombre, que lo distingue de otras criaturas: en que puede dominarse, en que es capaz de convertir el dolor en fuente de purificación y energía —se dirigía a las mujeres y agitó el dedo amenazante [...]

—Si le tuvieran que cortar el pie un día de esos, me parece que tampoco pondría usted cara de Pascuas... [...]

—Ah, ah —el joven vaciló unos segundos—. Pues es una lástima que no lleve el recorte encima. Narra la historia de una mujer vieja y enferma que ha venido a pie desde Salamanca...» *(Fiestas,* pp. 135-136).

Se evita el estatismo de la descripción y se pasa a la lucha verbal entre las concepciones sociales de cada personaje. Por su importancia testimonial y estilística (resulta, en principio, el sistema ideal para mostrar la psicología de un personaje dentro de las coordenadas del realismo que se pretende alcanzar) es interesante y un buen índice del valor literario de una obra de este género. Por ejemplo, vemos que en *Juegos...* existe una falta de «oficio» por el predominio abrumador de la forma «dijo» entre los verbos *dicendi,* a la cual casi no se ofrece alternativa. Así, el empleo de este recurso marca en gran medida la andadura de una novela. El diálogo irá ganando en rapidez a partir de *El circo,* donde suprime ya con frecuencia estos verbos, hasta *La resaca,* en la que las marcas que identifican a los interlocutores son inherentes a la conversación: cada uno de los hablantes lo hace sobre un aspecto distinto (uno pregunta sobre lo que desconoce y el otro contesta).

Otro recurso es la sustitución del nombre por una fórmula más expresiva, que recalca las divergencias de los interlocutores ante una situación al hacer más patente también la causa de sus diferentes puntos de vista. Similar función tiene la sustitución de los verbos de decir por los gestos del hablante lo que nos transmite una información extraverbal que ocupa parte importante del diálogo, como «hizo un mohín» o «agitó un dedo», acompañándoles de adverbios o frases adverbiales para completarlos. Esta técnica, presente en *Fiestas,* será dominante según veremos a continuación en *La resaca,* donde se aprecia también el uso creciente de vulgarismos. Encontramos, por ejemplo, pérdida de la *d* de -ado (avergonzao, cuidao, etc.), con fusión de vocales iguales (na, ca, to), con diptongación (conocío, seguía, pedío) o fusión y diptongación (pué). Otro vulgarismo que afecta a la *d* es su supresión en posición final de palabra (verdá). Aunque en esta novela es en la que mayor cantidad de transgresiones fonéticas transcribe el autor, no se puede decir que en este aspecto sea un documento coloquial. De hecho, el problema se plantea entre la fidelidad al lenguaje hablado y la calidad literaria, que se consideran opuestas. Antes, Juan Goytisolo no había empleado en sus novelas ningún tipo de transcripción fonética. Ahora la incluye, pero con mucha timidez, escogiendo lo más usual y dejando a un lado toda una gama de vulgarismos en la pronunciación. Es un pequeño aditivo a su realismo sin que se le pueda reprochar la caída en la vulgaridad.

Sólo en *La resaca* encontramos empleado sistemáticamente un vocabulario específico y necesitado de una interpretación, para lo que el autor incluye un glosario con setenta y dos términos. Es uno de los recursos empleados para indicar la separación entre el mundo de las chabolas y el resto de la ciudad. Dentro del glosario encontramos varios grupos de términos. Uno de ellos es el referente al robo. Hay un total de veintinueve palabras relacionadas con robar, cárcel y, más abundantemente, con la policía. Un segundo grupo de términos se vincula con el dinero, del que tenemos también una muestra nutrida («balbaló»=rico; «beatas»= pesetas). Otros términos, como «virgos» y «bonito» no aparecen en el glosario, aunque su sentido está alejado de la norma lingüística. El primero tiene un cambio semántico y su significado se amplía del fisiológico al de vergonzoso, por un proceso metafórico de fácil deducción. El segundo se amplía de forma más sencilla, y significa guapo. También se constata otro fenómeno, habitual ya en el castellano hablado, la supresión de las sílabas finales de un término que resulta habitual: «auto». Y el empleo del diminutivo activo: «plazuela». Dos casos de desplazamiento metafórico del significado lo tenemos en «hincha»=envidia, «tío»=hombre.

En general, la presencia de la jerga en el diálogo no es muy amplia. El autor busca de esta forma el equilibrio entre unos términos que den ambiente a la novela y que sean poco numerosos para evitar la incomprensión por parte del lector y la dificultad de la lectura. Es un equilibrio muy difícil de mantener y reducción no equivale a calidad. Piénsese, por ejemplo, en *El ruedo ibérico* de Valle Inclán. Goytisolo no se arriesga a tanto, teme la incomunicación. Por otro lado, tiene el problema de la censura, que no permite un determinado vocabulario. Esto afecta más a las exclamaciones, que se encuentran por eso muy suavizadas, pues pone en boca de una joven prostituta términos tan ligeros como «dive» y «rediez».

Propio también de la conversación y bastante extendido

a todos los niveles es el empleo de apodos en sustitución del nombre propio: Neorrealista, el Mostachos, etc., y del gentilicio despectivo: franchutes. El empleo del apodo es normal dentro de un grupo y es una de las marcas léxicas más importantes para señalar la frontera entre los miembros y no miembros del grupo. El argot, como sucede aquí, es marca de todo un barrio de chabolas. El apodo suele ser más restrictivo, más limitado a la banda. Puede emplearse para designar a un miembro de la misma, como Neorrealista. También para insultar a un elemento ajeno, como el Mostachos. Y, por último, recoge a un personaje del ambiente, como Cinco Duros. En este caso, el empleo de la aposición «el borracho» señala una característica del personaje, tanto física como psicológica. Así, participa de la caracterización por un rasgo físico, como el Mostachos, y de la valoración, como el Neorrealista. Se separan de esta forma tres ambientes diferentes: el medio seguro de la banda, el conocido del barrio y el hostil, caracterizados por tres tipos diferentes de apodos. Todos ellos sirven a una economía coloquial que evita explicaciones.

El lenguaje de la banda sirve para plantear los problemas de contenido y los intereses de sus miembros, su segregación de una sociedad que esconde las realidades con la palabra y el eufemismo. Da, al mismo tiempo, la línea temática (el dinero, guardado por la policía, permite acceder al Centro) e inicia el camino más interesante de la obra de Juan Goytisolo: la constatación del poder de la palabra, lo que supone para el novelista la necesidad de ahondar en sus planteamientos estéticos y modificarlos.

Entre *Juegos de manos* y *La resaca* se aprecia una notable evolución en la profundización novelística de la realidad. En la primera obra, el lenguaje de la banda está aún poco marcado, es de un nivel medio donde la única característica es la utilización de la expresión «quemar las naves». De esto a la variedad y propiedad de lenguaje de la que hacen gala los muchachos de *La resaca* hay una notable diferencia. Aquí, el vocabulario de la banda está más caracterizado y, en consecuencia, también sus personajes. El fracaso personal se encuentra más motivado y resulta más «real», es decir, acorde con una situación mejor planteada, en consonancia con los referentes externos que busca la novela realista. Asimismo, el autor ha ganado en ligereza, lo que supone ser capaz de dar la misma profundidad sin explicar tanto, a partir de la forma de hablar y de comportarse. Llegado a este punto, la fórmula se agota y tiende a repetirse indefinidamente. Estilísticamente, ya sólo cabe un muestreo poco interesante de diferentes lenguajes. El realismo social resulta insuficiente y cae en el mecanicismo. El valor de Juan Goytisolo consiste en reconocerlo así e iniciar la búsqueda de nuevas formas, más acordes con una realidad en proceso de transformación y más valiosas literariamente.

TERCERA PARTE

EL EXILIO

1. LA AFRICANIZACIÓN

Muy difícil es siempre separar una novela del contexto en el que surge, tanto literario como social. De aquí nace la necesidad de explicar las coordenadas en que se origina la «Trilogía de Álvaro Mendiola» [1], nombre del protagonista.

Ya en el primer capítulo de este estudio he aludido a ciertas causas literarias en la evolución de la novela española, pero creo que debo ahora puntualizar unos cuantos aspectos que no explican plenamente la obra de Goytisolo, pero sí iluminan algunos motivos de la trilogía.

1962 fue un año movido desde el punto de vista político. El gobierno español pidió la entrada en el Mercado Común Europeo. La respuesta de la oposición fue la reunión de todos los grupos y partidos (excepto el PCE) para vetarla ante el Congreso del Movimiento Europeo. Esto forzó al gobierno a una liberalización, culminada en la nueva Ley de Prensa de 1966, en la reaparición de la *Revista de Occidente* (1963) y la creación de *Cuadernos para el diálogo* (1963), que ayuda a la transformación ideológica y económica de España. El gobierno intenta colocar el país a la altura de Europa sin tocar el aparato político. Resultaban incompatibles el desarrollo económico y el estancamiento político. En consecuencia, se produce un complejo proceso de cambios ideológicos en el seno de la sociedad española. Se trata de

[1] Denomino así el conjunto formado por *Señas de identidad, Reivindicación del conde don Julián* y *Juan sin Tierra,* siguiendo la idea de Juan Goytisolo en su entrevista con Luis Sanz en *Camp de l'arpa,* núms. 43-44, abril-mayo 1977, p. 17.

saber a dónde vamos y qué posibilidades depara cada uno de los caminos a elegir. Esta crisis es el punto de arranque de esa meditación sobre España que es *Señas de identidad.*

El conjunto de la trilogía tiene su raíz en un polémico artículo de Goytisolo publicado en 1962 con el título «España y Europa». Mantiene en él la tesis de que España no debe ser el refugio espiritual de Europa, sinónimo del casticismo tradicional en el que nuestros gobernantes desean mantenernos. Ahora bien, la salida no debe ser hacia la Europa Comunitaria conservadora, sino hacia los modelos más progresistas establecidos en el Tercer Mundo. Se trata de optar por la dinámica frente al inmovilismo europeo, la tercera vía. A esta teoría se opone Francisco Fernández Santos, proponiendo la vinculación a los grupos críticos y dinámicos de Europa[2].

Hoy, esta discusión está saldada, pero creo conveniente recordar ciertas motivaciones de Juan Goytisolo, tanto personales como ambientales. Las ambientales son un poco difusas y míticas: esencialmente la revolución cubana, culminada en 1958, y la larga guerra de Argelia (1954-1962) y Vietnam (1946-1976). Ambos conflictos influyen sobre la izquierda europea en dos sentidos que, muy sintetizados, serían: por un lado, la aparición de un nuevo modelo de sociedad alejado de la dicotomía y zonas de influencia hasta entonces existentes. El pueblo es el que sustenta una guerra total contra un enemigo superior en medios y técnica. La victoria supone una idealización de lo conseguido y la esperanza de la participación popular en un gobierno alejado del burocratismo, que era ya esclerótico en los países comunistas. Además, se conocen las torturas y matanzas que la civilizada Europa realiza sobre pueblos «salvajes» para mantener unos intereses económicos. En consecuencia, es paralela la atracción hacia los nuevos modelos y el rechazo de la tradicional Europa. Los motivos personales pueden cifrarse en Cuba y en el viaje de Goytisolo a Argelia hacia 1963, aunque sus simpatías por Ben Bella son anteriores.

---

[2] «L'Espagne et L'Europe», en *Les Temps Modernes,* París, núm. 194, julio 1962, pp. 128-146. El mismo artículo y la respuesta de Fernández Santos se encuentran en *Tribuna socialista,* París, núms. 6-7, febrero-mayo 1963, pp. 35-92.

A Cuba va en diversas ocasiones y le rinde homenaje con su reportaje *Pueblo en marcha* (1962). Hay, pues, una clara atracción tercermundista que, poco después, se convierte en específicamente africana.

El desasimiento de los moldes hasta ahora válidos es una larga tarea personal del novelista Juan Goytisolo. Se realiza a lo largo de casi diez años, tiempo que media entre la publicación de *Señas de identidad* y *Juan sin Tierra*. El valor que esta trilogía tiene en el conjunto de este autor, del que es un eje fundamental, y su importancia dentro del proceso general de la novela española contemporánea me han inducido a realizar un análisis separado de las novelas posteriores. Por otro lado, la coherencia de las tres obras entre sí hacían prácticamente inevitable tal planteamiento [3].

[3] El propio autor ha señalado los dos puntos de partida de su trilogía: «La posición sentida ante el paisaje de Almería [...] incluyendo aquí [...] un paisaje humano. El otro punto de partida coincide con la guerra de Argelia, [...] viéndome así obligado a desmitificar con rabia aquella vieja y conmovedora imagen de la civilización europea». En J. M. Ullán. «Arabescos para la transparencia», *El País,* 28-IV-78.

Con frecuencia citaré *Señas de identidad* como *Señas...* y *Reivindicación del conde don Julián* como *Reivindicación...*

2. ESTRUCTURA DE LA «TRILOGÍA DE ÁLVARO MENDIOLA»

Una primera y superficial lectura nos permite ver las características básicas de la «trilogía de Mendiola» y su diferencia con las obras anteriores de Juan Goytisolo.

En la primera etapa vimos que predominaba el deseo de mostrar y denunciar una situación. La consecuencia era una estructura que podemos denominar horizontal. Se trataba de ir viendo una serie de aspectos en la vida de un barrio o grupo, en una panorámica con técnicas de simultaneidad, colocado cada elemento al mismo nivel espacial y temporal que los restantes, lo que producía un cierto estatismo, tanto por las descripciones como por la estructura narrativa empleada.

En la segunda etapa, por el contrario, la composición de cada novela y de la trilogía en conjunto nos proporciona una estructura vertical. El personaje realiza un viaje, su viaje, a través del tiempo y del espacio, en un retroceso hacia sus orígenes, causa de su ser presente, que puede considerarse como un verdadero descenso a los infiernos, en lucha por desvelar la esencia de su vida y cultura, y poder así afrontar el futuro con conocimiento de causa para buscar una libertad plena. Se nos presenta una obra abierta en la que se buscan los posibles condicionantes del presente. Cada novela puede ser repensada un número ilimitado de veces por el protagonista, y cada vez tendríamos una creación diferente, con nuevos datos y distinto enfoque. Una trilogía, pues, en la que domina la selección personal, no objetiva, de Álvaro Mendiola, según los centros de interés que le ocupan en ese momento preciso.

Es la crítica no objetivable, sino altamente personal, de unos usos, costumbres y cultura que actúan sobre la personalidad y que ésta los tiene asumidos, plenamente incorporados. Sólo mediante el contraste se podrá apreciar su artificiosidad. Para comprender su falta de base, Álvaro va a iniciar un viaje que, globalmente, podemos dividir en tres etapas, correspondientes cada una de ellas a una novela:

I. Viaje a su historia objetiva y personal, desvelando las mitificaciones con que se recubre su familia y entorno: *Señas de identidad*[4].
II. Análisis más profundo de condicionantes. Caza en su cerebro y destrucción de la cultura tradicional, basada en normas sexuales y en la formación literaria: *Reivindicación del conde don Julián.*
III. Búsqueda de las causas últimas, históricas, de su cosmovisión y de una salida: *Juan sin Tierra.*

En cada parte se abren unas brechas por las que se comunica con el siguiente nivel de profundidad, y esto no sólo en el paso de una novela a otra, sino dentro de los diferentes estratos de cada novela. Al final, su salida será hacia una nueva cultura, la árabe, tras el rechazo de su antigua sociedad.

La trama

Considero la trama un primer paso de acercamiento a la obra literaria, la primera etapa para su comprensión, que debe ser posteriormente ampliado y profundizado. Esta idea es fundamental para la «Trilogía de Álvaro Mendiola», aunque su función es menos relevante que en las obras anteriores de Goytisolo. De éstas toma técnicas como el empleo de los subcapítulos o del retroceso, pero la función estruc-

[4] Para Curutchet, en *Señas de identidad* «la novela ha devenido instrumento de conocimiento». Cf. *Cuatro ensayos sobre la nueva novela española,* Montevideo, Alfa, 1973, p. 118. Según Sanz, es «un collage [...] que puede ser reflejo del mundo caótico, perdido» *(Tendencias...,* ob. cit., p. 164).

tural que cumplen es diferente. En parte porque se encuentran mejor integradas en la novela, más elaboradas y acordes con el contenido de estas nuevas obras. En parte, también, porque la trama es tan diferente, el punto de vista adoptado tan distinto y cambiante que esas técnicas se transforman y el papel que desempeñan varía en relación a sus primeras novelas. Por ejemplo, el tiempo podía desglosarlo antes en su aspecto estructural y analizarlo luego en función del ambiente. En esta trilogía eso no es posible, como tampoco se puede separar el contrapunto del propio personaje.

De hecho, resulta fundamental en lo literario la variación estructural de cada elemento de acuerdo con su integración específica en cada novela, por lo que, manteniendo el esquema básico de la primera parte, los contenidos cambian sensiblemente, pues la diferencia entre unas y otras novelas hace precisa una aproximación diferente. Por eso, y retomando la idea inicial, puede considerarse la trama como un primer escalón, mínimo y necesario, que sirve de base introductoria al análisis. En la trilogía, la trama está interiorizada, se plantea en la mente del personaje, suscitada por estímulos externos, en un análisis que transcurre de lo personal a lo social sin divisiones tajantes, y los aspectos sociales revuelven los personales. Todo se enreda y entreteje de tal forma que técnicas de composición antes forzadas, como el retroceso o los subcapítulos, pasan a ser componentes esenciales del tiempo y del personaje. Resultan menos llamativos, pero por eso mismo benefician a la totalidad del discurso, en el que están plenamente integrados y lo configuran. Frente a una novela de situaciones, característica de su primera etapa, se inaugura un conflicto que irá intensificándose. Lo predominante serán los temas y la vivencia que de éstos tenga el personaje. Son temas que tocan una actitud vital, la situación de un hombre en una sociedad opresiva y ante la cual busca una salida que permita su realización personal.

Señas... es una narración que entronca las dos etapas. Por un lado, parte de su temática y estructura mira aún, aunque con unas características diferentes, según veremos, hacia las novelas objetivas anteriores, y por otro lado, sirve de pórtico hacia la nueva novelística que desarrolla en su obra posterior. Ambas características las encontramos ya desde la primera página. Siguiendo una técnica clásica, la novela se inicia con una serie de preguntas, que serán contestados en la obra, planteadas por las Voces. Se encuentran precedentes de este recurso en la trilogía «El mañana efímero» con el empleo contrastante de los discursos oficiales frente a la realidad, triunfalismo *versus* miseria [5]. En *Señas...*, los improperios acusadores de las Voces levantan en la mente de Álvaro la chispa del análisis y, a la vez que un medio empleado por el poder para desvirtuar la realidad y utilizar unas aparentes verdades (el cientifismo falseado o la mentira encubierta), la Voz es también un recurso estructural que va tomando fuerza a medida que Goytisolo escribe. Su culminación está en *Señas...*, donde cumple funciones diferentes y capitales. En primer lugar, las Voces no son ahora un elemento más o menos anodino en la estructura de la novela, sino que configuran la trama y plantean unas preguntas dogmáticas sobre la vida y personalidad de Álvaro. En segundo lugar, no son aspectos externos contrastados con la realidad, sino que se encuentran interiorizados, marcando hitos en la angustia del protagonista. El autor nos introduce en el mundo de un personaje que lanzará improperios cada vez más violentos contra su propia actitud ante el medio. Cada capítulo de la novela será el análisis de las acusaciones que se le hacen al autor [6]:

Cap. IV: «Instalado en París cómodamente...»
Cap. VI: «En el ya clásico amancebamiento con la hija de una notoria personalidad del exilio.»

---

[5] En *Fiestas* la Voz que acosa a Pipo (pp. 225-226), en *El circo* los discursos oficiales (p. 143), y, sobre todo, en *La resaca* (p. 59).

[6] Son las mismas que publicaron contra Juan Goytisolo en febrero de 1961 en un artículo del diario *Baleares* del día 23, en el que se hablaba de que «en esta serie de actos de agresión comunista contra la Península Ibérica resalta, sin embargo, la participación como «compañero de viaje» de un joven gigoló, llamado Juan Goytisolo»; seguido de otro artículo de *Arriba*, 15 de marzo: «Goytisolo, con más años de residencia en Francia que en España, con más costumbres francesas que españolas, incluso en el amancebamiento con una mujer muchos años mayor, influido por el ambiente, sirve lo que le piden». Citado por L. G. Levine, *Juan Goytisolo: la destrucción creadora*, México, Mortiz, 1976, pp. 28-29.

Cap. III: «Hostil a nuestros valores [...]; un breve documental de planificación defectuosa.»
Cap. V: «En un fácil, confortable y provechoso inconformismo [...] exhibiéndose en todos los cenáculos del mundo beocio.»
Cap. VII: «Fabricar estampitas de suburbios es sumamente fácil.»
Cap. VIII: «No es posible negarse a ver el conjunto, entender únicamente la parte.»
Cap. I: «Vástago de familia acomodada y cristianamente educado.»
Cap. II: «Niño bien con todos los gustos y caprichos pagados» (*Señas*..., pp. 9-11).

A la vista del esquema del contenido de los capítulos de acuerdo con los temas planteados por las Voces, la distribución da una impresión excesivamente centralizada. En realidad, cada parte contiene más que lo enunciado por las Voces. Aunque he centrado el capítulo según el tema predominante, cada uno, retomando el texto, reconsidera completamente los diferentes aspectos de la vida del personaje y, al mismo tiempo, enuncia temas que desarrollará con posterioridad. Esta nueva técnica, incipiente aún, cobrará una importancia fundamental en *Reivindicación del conde don Julián*. Cada capítulo llega a tener tres temas: el propio, retoma un tema anterior y lo reelabora desde unas coordenadas diferentes, y esboza otro nuevo que será tratado con posterioridad. Y los plantea entremezclados. El cambio es importante por lo que supone de posibles variantes estructurales dentro de cada novela. Todo texto puede ser reconvertido, lo que permite integrar los diferentes aspectos de la novela, subrayar su unidad total y mostrar la evolución de un personaje no por una serie de episodios aislables, sino por una conciencia que evoluciona y adopta nuevos moldes, aunque sin poder ni querer olvidar los anteriores. Se consigue una novela con una gran trabazón interna, que obliga al lector a tener presente toda la vida del personaje, a considerarlo como una totalidad y participar en su creación, pues sin lectura atenta no hay personaje, éste se desmembra y evapora. El autor logra así una de las primeras aspiraciones enunciadas por Castellet y Goytisolo: obligar al lector a mantener la atención y participar activamente en la construcción de la novela.

Tenemos, pues, una primera estructura adecuada a los deseos del novelista, que va a lograr su plenitud en *Reivindicación del conde don Julián.* Si *Señas* analiza una ética social, *Reivindicación* ataca la estética hispana que alimenta al caballero cristiano, el destino universal español y la represión sexual. El fragmentarismo de esta novela supone la desmembración del personaje, que destruye todo lo que ha sido su identidad, su *ego,* con violencia. El personaje se deshace, predomina en él el odio hacia lo instituido. El apasionamiento provoca el rompimiento de la trama ordenada y lleva a un planteamiento caótico. Antes, el personaje de *Señas...* dejaba las pistas suficientes para que los hilos de la trama no se confundieran y pudiese seguirse su desarrollo sin dificultad, jalonaba el camino con indicaciones claras, aunque breves. Ahora, esos hitos se transforman y cambian. Los hilos se entremezclan y metamorfosean para formar un tejido enmarañado, reflejo de su situación anímica. Ya no explica, muestra una situación sin afán didáctico, con toda su fuerza. Esto no significa que sea ininteligible, sino que su penetración es dura. Hay pistas que ayudan, según veremos, pero el camino no es sencillo, como tampoco lo es la desposesión que realiza el personaje.

Si las dos primeras novelas de esta trilogía son, respectivamente, un análisis ético y estético del personaje, *Juan sin Tierra* nos plantea una crítica política y moral de las actividades del hombre occidental. Álvaro Mendiola se aleja de España en *Señas* por motivos políticos y se marcha a la democrática Francia. Luego, en *Reivindicación...*, realiza su introspección cultural y contrasta los resultados con lo que pudo ser España, la cultura árabe. Basándose en este mundo árabe, en la nueva cosmovisión, el personaje de *Juan sin Tierra* bucea en el pasado buscando los fundamentos de su presente. Y en estas raíces encuentra unas concomitancias y extensiones que le conducirán al apartamiento de la cultura occidental. El desarrollo de la trama es otra vez alternado, aunque más sencillo que en *Reivindicación...* Podemos dividirla en dos aspectos: rompe su vinculación con el pasado histórico hispano (en *Señas...*, sabemos que los antecesores de Álvaro tuvieron un ingenio azucarero en Cuba), y luego analiza la relación existente entre el ingenio-él-el cielo católico. Este paraíso no le sirve y trata de encontrar sus propias raíces en la unión con los negros del ingenio. Huye de la mentira oficializada hacia el vitalismo a través de dos aspectos fundamentales: la defecación y la sexualidad, que sirven para fundir el cuerpo con la naturaleza y alejarlo de las especulaciones verbales, de las falacias afectivas de su tribu europea. Esto supone el repudio no sólo de su país, sino de las actitudes de toda la civilización occidental: «ávidamente te asirás a tu anomalía magnífica» (página 63). Se da en este texto un paso que conduce desde las «voces broncas», alusivas a *Señas de identidad,* hasta esa «anomalía», su alejamiento de los moldes occidentales. Parte de la trama estará destinada a indicar su vinculación con el zoco árabe de *Reivindicación...* y su identificación con todo lo despreciado por Occidente, con la homosexualidad, King-Kong o Turmeda.

La trama, en esta segunda etapa, resulta muy diferente de la que predominaba en sus anteriores novelas realistas [7]. En primer lugar, abandona el método clásico de división de la obra en tres aspectos (planteamiento, nudo y desenlace). Ahora, cada capítulo contiene un planteamiento y un nudo, pero la novela no tiene desenlace posible. Lo veremos más adelante. Además, desaparece la idea del misterio exterior, como un acontecimiento inexplicable para los personajes. El personaje contiene en sí mismo el misterio, en su relación con los demás y con sus circunstancias. La trama es su propia vida y experiencias, un único hilo que se entreteje y oculta en la madeja de la mente de Álvaro y desenredarlo y sacarlo a la luz resulta más complicado y serio que la denuncia de situaciones externas. Por eso renuncia a la introducción de otros personajes. Mendiola contiene en sí todo el

[7] «Una de las técnicas principales utilizadas por Goytisolo para integrar su obra es la de las tres unidades externas: «unidad de tiempo [...] verano de 1963; unidad de espacio [...] Barcelona [...] y unidad de acción [...] Esta unidad interna existe como contraste radical al desorden interno [...] donde se presentan todos los materiales en bruto sin integrarlos [...] para salir del *impasse* de la novela behaviorista de los cincuenta». Levine, ob. cit., pp. 89 y 93, refiriéndose a *Señas de identidad.*

mundo y es su situación la que toma ahora, en la segunda etapa de Juan Goytisolo, la crítica de las circunstancias sociales.

En la relación dialéctica entre el hombre y la sociedad, sus novelas de «realismo social» hacían caer el peso sobre la sociedad. Ésta era el centro de la novela y el individuo estaba por ella conformado y a su servicio. A partir de *Señas de identidad*, el eje comienza a desplazarse y cobra mayor preponderancia el hombre como fundamento de la sociedad. Los condicionantes no impiden una libertad última e íntima en las elecciones que éste realiza. La libertad es su esencia y su problema, se convierte en responsable de sus decisiones y en combatiente por ellas. No es un abandono de su responsabilidad ciudadana, sino una más profunda e intensa relación con el mundo, lo que le convierte en más humano, en más persona. Es el inicio de un nuevo camino que en Juan Goytisolo se convierte en una forma literaria diferente y para Álvaro Mendiola es la asunción de una salida hacia otra cultura.

El tema

Si en sus primeras novelas Juan Goytisolo se colocaba bajo el patrocinio de Antonio Machado para sus testimonios sobre España, en esta segunda etapa el novelista encuentra un poeta de sentimientos íntimos y contradictorios, Luis Cernuda, en quien halla la lucha del individuo por armonizar el choque entre la realidad y el deseo. Del intento de integración de los contrarios nace su soledad y sufre la incomprensión que le aleja de su patria [8].

---

[8] Aunque sea la obra de Cernuda en conjunto lo que le atrae, se puede centrar el influjo en tres poemas: «La familia», de *Como quien espera el alba*, ofrece una influencia temática al analizar el poeta la educación recibida. Mayor importancia tiene el que esté escrito en segunda persona del singular. A *Desolación de la quimera* pertenece «Es lástima que fuera mi tierra». Suministra temas tanto para *Señas* como para *Reivindicación:* la crueldad española, el extrañamiento de la patria, «soy español sin ganas». «Ser de Sansueña», del libro *Vivir sin estar viviendo* nos presenta a la «madrastra» patria, esa Sansueña de *Juan sin Tierra* de la que el novelista se siente expulsado.

Partiendo del poeta, Álvaro de Mendiola decide ir más allá: abandonar el idioma que lo liga a su país, romper lo imposible: su propia mente forjada por el castellano. Es, pues, Cernuda una clave básica para la comprensión de la trilogía, aunque en este destierro le ayuden otros autores malditos invocados por Goytisolo en los lemas las novelas: Larra, Quevedo, Blanco White especialmente, y extranjeros revulsivos como Sade y Genet. Álvaro proclama a voces una corriente soterrada por el sistema como nueva vida que se conforma en una serie de motivos literarios en cada obra.

Los motivos o recurrencia de elementos dentro de esta trilogía son de dos tipos, exteriores e interiores. Los primeros proceden de la sociedad. Los segundos pertenecen al desarrollo psicológico del personaje. Dos son los exteriores, las voces del presente y los documentos del pasado. Debemos tomar el término «voces» en un sentido amplio, no en el restringido con que aparecen en *Señas...*, considerarlas como los diversos estímulos orales que la sociedad envía por canales varios y siempre dirigidos a la masa: radio, cine, prensa, televisión; todo aquello que permite manipular las apetencias y la forma de vida de gran cantidad de personas con el fin de crear unos hábitos y respuestas controladas ante una situación determinada. Estas voces son las que inician la trilogía con la denuncia de Álvaro, y marcan el comienzo de una recapacitación crítica que irá ganando en intensidad hasta convertirse en una alucinación, destructora de todas las trabas y barreras que oprimen al personaje. Cuando bucee en los orígenes de estas limitaciones, Álvaro se encontrará con los documentos del pasado. Los documentos adoptan formas variadas: recortes de periódicos, libros, fotografías..., y le señalan un pasado despreciable. Son la génesis y evolución de la odiada idiosincrasia y permiten la localización temporal y espacial de la crítica del personaje.

Ambos motivos están ya presentes desde el capítulo I de *Señas de identidad*, donde encontramos cuatro tipos diferentes de voces: las críticas oficiales, las católicas (Cap. I), el triunfalismo oficial (Cap. V) y las turísticas (Cap. VII). Los documentos fundamentales son los recuerdos familiares, fotografías (Cap. I), el documental filmado en Águilas sobre la fiesta taurina (Cap. III), los informes policíacos (Cap. IV), cartas y mapas de Cuba (Cap. VI), folleto turístico (Cap. VIII) y periódicos varios (Cap. II)[9]. Puede apreciarse que cada capítulo tiene como base algún documento o voz que provoca la reflexión del protagonista, forma una unidad temporal y crítica y recoge un recuerdo predominante de la vida de Álvaro. Se enlazan así motivos interiores y exteriores:

Cap. I: Voces críticas → niñez y adolescencia, guerra civil.
Cap. II: Muerte del profesor Ayuso → etapa universitaria, postguerra.
Cap. III: Recortes de periódicos → sucesos de mayo del 36, brutalidad.
Película → encierro taurino de agosto del 58, bestialidad.

Estos tres capítulos constituyen la primera parte de la obra. Cada uno de ellos comienza y acaba en el presente, pero contienen los recuerdos del pasado. Temáticamente suponen el proceso de formación de la personalidad. Además, el tercer capítulo alimenta el resto de la trilogía. En las páginas 141-149 se alternan dos episodios, toro y campesinos, fiesta y muerte en ambos casos, técnica que será desarrollada en *Reivindicación...*

A partir del capítulo IV y hasta el VI, Álvaro aprende el valor de los demás y las posibilidades de la comunicación:

Cap. IV: Diligencias policiales → Antonio, prisión y destierro.
Cap. V: Prensa y magnetófono → París y emigrantes españoles. Exiliados → Voces contra Antonio.
Cap. VI: Atlas → Viajes con Dolores, Suiza y Cuba.

---

[9] *Niños santos.* Ed. La hormiga de oro, para la niñez. Las diligencias policiales proceden del Tribunal de Orden público, sumario I 25/64, rollo I 64/64, 1964. El diario de Ángel Bartomeu es de 1954, transcrito en 1964. Los episodios de Yeste proceden de *La vanguardia* (3, 4, 5, 6, 7-VI-1936), *El diluvio* (4, 5, 6-VI-36), *El matí* (7-VI-36), *Solidaridad obrera* (6-VI-36), *La batalla* (12-VI-36). Los insultos de las voces son de *Baleares* (22-II-61) y *Arriba* (15-III-61), según antes se señaló. La carta de la esclava está fechada el 10-XI-1870. Cf. J. Ortega, *Alienación y agresión en Señas de identidad y Reivindicación...*, New York, Torres, Library, 1972, pp. 68-70.

A lo largo de estos tres capítulos, Álvaro va evolucionando. Amplía su mundo egocéntrico y busca en otros una salida a su insatisfacción, pero le revelan aún más su propia diferencia. Antonio le muestra las posibilidades de una lucha política, valiosa para la realización personal, los emigrantes y exiliados le enseñan una miseria y un dolor desconocidos, le abren un nuevo mundo. El ideal político le deja insatisfecho y amplía su desesperanza:

Cap. VII: Documentos en contrapunto:
— Triunfalismo de las voces turísticas.
— Realidad magnetofónica del rencor de la guerra y del hambre.
— Conocimiento personal de la incultura.

Cap. VIII: Clímax. Alterna visiones de Barcelona, lo que oye a los turistas, cartas de negros cubanos, folleto turístico → angustia. Empleo del versículo en todo el capítulo.

Se nos presenta ahora una panorámica del país, de la estrechez y la incomprensión, del sueño que es la vida hispana. El rechazo de Álvaro se expande a medida que avanza la novela y sus análisis y pasa de renegar de su familia y educación a considerar insuficientes las perspectivas de amigos y emigrantes para, al final, quebrar el idealismo de un pueblo español combativo al contemplarlo conformista y resignado. Su censura del presente español enlaza con la crítica de su etapa anterior y el paisaje de *Señas* es concomitante con el de su libro de viaje, *Campos de Níjar.* Sin embargo, en *Señas* resulta más importante la faceta que abre los nuevos caminos novelísticos: el sexo (p. 133), la serpiente (p. 58), el dogmatismo cerril (p. 257) y los traumas infantiles (Cap. I) como temas amplios, así como motivos concretos (la «madrastra» y «espaciosa y triste España», pp. 375 y 371) son la base de su segunda novela de la trilogía, *Reivindicación,* mientras que el tema del bisabuelo esclavista (página 58) y la carta de la esclava (aludida en el comienzo de *Señas)* pasarán a *Juan sin Tierra* y son la fuente afectiva y la causa de su periplo. Los motivos y planteamientos de la obra organizan la penetración del personaje en las causas de su situación. En el regreso a los orígenes está el comienzo de la liberación personal, ya que su conocimiento permite una vida nueva y distinta. De aquí que el personaje sea un viajero hacia su pasado. Juan Villegas ha estudiado la estructura básica de este tipo de novelas en su ensayo *La estructura mítica del héroe*[10]. La vuelta a las fuentes es un viaje mítico y, en consecuencia, también el héroe tiene características míticas. En primer lugar, el personaje debe abandonar el universo que habita y emprender la marcha hacia lo desconocido para buscar una mejora personal y alejarse de un presente que le resulta contradictorio. Es el avance hacia una certeza: «Mundo otoñal y caduco que te habían dado, sin solicitar tu permiso, con religión, moral y leyes hechas a su medida; orden promiscuo y huero» *(Señas...*, página 12). Pero la huida geográfica no resuelve nada, es preciso encontrar los cimientos para reconstruirse. De aquí la búsqueda de indicios que le permitan descubrir sus raíces.

La segunda etapa de este retorno mítico es el encuentro con elementos oscuros, sombras que tratan de impedir ese avance: «En tanto que las Voces —maldad y frustración congénitas de tu casta conjugadas en coro— proseguían su sorda cantinela susurrándote alevosamente» (p. 12). Como Eneas, el personaje intenta conocer su futuro. Sólo con el descubrimiento de su origen y condicionantes podrá rehacer su vida con esperanza. La clave del futuro libre radica en la exorcización y conocimiento del pasado. Para Villegas, este descenso y entrada en el Reino de la Muerte supone siempre el desmembramiento del personaje a través de una serie de padecimientos y tensiones que provocan las fuerzas amigas y enemigas, empujándole u oponiéndose a la búsqueda, aunque tanto unas como otras implican dolorosos descubrimientos y conllevan sufrimientos. Las pruebas para Álvaro son los oscuros misterios que se van desvelando de su entorno sociopolítico. Primero descubre su niñez, que nada tiene del mito nostálgico y paradisíaco: «Años de arrepentimiento y pecado, esperma y confesiones» (p. 18). Vinculaciones entre educación y castración, de las que no se libera. Las transgrede, pero con una constante zozobra y remordimiento. Este condicionante psicológico será ampliamente expuesto y debatido en *Reivindicación del conde don Julián.*

[10] Barcelona, Planeta, 1973, p. 71.

Veremos en el capítulo dedicado a los personajes esta lucha y sus consecuencias.

En su penoso caminar, topa con otro elemento mítico que sirve de trasfondo ambiental permanente, fruto de la violencia continua, la guerra civil en la que fue asesinado su padre (página 108), mito inatacable y chantaje afectivo elevado a la categoría de dogma, justificación de principios inaceptables.

Lo más terrible para el personaje es la angustiosa soledad de su búsqueda. Sólo él puede encontrar su camino hacia un pasado que ilumine su futuro. De aquí que los amigos se encuentren a su lado físicamente, sin llegar a alcanzar una «simpatía». Además, no halla en el recuerdo de su infancia el paraíso soñado, sino la infelicidad, completándose así el ciclo de desdicha y frustración en que se movían los niños de las primeras novelas de Goytisolo. En definitiva, el personaje decide la búsqueda de la felicidad en el *regressus ad uterum* [11]. Según Eliade [12], el retorno a la matriz para nacer a una nueva vida (de niño a adulto guerrero) se simboliza en los ritos mágicos mediante el encierro temporal en una cueva oscura. Así, la Tierra es la madre y la caverna el útero. A este sexo-gruta se encamina Álvaro como nuevo Eneas a los infiernos, para meditar y ser iluminado sobre su futuro. Desciende a su íntimo Hades en *Reivindicación*, y *Señas* es el testimonio del proceso que le conduce a iniciar ese descenso. Álvaro ha intentado una solución personal buscando en su país y entre sus amigos y conocidos. Pero nadie parece poder proporcionarle una respuesta válida, no encuentra lugar donde arraigarse y al que denominar patria. Mire a donde mire, sólo encuentra la misma violencia que él alimenta, el odio del que quiere liberarse para ser persona.

Primero es el auticidio de su amigo Sergio, personaje decadente (Cap. II), luego la muerte intelectual primero y física después del admirado profesor Ayuso (Cap. II), la superposición de imágenes de las matanzas de campesinos en la República, del asesinato de su padre y de la sádica

---

[11] «Bajar el sexo, demorarte en él, buscar un refugio, perderte en su hondura, reintegrar tu prehistoria materna y fecal. ¡Ojalá, te decías, no hubieras salido nunca» (*Señas*, p. 158).

[12] Mircea Eliade, *Mito y realidad*, Madrid, Guadarrama, 1968.

muerte del toro por un pueblo ebrio de sangre (Cap. III). En una segunda parte, sus relaciones con los demás no encuentran más que violencia. Unas veces provocada por él, como el obligar a Dolores a abortar (Cap. VI), otras veces creada por el ambiente, como su relación con su amigo Antonio (Cap. IV) y sus choques con los exiliados (Cap. V). Por último, la violencia institucionalizada, con la que el sistema obliga a la emigración, encarcela o rechaza a los desheredados, impidiendo la cultura y enviando a la Guardia Civil a pedir la documentación a quien quiere visitar una biblioteca (Caps. VII-VIII). Violencia que justificará la traición de Álvaro y fundamentará, en sus posteriores novelas, su deseo de regresar al origen para volver a nacer a una nueva vida.

La segunda novela de la trilogía ahonda el proceso de búsqueda iniciado por Álvaro. La violencia ambiental y familiar no le satisfacía, y su testimonio sobre ella supone un apartamiento, ya que mostrar es igual a destruir. Ahora esa destrucción debe ser total. Continúa la hecatombe de los valores y ética heredados y acentúa el bombardeo crítico de los elementos estéticos y culturales que les sustentan. En *Reivindicación del conde don Julián* se inicia la novela mostrándonos al personaje en Tánger, alejado ya físicamente de su patria, pero pidiendo contemplarla como objeto al que hay que aniquilar. Esta cotidiana observación será una obsesión constante y excluye otros temas anteriores. En el primer capítulo, la visión que ofrece el personaje es predominantemente externa, entendiendo por tal una serie de actos y palabras pasados por el tamiz de la razón y relacionados con referentes externos que le sirven de estímulo. Contiene ya todo el conjunto de motivos que desarrollará posteriormente. El primero y más importante es la niñez. En esta etapa de la vida, la indefensión ante el acoso del medio le obligó a aceptar, como algo consustancial a la naturaleza humana, toda una serie de normas. Lógicamente, la transgresión de esas mismas reglas configurará su traición, que culmina con la perversión de un joven, él mismo, su niñez, al final de la novela. La alusión inicial a «Caperucito Rojo y el lobo feroz» (p. 13) será especialmente tratada en el último capítulo, final de un cuento donde triunfa el lobo. Así recoge todo lo negativo, lo asimila, se identifica y lo invierte para emplearlo como recurso en sus ataques, arma para derrotar con sus propias mentiras a quienes lo educaron.

El aspecto educativo resulta fundamento de esta obra. La cultura recibida es el objeto permanente de su denuncia. De aquí que su mayor exponente, la literatura, sea un motivo esencial. Literatura y niñez fundidas introducen al personaje en un mundo fantasmagórico característico: «antro femenino, reducto sombrío de Plutón» (p. 78). Se encuentra ya en el origen de la vida y en el destino de su viaje, el útero. Éste es un punto central en la trilogía con unas diferencias importantes entre este viaje mítico y los mitos primitivos. Según M. Eliade, el hombre primitivo admite y venera su pasado por estar hecho por Seres Sobrenaturales, pero el hombre actual puede revisar y recapacitar sobre los acontecimientos de forma crítica. Así, Álvaro selecciona su guía: «infernal Caverna, en el melancólico vacío del, pues, formidable de la tierra bostezo que conduce al reino de las Sombras» (pp. 84-85). La cita de la sexta octava del *Polifemo* de Góngora nos indica dónde busca su ayuda literaria, que no es exterior, sino interna, radica en la propia mente del personaje y le anima en su labor de liberación del anquilosamiento idiomático, lo que le permitirá llenarlo otra vez de expresividad tras la ruptura de los moldes vacuos.

La literatura rechazada será aquella más etérea y conformista, cultivada por los noventayochistas y universalmente aceptada como válida y eterna: «obras pletóricas de sustancia inconfundiblemente vuestra: estrellas fijas del impoluto firmamento hispano: del espíritu unido por las raíces a lo eterno de la casta» (p. 34), que han nutrido una idiosincrasia basada en la acomodación de Séneca a las ideas de estos autores, elevando su estoicismo a paradigma nacional (p. 56). Esto ha generado un caparazón de dogmas en los que escudarse, pertrecho ideológico con el que se mide todo lo existente, coraza en la que se enclaustra todo español [13]. Esta especie de coleóptero tradicionalista es el tercer motivo que escoge el

[13] «Don Álvaro te instala en uno de los taburetes de la barra y se acomoda a continuación junto a ti: haciendo crujir, por turno, las distintas piezas de su caparazón óseo» (p. 80).

personaje para su ataque, un caparazón de estoicismo al que no mellan novedades ni desdichas.

El último motivo importante del primer capítulo es la política, tanto en su dirigente (el Ubicuo, p. 34), como en los cambios sufridos por el país que se industrializa. Todos estos aspectos motivan el alejamiento personal, serán objeto de un penetrante análisis y, luego, de una sistemática destrucción en el cerebro del personaje.

A estos motivos interiores hay que añadir aquellos que sirven para marcar una vinculación con el exterior y relacionar los capítulos de la novela. Según veremos, cada parte de la obra es una etapa en la profundización sobre los datos proporcionados en el primer capítulo. A éstos les corresponderá señalar el paso del tiempo, y también los diferentes estratos de los pensamientos, simultáneos y cada vez más profundos. Estos motivos externos son fáciles de localizar a lo largo de cada capítulo y mantienen la cohesión externa de la novela y la unidad estructural del personaje, que se desarrolla en los capítulos posteriores [14]. Los detalles le sirven al lector de hilo de Ariadna en el laberinto que es el pensar y sentir de Álvaro y mantienen las referencias con respecto al mundo exterior, pero también son importantes para el personaje, que los incorpora intelectualmente a la destrucción [15].

En *Reivindicación* los motivos son más breves e intensos

---

[14] «*Reivindicación* es uno de los mejores modelos de lo que puede llamarse *novela estructural:* aquella que intenta definir la estructura de la sociedad desde la persona y la estructura de la conciencia personal desde el contexto social a través de un discurso». Sobejano, «Don Julián, iconoclasta...», art. cit., p. 9.

[15] Destacan la televisión (p. 12), la película «James Bond. *Operación Trueno*» (p. 28), el cartel «Donnez votre sang» (p. 29) y la placa de «Don Álvaro Peranzules, abogado» (p. 41), con gran importancia estructural. Un amplio desarrollo tendrá el autobús del que descienden «las Very Important Persons» (p. 46). Y la página de un periódico con el programa de televisión («22,25: españoles ilustres de ayer y de hoy: Lucio Anneo Séneca; 23,15: reportaje especial sobre la ratificación de la Ley Orgánica»), una receta culinaria («torrijas»), el anuncio de una inmobiliaria («Guadarrama: inversión segura») (pp. 56-57), las litografías de botánica y el mapa marroquí (p. 14) y el escrito «con los niños el látigo es necesario» (p. 59) son otros hitos para lograr la unidad novelística.

que en *Señas de identidad.* Son relámpagos de la conciencia del personaje que iluminan nuevos pensamientos. Simultáneamente, jalonan las relaciones entre elementos y señalan la profundización en el pensamiento del personaje a través de los capítulos, evitando transiciones bruscas. Así, configuran el proceso como una espiral perforando hacia el subconsciente del personaje. El cambio de capítulo es un corte, más allá del cual el autor señala con claridad la relación entre los estratos mentales del personaje y diversos contenidos. Así, el capítulo II investiga y desmenuza las causas de la situación pasional de Álvaro expuesto en el capítulo I, análisis que le conduce a una burla política y una crítica feroz de las enseñanzas recibidas en su niñez, lo que le permite descubrir en su sociedad, la española, unas características míticas importantes, un pensamiento y unas costumbres basadas en un pasado remoto e idílico perpetuado hoy y teatralizado por los dirigentes políticos para dominar, ya con la muerte ritualizada o bien mediante un espectacular referéndum acatado sumisamente por los más dispares y esperpénticos personajes, desde un poeta hasta una actriz, figurones que sirven de propaganda al hierático y casi mítico Ubicuo. Es, pues, una somera comprobación del funcionamiento de ese temor mítico, ritualizado en gestos ostentosos y declaraciones altisonantes.

El siguiente segmento de la espiral es el capítulo III. El autor se lanza a una acerba crítica de aquellos elementos que sirven de sostén a esa mitomanía. El plano político no era más que la parte visible del iceberg. El personaje encuentra, en su descenso a la caverna de la conciencia, tres pilares que configuran al hispano actual y su mente mitómana: la literatura, la ideología y el sexo. Se alcanza aquí una visión alucinatoria, la imaginación se desencadena y la anatomía, el caballero cristiano y el lenguaje son violentados en busca de su destrucción total.

El capítulo IV está enraizado en el II. En éste se denuncia un punto importante de la educación: la desposesión de la realidad corporal y sexual, siguiendo las directrices dadas por el obispo hungaro monseñor Tihamer Toth, autor de *Energía y pureza,* cuyo capítulo cuarto, titulado «En el fondo del pantano», le suministra al personaje el material necesario para su liberación definitiva. No extraña la presencia de este libro en la novela. Hasta hace pocos años, fragmentos de esta obra se leían prácticamente en todos los colegios religiosos masculinos, y era obligada su presencia en todas las bibliotecas de Acción Católica. La novela rechaza, pues, un método educativo fundado en el miedo al sexo y al propio cuerpo. Por otro lado, el título del religioso capítulo seleccionado es adecuado a la situación del personaje, que se introduce en ese pantano para consumar la ruptura. Realizará lo que espanta al monseñor: la corrupción de un menor hasta conducirle al suicidio. El sexo rompe con el martirio acosante del pasado.

Es, pues, la penetración crítica en una cultura fosilizada y mítica, un combate contra lo institucionalizado. La lucha se va a desarrollar en varios frentes. Uno de los más importantes es el sexual. Este combate contra las concepciones sexuales heredadas forma parte íntima del desarrollo de la personalidad del protagonista, por lo que pospongo su estudio para tratarlo en el análisis del personaje. El segundo tema importante se centra en la lucha contra la perspectiva subjetiva y dogmática recibida a través del cristal del Noventa y Ocho [16].

El personaje ataca con rabia el tinglado montado por críticos y escritores de mutuos elogios y compartidos odios, crítica literaria institucionalizada de la que están proscritos los que no pertenecen a la banda, a los que se ignora con un despectivo silencio. De estos círculos surgen los premios literarios, tras conchabarse, premio que denomina «Al Capone» (p. 154) [17], y donde pone al descubierto con cinismo la catadura moral del premiado, sus intereses espirituales y literarios, sus obsesiones: «medio millón de pesetas: [...] y el prestigio y la popularidad: televisión, Nodo y toa la

---

[16] G. Sobejano: «El verdadero blanco, si bien se mira, es ése: el 98 y sus remedadores, particularmente sus remedadores de postguerra», en «Don Julián, iconoclasta de la literatura patria», en *Camp de l'arpa*, núms. 43-44, abril-mayo 1977, p. 9.

[17] Referencia al Premio Planeta, galardón millonario otorgado por la editorial barcelona Planeta. Véase nota 18. La crítica a este premio aparece ya en *Señas*, pp. 306 y ss.

pesca!: y las chavalas así así: que se me comían vivo; casadas, solteras y hasta vírgenes!» (p. 154).

La anquilosada literatura del Siglo de Oro es asaltada con la introducción de insectos entre sus páginas que, tras ser cuidadosamente espachurrados (p. 37), provocan la apetecida reacción de horror en el crustáceo don Álvaro: «arruga el ceño y las articulaciones dermato-esqueléticas de su coraza crujen» (p. 178), hasta que las continuas interrupciones son insoportables y la coraza se deshace, marcando el final del ejemplar carpeto. Ante el caparazón hispano, la apatía mental, el servicio a lo acostumbrado, ante los dirigentes senequistas-estoicos-sangradores de España, ante las farsas políticas de refrendo popular y de consumismo estrecho y contrario a las teorías oficiales, ante los rancios valores de una Agustina camarera y un tambor del Bruch mascachicles (página 136), sólo queda el pillaje, el asalto al idioma y el rescate de la terminología árabe, libre, primigenia, de la que se ignora su origen y valor. Asalta la lengua, la saquea para impedir que se esclerotice (pp. 196-199).

Señalo en cuadro aparte la relación entre los motivos más significativos que estructuran *Reivindicación del conde don Julián* (entre paréntesis indico las páginas).

El autor establece como eje los sinónimos novelísticos Séneca-Álvaro-Figurón-Sagredo-Alvarito aplicados al personaje, lo que le hace polifacético. Lo que en el primer capítulo son realidades diferentes (un abogado, un filósofo, una actitud) se van integrando hasta componer una actitud vital hispana característica, la suya propia, que tiene su fundamento en la infancia. Lo que este personaje ve por la calle o lee en los libros comienza a alucinarle y a mezclarse a partir de su entrada en el fumadero de kif (Cap. II), donde afloran complejos y angustias literarias, culturales y educacionales de la infancia. Bond, la televisión, la turista americana, los cuentos infantiles, el viaje a la biblioteca, etc., que son motivos del primer capítulo, pasan en el segundo a producir una impresión sobre la funesta educación recibida por los españoles, su parcialidad y limitaciones para, en el tercero, con el influjo del hachich, mostrarse la depuración cultural y mental que esto supone. De la crítica se pasa en este tercer capítulo a la destrucción de lo descubierto. El personaje se refugia ahora en el útero, que es la caverna cinematográfica de *Operación Trueno,* y ataca la cultura que ha cuadriculado su mente, destruye las trabas ideológicas que se le han impuesto (literatura, caballero cristiano, senequismo) con la mulata carnavalesca, el orinar, la sífilis, paso previo al ataque definitivo al niño Alvarito, su infancia, foco de sus males adultos (Cap. IV), donde el reptil sexual acaba sádicamente con los tiernos valores inculcados. Aunque el esquema es lineal, todos los motivos citados revierten unos en otros, se entremezclan en la obra hasta mostrarse inextricables y forman una totalidad tan compacta que el ataque a uno de ellos conlleva e implica el golpear y destruir el conjunto [18]. Conforman un discurso donde la percepción de la televisión, por ejemplo, está mediatizada por las lecturas infantiles y éstas se encuentran seleccionadas por una actitud ascético-depurativa secular. Visto a la inversa, la inquisición mental hispana creó un estoicismo enemigo de lo novedoso, fundamentó una educación en las apariencias elogiosas y el conservadurismo, origen del personaje frustrado. En consecuencia, la solución radica en la destrucción de la infancia odiada.

A través de las flechas del esquema precedente se aprecia la progresiva integración que van teniendo los diferentes motivos [19]. Así, el niño-Caperucito es influenciado por los no-

---

[18] Gimferrer, en su artículo citado, indica el paso de personajes de *Señas* a *Reivindicación* (p. 18): Jerónimo-árabe-Tariq-encantador de serpientes-guardián de obras. Premio Planeta-becario de Al Capone-Peranzules-Séneca-alcahuete-tangerino-caballero cristiano. Señala también la evolución de Isabel-madre de Séneca-hija de Séneca-Madre de Alvarito. Turista-mulata-amante. Niño guía-Alvarito del guardián-Isabel.

[19] Algunos textos básicos que integran *Reivindicación* (no literarios): *Laminario escolar* (Ministerio de Educación, s. f., p. 93), sección «Las serpientes venenosas». Manual sobre *Enfermedades infecciosas,* sección «Trompas de Falopio». *Nacional-sindicalismo (Lecciones para flechas),* 2.ª edición, Sección Femenina de la FET y de las JONS (Madrid), 1949. Pedro de Alvarado, *Los españoles de ayer* («Isabel la Católica») y José Luis Arrese, *Franco* («El Ferrol: los primeros años», s. f., p. 11) para las biografías del caudillo y de su madre Pilar. *Informaciones* y *ABC* del 15-XII-1966, sobre el Referéndum. J. Ortega, ob. cit., pp. 142-144. L. G. Levine añade: mapas y diagrama de la ciudad de Tánger; *Idea de la*

Capítulo I		*Capítulo II*
		Kif (89)
Turista (47) Gruta (58, 68) Niño (60) Culebra (66, 71) Putifar (67, 72) Televisión (56) Escorpión (30)	⟶	Clase de Ciencias (91)
SÉNECA ÁLVARO FIGURÓN (80)	⟶	FIGURÓN (93) SÉNECA (110) ÁLVARO (116) Isabel (113) Alvarito (114) Calderón, Lope, Sagredo (117-119) (117-119)
Caperucito Rojo (13) Gredos (82)	⟶	Noventayochistas (111) Niño (94): Charla (95) Putifar (99) Monseñor Toth (103) Reptil (106) Virgen (108)

Capítulos I-II		*Capítulo III*
		Hachich (131)
Tariq (15) Café (84) Bond (28)→(74) Sang (29) Látigo (59) Mulata (77) Virgilio (78) Poeta (85)	⟶	Traición: Historia, '98 (136-138) SÉNECA (138): Orinar (153) SAGREDO (150): Sífilis (154)
Semana Santa (75) Biblioteca (31)	⟶	(182) Presente (199): Premios (154) Caballero cristiano (158) ÁLVARO (160)
Isabel (113) (74) Gruta (58, 68)	⟶	Mulata (162) Útero (166)
Albo caballo (27)	⟶	Santiago (142)

Capítulos I y II		*Capítulo IV*
Torrijas, Guadarrama (56)	⟶	(208)
Culebra (66, 71, 106)	⟶	(211), (218)
Monseñor Toth (103)	⟶	(210)
Sablista (23, 101)	⟶	(236)
Virgen (108)	⟶	(232)
Látigo (59)	⟶	(223)
Sang (29)	⟶	(227)
Isabel (113)	⟶	(224)
Caperucito Rojo (13)	⟶	ALVARITO (206)

ventayochistas y conforma a Alvarito, mentalizado con los dramas de honor, y todo el conjunto da forma al depurativo Séneca-Sagredo, relacionado a través de los premios literarios con Álvaro, seductor final de Alvarito. Todos los motivos se relacionan entre sí, bien directamente o a través de otros que les proporcionan nuevo valor y un sentido más rico. Todo confluye hacia la destrucción final de la imagen infantil odiada y con ella, de la antigua forma de pensar y de sentir del personaje. Hay, pues, un alto grado de trabazón e integración entre las diferentes partes de la obra, al servicio de una estructura coherente y no mediante repeticiones, sino con la superposición de una serie de motivos literarios que se van empapando unos del significado de otros, formando estratos permeables que dan la figura de un niño de características muy definidas, al mismo tiempo que esas mismas características son la causa de la explosión. Es una construcción novelística en la que los mismos materiales que conforman la estructura contienen el fundamento de la ruptura del personaje que han creado.

Juan sin Tierra engarza con dos motivos básicos de los títulos precedentes. En primer lugar, la sexualidad como valor humano. La homosexualidad y la serpiente de *Reivindicación*, el Changó de *Señas* (p. 421), son lo opuesto a la «Parejita Reproductora» (p. 67) de esta obra. En segundo lugar, la defecación de Séneca *(Reivindicación,* p. 153) se ve ampliada hasta ser un motivo esencial. Otros aspectos secundarios son frecuentes. Desde el comenzar la novela con minúscula, indicando así una continuidad con la obra precedente, hasta detalles del personaje, todo marca una estrecha relación temática entre las tres novelas [20]. En cuanto a la estructuración,

---

Hispanidad, de García Morente, para los textos sobre la ascética hispana y el caballero cristiano (ob. cit., pp. 277 y 283-284).
Los textos literarios serán analizados con posterioridad, en el capítulo 4.

[20] Compárese:

Señas de identidad	*Juan sin Tierra*	*Reivindicación*
Familia, pp. 16, 55. →	pp. 14, 51, 319.	
IDHEC, pp. 44, 376. →	p. 44.	
	p. 18.	← Isabel, p. 163.
	pp. 41, 118.	← Séneca, pp. 154, 180.

Juan sin Tierra se compone de siete capítulos, que pueden dividirse en tres partes. Cada capítulo tiene su propio motivo central. I. Se fundamenta este capítulo inicial en dos motivos exteriores [21], a partir de los cuales, la funda de un disco con una negra sobre el fondo de un batey y un catecismo para esclavos, se construye un buceo histórico en el que abundan las lacras de un pasado familiar esclavista, donde se opone al amo sublimador y ocultador el vitalismo de la negrada. Es la destrucción del mito de la civilización cristiana, que rechaza al hombre de color, que enmascara el lucro y la explotación como de origen divino. II. Este capítulo tiene su esencia en un motivo interno: «a su espíritu de autoridad y jerarquía, fundado en prohibiciones y leyes, opondréis la subversión igualitaria y genérica del cuerpo parado, desnudo» (p. 88). El aspecto dominante es el personal. Se compone de doce subcapítulos en los que el motivo del sexo, libre de los condicionamientos seculares, permite lanzar un ataque a la heterosexualidad y reproducción, y ensalzar la homosexualidad como acto libre y gratuito. III. El tercer capítulo une lo personal y lo histórico. Vinculándose con los heterodoxos, termina siendo un Juan sin Tierra refugiado en el mundo árabe, nuevo ámbito. IV. Si en el capítulo anterior predomina el espacio, el recorrido nómada, aquí destaca el tiempo. El motivo básico es la Inquisición; «gran teatro del mundo en el que la masa del público identificaba su dignidad personal con la total quietud de la mente y asistía enfervorizado a los ritos de ejecución de los réprobos, judaizantes, sodomitas, bígamos, luteranos» (p. 180). Se compone de once subcapítulos que podemos dividir en tres partes: Cinco subcapítulos dedicados a los apóstatas sodomitas, un subcapítulo dedicado a King-Kong. La introducción de este gorila cinematográfico supone la exaltación del vitalismo. En él se dan con mayor fuerza los dos motivos claves de la novela, la

---

[21] «La funda del high fidelity: THE QUEEN OF RHYTHM, LA REINA DEL RITMO: cuerpo real sin duda, que no acata otra ley que la del soberano disfrute: soberbiamente ajeno a las experiencias de desasimiento y meditación: partidario de un *hic et nunc* muy preciso» (p. 14). «La fotocopia de una sobrecogedora "Explicación de la doctrina cristiana acomodada a la capacidad de los negros bozales"» (p. 15).

sexualidad y las deposiciones, ambos en su máxima capacidad. Por su situación y contenido, es la clave estructural de la obra. Y finalmente, cinco subcapítulos dedicados a la defecación.

Los capítulos III y IV se complementan, uno se basa en el espacio y otro en el tiempo, uno en la heterodoxia y otro en los motivos de ella. Ambos forman el núcleo central de la novela, constituyen un ataque a las características de la civilización occidental y la base histórica del odio e intransigencia españoles.

El último aspecto de la novela está desarrollado en los tres capítulos finales. La vinculación a una nueva sociedad se elabora en el V y el VI con una relación igualitaria y una nueva escritura, improductiva, placentera en sí misma, no por sus contenidos docentes o moralizantes [22], para pasar en el VII al completo y definitivo apartamiento: «pues agora sin temor, como quien no tiene nada que perder» (p. 309), liberación personal tras un largo proceso de desarraigo.

Podemos, pues, ver en esta novela un enfrentamiento de contrarios, tal y como se anuncia en sus comienzos: «dividirás la imaginaria escena en dos partes: [...] a un lado sustantivos, adjetivos, verbos que denoten blancos, claridad, virtud: al otro un léxico de tinieblas, negrura, pecado» (página 30). A esta estructura responden los diferentes motivos de la obra:

Cuerpo: defecar { sucio/limpio
negro/blanco
Diablo/Dios } Pasado instituido, sistema

homosexual público/heterosexual privado

Libertad { nueva literatura
nueva política
onanismo, esterilidad

[22] V. «sociedad fraternal sin grados ni jerarquías [...] cuyo único, avizorante ojo desdeñosamente contempla los risibles, grotescos esfuerzos de quien neciamente se obstina en distinguirse, encumbrarse, mandar» (p. 236). VI. «buscas a tientas la secreta, guadianesca ecuación que soterradamente aúna sexualidad y escritura: tu empedernido gesto de empuñar la pluma y dejar escurrir su licor filiforme, prolongando indefinidamente el orgasmo» (p. 255).

Tras aniquilar pasado y presente, el personaje comienza a vislumbrar lo que puede ser la salida a tan largo viaje. La victoria procede de la asimilación y ensalzamiento de todo lo prohibido, reacción violenta contra su vida pasada. Éste va a ser su credo: la exaltación de lo que es inútil para el consumismo, lo improductivo, alabar lo inhabitual y lo socialmente inadmisible. Sobre lo prohibido construye, y sólo en esa libertad es posible la vida. El personaje puede ahora, tiene la oportunidad de un nuevo nacimiento, elegir su nueva vida y su futuro, libre de trabas: «ese otro cuyas mudas de piel a lo largo del camino señalan con cautela, a lo Pulgarcito, las venturas y riesgos de su altiva, solitaria traición» (pp. 318-319). Y lo hará públicamente, provocando el escándalo a plena luz, negándose a una marginación que deje tranquilas las conciencias de los ciudadanos y no suscite reparos: «Ebeh no llega quizás a la treintena, pero las plagas y enfermedades propias de una pobreza extrema han estigmatizado su persona con las señales indelebles de la decrepitud: su cráneo rasurado es una llama viva, costras purulentas y bubas emergen entre los vellones de una barba grisácea sin afeitar» (p. 64).

La cópula baldía debe sustituir al amor reproductor, rompiendo costumbres morales y tradición. La sodomía revalorizada será el punto de salida. Ya hemos visto en la cita precedente cómo un árabe le ayuda a iniciar este camino. La voz del capellán le trae, además, el recuerdo de los negros: «sois pécoras salvajes, de naturaleza fallecientes y contra natura usantes!: obligáis a voltearse a las negras y buscáis sus partes traseras» (p. 29). La vinculación de los negros a la naturaleza y el que sean unos desposeídos le liga a ellos. Con su ejemplo, se une ahora a los modernos esclavos, los árabes. Trata de liberarse de la maldición secular y cultural que pesa sobre el ano, «suprimida la anterior división entre la cara y el culo» (p. 212). Esta unidad corporal tiene precedentes claros en la Edad Media, sobre todo en los carnavales populares [23], en un proceso regenerador donde la ironía y el sarcasmo tienen pleno valor con el triunfo del

---

[23] Cf. Mijail Bajtin, *La cultura popular en la Edad Media y en el Renacimiento*, Barcelona, Barral ed., 1974.

principio de la exuberancia corporal, de la asunción del propio cuerpo en plenitud. En este contexto se entiende también la presencia constante de la defecación, un producto de nuestro cuerpo que no debe excluirse ni ocultarse, pues es el medio regenerador de la tierra. Se trata de toda una cosmovisión: el ciclo vital. Cada alimento consumido es devuelto a la tierra para que fecunde nuevos alimentos, de la misma forma que cada hombre, al morir, alimenta otras formas de vida tras su descomposición. Por ello se unen intrínsecamente defecación y ano, y éste es un medio igualador de los hombres, un testimonio constante de la fugacidad de los bienes terrenos, un testigo de nuestra radical igualdad y primitivismo básico. Y la comicidad que despierta la dignidad del ano, ese elemento paródico unificador de los hombres, abate la presunción de los poderosos. La parte inferior del cuerpo es origen de vida, fecunda y da a luz lo que antes estuvo muerto. Tras ese descenso a los infiernos, la materia vuelve a resucitar del vientre. Y en conjunto, es la alegría del cuerpo como disfrute pleno, el rompimiento de moldes culturales y de imposiciones sociales por motivos económicos, el núcleo generador de la nueva literatura, que ya no se coloca al servicio de algo, sólo al de la propia obra: «infando acto de blandir la pluma sin provecho del público» (p. 298).

Tanto cada novela como la trilogía en su conjunto produce una impresión de circularidad. *Señas* se inicia y finaliza con las mismas reflexiones y consejos de las Voces, que martillean el cerebro del protagonista:

> «reflexiona aún (todavía) estás a tiempo
> nuestra firmeza es inconmovible y ningún esfuerzo
> de los tuyos (tuyo) logrará socavarla
> piedra somos y piedra permaneceremos
> olvídate de nosotros y te olvidaremos
> tu nacimiento (tu pasión) fue un error » (pp. 12-13 y 421).

Salvo las variantes consignadas entre paréntesis, el motivo inicial y final se repite textualmente y enmarca la novela. Lo vemos también en «Madrid es el cementerio» (Lema), «Tu ciudad era el cementerio» (p. 406). *Reivindicación* se abre y cierra de forma similar: «un (el) mapa del Imperio

Jerifiano [...]: un (el) grabado en colores con diferentes especies de hojas» (pp. 14 y 239). También se repite un motivo al comienzo y final de la obra *Juan sin Tierra:* «liberado del estigma de la piel, a empezar el ciclo de nuevo» (página 15), «mudada la piel, saldada la deuda, puedes vivir en paz» (p. 313).

Sin embargo, sólo aparentemente son circulares. Cada una de las novelas contiene una serie de datos que no son anodinos. En la búsqueda que ha iniciado el personaje, cada detalle le aproxima a la verdad, de lo que resulta que la circularidad de cada novela es en realidad una espiral, un taladro que desciende en un proceso introspectivo.

En *Señas* encontramos una penetración de lo exterior ambiental hacia el interior personaje en cada capítulo y en un proceso del pasado hacia el presente para buscar alguna clave que explique la desazón de Álvaro. De este modo, cada capítulo tiene una estructura circular, comenzando y acabando en el presente, con un núcleo que profundiza con un nuevo elemento en la sensación de vacío del protagonista. *Reivindicación* acentúa este proceso introspectivo con menos concesiones al lector, en un buceo rápido y arrasador en los recuerdos del personaje. Aquí ya no hay soledad, sino ansia demoledora, lo que supone una intensificación de los contenidos de *Señas.*

La destrucción prosigue en *Juan sin Tierra,* aunque el dolor ha sido sustituido por un humor e ironía que lo aleja del sufrimiento y permite iniciar la reconstrucción del nuevo ser, superado ya el angustioso peso del pasado. En esta novela, el capítulo VII cierra la trilogía con las respuestas a las preguntas de las obras anteriores: transcripción de la carta de la esclava Casilda Mendiola, aludida en los comienzos de *Señas* y causa de la turbación de Álvaro. El narrador renuncia a la lógica en literatura, rompiendo definitivamente el orden espacio-temporal establecido desde los comienzos para buscar una explicación y optar por el extrañamiento de su tierra y cultura y por la unión con el pordiosero árabe de *Reivindicación.* Es la definitiva marcha del personaje hacia su nueva vida y cultura, último paso de esta escalera de caracol que le conduce a la libertad:

Los que no comprendéis, dejad de seguirme
nuestra comunicación ha terminado
estoy definitivamente al otro lado
con los parias de siempre
afilando el cuchillo[24].

Como en *Reivindicación,* los motivos atraviesan *Juan sin Tierra* y estructuran y vinculan las partes de la novela:

Temas	*Capítulos*
Sexo negro	: I, II, III, V
Stos. Padres	: I, III, IV, V
Dios	: I, IV
Alvarito	: I, IV
Lamartine	: I, IV
Capellán	: I, IV
Defecar	: I, IV, V
Árabe	: II, IV, VI
King-Kong	: II, III, IV
Crítica política	: V
Changó, nueva Literatura	: I, VI
Niños	: I, VII

De nuevo tenemos como fundamentación la niñez, que se convierte así en el vínculo entre los tres libros. *Señas de identidad* comienza con la infancia; *Reivindicación* culmina en la violación del niño, y *Juan sin Tierra* se inicia con la carta que narra el abandono de la esclava por los antiguos niños, clave y cierre de la trilogía.

Técnicas

Una estructuración tan trabada y especial requiere unas formas adecuadas de estilo. La más llamativa por poco frecuente en la literatura española es la utilización de la segunda

[24] Traducción citada por L. G. Levine en «Goytisolo se retrata», AA. VV., *Juan sin Tierra,* Madrid, Fundamentos, 1977, p. 29.

persona verbal. Aunque tal recurso había sido ya empleado por M. Butor[25], en el caso de Juan Goytisolo su más claro precedente es la poesía, ya citada, de Luis Cernuda, en la que juega un papel esencial el distanciamiento y la rabia contenida del poeta. Por ser la función de esta persona verbal más literaria que lingüística, es preciso acotar su campo de acción para deducir su valor estilístico.

Lo primero que destaca en *Señas* es la utilización de todas las personas verbales. Cada una de ellas capta un punto de vista de los acontecimientos. Así, tenemos ya desde la primera página el uso de *nosotros*. La primera persona del plural abarca la totalidad de lo instituido, lo oficial intocable, bien como denuncia o apología de la actitud del personaje y del régimen, bien como defensa de una postura. En el primer caso tenemos las acusaciones contra Álvaro (página 11), en el segundo la excusa familiar del catolicismo, origen de la postura adoptada en la guerra civil (p. 32). *Nosotros* supone la pluralidad de *yoes* que conforman el conjunto del país.

La primera persona del singular es utilizada en los diálogos, bien como actualización de un diálogo pasado o un presente de la vida del personaje.

La tercera persona, sea del singular o del plural, acota la realidad externa e indica objetivación. Pero aquí hay que diferenciar dos casos bien distintos.

Unas veces, cuando se trata de una perspectiva externa, la vida de un personaje relatada por otro. En el capítulo IV, el narrador se sitúa en un plano desde el cual, aunque es capaz de comprender los pensamientos de Antonio para conocerle, no puede penetrar en él. Idéntica exterioridad y objetivismo encontramos en este mismo capítulo con respecto a los documentos policiales de vigilancia que jalonan el capítulo. Los policías hablan, lógicamente, en tercera persona de los vigilados.

El segundo aspecto es el empleo de *él* por Álvaro para

[25] En su obra *La modificación* (1957). El mismo Butor comentó esta elección: «Porque no posee todos los elementos, o incluso, en el caso de que los posea, porque es incapaz de ensamblarlos convenientemente.» Citado por M. Baquero Goyanes, *Estructuras de la novela actual*, Barcelona, Planeta, 1970, p. 125.

hablar de sí mismo, cuando evoca los acontecimientos de París (Cap. V). En la visión del mundo español que vive en la capital de Francia sólo participa Álvaro, es su experiencia de exiliado, su contacto con los emigrantes y su miseria, su participación en la política y la cultura, su asombro ante las actitudes de otros exiliados. Todo provoca su decepción y un sentimiento de frustración ante lo inútil y vacuo de unas ideas que se pierden entre borracheras y son propósitos nunca realizados. Es el sentimiento del fracaso. De esto podemos deducir que el empleo de la tercera persona se debe a un proceso paralelo de distanciamiento y objetivación. Álvaro la utiliza para poder ver más claro lo que sucede y, simultáneamente, los acontecimientos le repelen de tal forma que se aleja de ellos desencantado. Es un mundo que le resulta ajeno, con el que no puede contar. La persona se refuerza con el tiempo verbal. A la primera persona en singular o plural y a la tercera singular les acompaña el verbo en presente, con el fin de destacar una objetividad y alejamiento afectivo, separando los planos externos e internos de Álvaro, lo observado y sus propias dudas y cavilaciones.

Por exclusión, podemos acotar el espacio literario correspondiente al *tú*. No pertenecen a él ni lo externo, sean amigos o enemigos, ni el presente. Eliminamos así el pasado externo (guerra), el presente externo (París), lo instituido (voces) y los documentos. Nos queda, pues, aquello que el personaje considera su núcleo vital. Para el profesor Ynduráin, los antecedentes que se encuentran en Butor y Martín-Santos se plantean como una objetivación de vivencias [26]. En *Señas* supone la toma de conciencia de unos actos situados y contemplados desde el presente. No se trataría, pues, de un nivel propiamente lingüístico, sino de un recurso literario mediante el cual se produciría la objetividad del *yo*, con el fin de distanciarse de la vivencia para un análisis más correcto, un desdoblamiento de la personalidad. Se procede a una identificación entre el personaje y el destinatario. Otro de los motivos radica en el planteamiento estilístico del tema. La forma *yo* indica la posesión de una personali-

[26] F. Ynduráin, «La novela desde la segunda persona», en G. y A. Gullón, *Teoría de la novela*, Madrid, Taurus, 1974, páginas 205-207.

dad plena y subjetiva. Éste no es el caso del personaje, que se encuentra carente de contenidos y desconoce su futuro porque siente indeseable su pasado. Si la novela es la búsqueda atormentada, ésta no puede realizarse desde una identidad aceptada. Es decir, un personaje vacío, pero inconsciente de su vacuidad, puede relatar desde la primera persona, y tendremos así la exposición de una vida incompleta, pero satisfactoria para el personaje. Pero en *Señas* es la conciencia del vacío lo que conduce al análisis. De aquí que la exploración personal y la organización de los contenidos de conciencia requieran un distanciamiento que objetive sus problemas para un correcto planteamiento, aunque no de forma excesiva, ya que el personaje se siente angustiado por su situación, lo que le impide el uso de *él*, utilizado en aquellos acontecimientos con lejanía temporal (Yeste, capítulo III) o espiritual (emigrados, etc., cap. V). De esta forma, el *tú* supone un punto de vista intermedio, proceso simultáneo de autoobservación objetivada y crítica, unida a la indagación íntima de un origen. Además, notaremos que la forma *tú* tiene su plenitud en el último capítulo de la novela, culminación de su creciente presencia a lo largo de la obra.

En este capítulo se establece una clara diferencia entre el *tú* dubitativo y angustiado y la pretenciosa forma *yo*, usada por unos turistas vacuos que representan la incapacidad de analizar, que centran sus conversaciones en lo estúpido y superficial, alejados de todos los problemas, recuerdos o dolor, insensatos en sus apreciaciones. También marca el rechazo de la despectiva actitud de su familia hacia el negro cubano y de las Voces y folletos de propaganda que tratan de atraerle a su redil, haciéndole olvidar su búsqueda. De esta forma, pienso que en *Señas* se aúnan para potenciar con la forma *tú* la toma de conciencia que menciona el profesor Ynduráin y un proceso de alejamiento de las otras formas temporales, empleadas por aquellos de los que desea apartarse, reforzado por el empleo del verbo en pretérito, con lo que la acción transcurre en su mente como una película en la que se estuviese contemplando como protagonista.

El desgarramiento interno de Mendiola venía ya motivado desde el comienzo de la novela. La segunda persona consigue una mayor intensificación de lo que apuntaba mediante el estilo indirecto libre. Básicamente, la causa del estilo indirecto libre es doble. Por un lado, tenemos la motivación estilística. En una novela de pensamiento, la presencia de verbos introductores sería abundantísima, lo que haría lento y pesado el estilo [27]. Se trata de ganar en agilidad narrativa, evitando lo que sea retardatario. Por otro lado, desde el punto de vista del contenido, el predominio del pensamiento de Álvaro se manifiesta como algo íntimo, interpretación personal de los acontecimientos externos, que se interiorizan para proceder a su desmenuzamiento. Es, pues, un complemento perfecto de la forma verbal de segunda persona, para plasmar unas características de interiorización y objetividad frente a los acontecimientos y llenar la novela de afectividad.

Para un autor que, como Juan Goytisolo, pretende mostrar la subjetividad de sus personajes, este recurso es evidente. Pero si ya lo encontramos en *Juegos de manos*, es en *Señas de identidad* donde adquiere especial relevancia, pues es fundamental para expresar el pensamiento en concomitancia con el desdoblamiento, lo que permite una evocación del pasado, un encuentro con las raíces.

Y añade un nuevo matiz al estudio de Verdín Díaz. Éste considera que el discurso indirecto libre, generalmente, permite ganar en objetividad al trasponerse pronominalmente a la tercera persona cara al lector, pero que resulta un estilo monótono. Para evitar esta monotonía señala casos en los que es sustituido por la primera persona: este «camino es el único capaz de sustituir a la tercera persona y a la vez darnos la seguridad de que es el propio personaje el que está hablando y no el autor» [28]. De esta forma se une la objetividad de la tercera persona a la intimidad de la primera. Pero en *Señas* hay una nueva y acertada forma: el empleo de la segunda persona, con el consiguiente desdoblamiento que indica separación objetiva de sí mismo por un lado y comunión consigo mismo por otro. Es, pues, un posible re-

---

[27] Para Verdín Díaz *(Introducción al estilo indirecto libre en español,* Madrid, R.F.H., anejo XCI, 1970), presenta la «intimidad pensante» (p. 81). Es un recurso de «la esfera de lo afectivo» (página 95) en «estados llenos de preocupación» (p. 125).

[28] Verdín, ob. cit., p. 112.

curso para una novela que contiene lo reflexivo y lo emocional, «lo profundamente humano e intensamente afectivo» [29].

El capítulo VIII de *Señas* da paso a *Reivindicación,* donde el empleo de la segunda persona será esencial. Aunque circunstancialmente se emplea la tercera persona para las descripciones, es la segunda la que domina el texto y adquiere una mayor amplitud, producida por una expansión del propio personaje. Si en *Señas* podíamos considerar al personaje como destinatario de su propia reflexión, rodeado de otras personas verbales, ahora este desdoblamiento aumenta con la lectura y comentario del entorno cultural del personaje, que no sólo se convierte en el destinatario de la reflexión, sino también en el autor de la misma. Ya no es el análisis de acontecimientos externos, sino una recreación subjetiva de los datos interiores que posee, sin ningún intento de objetivismo, lo cual conduce a una tensión fundamental en el desarrollo de la novela. Las sucesivas metamorfosis del personaje, su desdoblamiento infantil del último capítulo, con una clara diferenciación anímica y temporal, hacen preciso el empleo de la segunda persona. El planteamiento onírico-delirante, alucinatorio, no permite un proceso claro de identificación.

Sin más referencias que las proporcionadas por la memoria del personaje, el tiempo lógicamente predominante es el presente (sólo esporádicamente el futuro). Mientras en *Señas* funcionaba para objetivar, en *Reivindicación* tiene un valor histórico y sociativo, hacer partícipe al lector de la destrucción.

De todas formas, se aprecia una mayor calidad técnica en *Reivindicación,* ya que la presencia constante de la segunda persona supone una mayor capacidad de autoanálisis y permite desmontar más fácilmente todos los esquemas previos que condicionan al protagonista, lo que supone pasar de los datos concretos y personales a una aprehensión de globalidades y hace más dura la crítica. Se convierte así en protagonista y víctima de sus propios actos, con personajes imaginarios de los que forma parte para escapar de un pasado y una cultura que le posee todavía. Es la tensión entre una

[29] Verdín, ob. cit., p. 131.

personalidad con rasgos despreciables que repudia su *yo* maldito, y la atadura a esos rasgos que, a su pesar, son su identidad, lo que le impide objetivarlos, separarse de ellos con el empleo del *él*[30].

De esta forma, la segunda persona se configura como un recurso temático y estilístico para mostrar una conciencia en crisis y lucha consigo misma, intentando un cambio que supone la autodestrucción. La dificultad de esta técnica, sin embargo, y la tensión temática que genera hace que no pueda ser utilizada con profusión indiscriminada.

En consecuencia, la diferencia es clara con respecto a las otras novelas de la trilogía. Aquí predomina el *tú*+futuro prescriptivo frente al *tú*+pasado de *Señas de identidad*; y se distingue *Reivindicación* porque en ella el *tú*+presente es alucinatorio y carece de la multiplicidad de voces. Hay, pues, una gradación temporal a lo largo de las novelas que ayuda a precisar el valor del punto de vista. En *Señas*, el desdoblamiento del personaje es visto como algo pasado, con peso en el presente, mientras que en *Reivindicación* identifica desdoblamiento-presente, lo que da un mayor sentido mítico a la novela, proyectando la angustiosa lucha desenraizamiento-identidad.

---

[30] Juan Goytisolo ha comentado las causas de esta técnica: «En un principio, al personaje Álvaro lo quería tratar en doble plano: en tercera persona, visto desde fuera, y metiéndose en su interior, hablando en primera persona. Pero en determinado momento me di cuenta que tenía que emplear la segunda persona en vez de la primera porque hay en Álvaro una especie de desdoblamiento que hace que cuando monologa se habla a sí mismo como si fuera otro. Es decir, el que corresponde más a ese desdoblamiento que el yo. En el *yo* había una peligrosa simplificación, y después de haber escrito unas 150 páginas de la primera persona pasé a la segunda persona para darle esta complejidad, este desdoblamiento. Hablar al yo, como si fuera otro, un poco, si se quiere, a la manera de Rimbaud: "Moi, je est un autre"», en E. Rodríguez Monegal, «Entrevista con Juan Goytisolo», AA. VV., *Juan Goytisolo,* ob. cit., p. 115. Finalmente, sólo recordar que C. Bousoño da como primer antecedente castellano de este *tú* a Antonio Machado: «Las piezas machadianas que llevan, en las *Poesías completas,* los números XXV, XXVII, LXIX, LXVIII, LXXIX y LXXXIX». Y en nota a pie de página añade: «En la poesía francesa el artificio se remonta, por lo menos, a Baudelaire (y aun hay algún ejemplo romántico)». *Teoría de la expresión poética,* Madrid, Gredos, 1970, t. I, p. 247.

En *Juan sin Tierra* el personaje se proyecta hacia una salida futura[31]. Aquí la forma *tú* resulta más ficticia. Sin haber logrado aún su nueva personalidad, la tensión no es tan intensa, pues su combate lo entabla con fantasmas del pasado, vitalmente inoperantes, aunque todavía conserve el personaje cierta vinculación afectiva con ellos. La forma *tú* es más amplia, pero menos intensa. Recoge un *yo* alienado, la historia personal y nacional, el pasado y el presente, una amplia y compleja globalidad con la que desea romper sus últimas raíces. Tendríamos así una oposición entre el *yo* alienado, presente en la desintegración de Vosk, y la redentora liberación a través del *tú*[32]. Sin embargo, y pese a algunos puntos dolorosos, como la citada carta de la esclava

---

[31] «La segunda persona exige un tiempo que, fundamentalmente, es el presente. [...] Cuando lo hace en futuro, no es más que presente proyectado hacia el porvenir [...] ese futuro implica prescripción, obligación, certidumbre, que son modalidades subjetivas y no categorías históricas». J. M. Castellet, «Introducción a la lectura de *Reivindicación del conde don Julián*», en AA. VV., *Juan Goytisolo*, ob. cit., p. 195.

El presente se usa en *Juan sin Tierra* con *nosotros*, para referirse a los parásitos que viven y se nutren del sistema (p. 172); con *vosotros*, empleada por el capellán Vosk para dirigirse a los esclavos (su uso está siempre rodeado de connotaciones despectivas, p. 40); con *él*, con valor de alucinación, escondiendo los deseos del narrador de que suceda algo que rompa las imágenes del pasado imperialista y dé la victoria a los esclavos (p. 42), y como un cuarto caso podemos considerar el final del capítulo VI, donde la desintegración del multívoco Vosk se realiza en primera persona, en paralelismo formal con algunos subcapítulos del capítulo I, sátira de la concepción del mundo de Vosk realizada por el narrador (pp. 3 y 305).

El segundo tiempo importante es el futuro. Se conjuga con dos personas fundamentalmente: con la segunda singular y con *él*, con valor similar al de *él* presente, con la única diferencia que señala el tiempo verbal. Es decir, tiene un valor hipotético (páginas 19, 117). En ocasiones, con *nosotros* (pp. 247-250).

[32] La vinculación entre estilo y tema ha sido resaltada por críticos sin excepción: «Ya no existen temas provocadores, sino lenguajes provocadores», Luis Sanz, «Entrevista», art. cit., p. 17. «El lenguaje, y sólo el lenguaje, puede ser subversivo», «La novela española contemporánea», en *Camp de l'arpa*, abril-mayo, números 43-44, p. 26. «La facticidad de los hechos textuales cuestiona la facticidad de realidad exterior al texto», P. Gimferrer, «El espacio del texto», en AA. VV., *Juan sin Tierra*, ob. cit., p. 185.

Casilda Mendiola o la vida de un esclavo (pp. 49-51), la ironización sobre el pasado y el presente es constante y diluye la tensión agónica.

El análisis de la estructura revela en esta segunda etapa unas clarísimas diferencias con respecto a las anteriores novelas de Juan Goytisolo.

No hay, estrictamente hablando, un corte. Se mantienen motivos que vinculan las dos etapas, el deseo de testimoniar y criticar es patente en ambas. Éstos son dos aspectos fundamentales de vinculación, lo que hace que toda división sea más metodológica que real. Además, *Señas de identidad* ejerce una función de gozne. Estamos ante una forma diferente de novelar.

En su primera etapa, el autor se somete a la moda imperante y se convierte en uno de sus teóricos, intentando realizar la crítica a través del objetivismo. En esta segunda etapa, no sólo no se aparta de este testimonio crítico, sino que profundiza en él. La técnica y el tema se van fundiendo, no sometiendo la segunda al primero. En *Reivindicación del conde don Julián* se logra finalmente la fusión, la interiorización de la crítica. La adopción de un punto de vista personal y subjetivo plantea el peligro de la demagogia; sin embargo, se nos ofrecen diferentes enfoques críticos que configuran una visión caleidoscópica. Esta visión, lineal en *Señas,* en *Reivindicación* se fragmenta en múltiples imágenes pertenecientes cada una a niveles diferentes de la realidad o del pensamiento del personaje, pero siempre con una profunda unidad, por lo que resulta la mejor novela de la trilogía por el tema (angustioso retorno al gen) y por el planteamiento técnico. La selección de motivos y autores se ejerce con plena libertad para lograr su desarraigo, siendo *Juan sin Tierra* más sencilla en su estructuración.

3. ESPACIO Y TIEMPO

Señalamos en la primera parte la dificultad de separar dos elementos que van tan íntimamente unidos. En la «trilogía de Mendiola» esta dificultad es casi insuperable. Su planteamiento de un viaje hacia las raíces de la existencia hace que tiempo y espacio sean indisociables y se encuentren estrechamente vinculados. Además, hemos visto que la estructura de cada novela difiere dentro de la trilogía. Esto es especialmente llamativo al aplicarlo a las categorías espacio-temporales, que ayudan a marcar unas claras diferencias entre ellas.

También el personaje cambia de una obra a otra, de tal modo que espacio y tiempo se conciben con diferentes características en cada novela. Por eso, y sin perder de vista la vinculación existente entre las tres novelas, considero más adecuado estudiar por separado el espacio y el tiempo de cada una de ellas, ya que contienen aspectos específicos y diferenciadores.

Cuando el protagonista inicia su andadura aún desconoce que ésta va a resultar epopéyica. El espacio que Álvaro va a recorrer comienza en su entorno familiar con las acusaciones que recibe del sistema establecido. *Señas de identidad* se sitúa en un presente y un lugar conocido.

El punto de partida espacial es preciso. El personaje se encuentra descansando en la casa familiar, cerca de Barcelona, donde vivió de niño:

> Recorrer el interior de la casa, habitada ahora por las voces severas y rigurosas del *Dies Irae* y desenterrar uno a uno de la polvorienta memoria los singulares y heteróclitos elementos que componían el decorado mítico de tu niñez, la galería inmensa, las vetustas y marchitas habitaciones (p. 14).

Encontramos aquí el eco de pasadas novelas, *Juegos* y *Duelo*. La mansión recuerda mucho a la casa donde vivieron David en su niñez y Abel durante la guerra. En los tres casos tenemos una verdadera fijación sobre aspectos ambientales, que forman paralelo con la iconografía infantil. Sin embargo, sí hay una novedad. El término *mítico* con que designa a la infancia del personaje, trivial en principio, tiene ya ahora una hondura específica. Ya conocemos lo que de mítica tiene la infancia para Goytisolo. No la considera una etapa feliz y paradisíaca, sino que, en sus novelas, los niños viven el dolor propio del ambiente en que se desarrollan. Término, pues, cargado de connotaciones negativas. Se trata ahora del comienzo de su viaje al pasado. De acuerdo con el punto anterior, este viaje no puede ser feliz y, conocida ya la estructura, sabemos que es el inicio de un doloroso camino.

Otro punto concomitante con sus novelas anteriores es la presencia de la música. El *Dies Irae* pertenece al *Requiem* de Mozart. La música nos da la pauta del estado de ánimo del personaje, como sucedía en sus anteriores novelas. Esta música es «severa y rigurosa». Poco después, la ambientación musical estará a cargo de Mahler con *Kinder-Toten lieder*.

Desde el comienzo de la novela sabemos que el tiempo en que transcurre su recuerdo está situado hacia 1963 (página 42), y la datación exacta se da en la página 79, ya en el capítulo II: «devuelto de súbito a la deprimente realidad de aquel agobiador verano español de 1963», que luego concretará en el mes de agosto.

En cualquier caso, lo fundamental es que tanto el tiempo como el lugar de partida y duración de la obra está muy centrado: media semana en Barcelona. Tenemos así las características básicas de la novela de testimonio, ubicada de forma precisa y cercana.

A partir de este punto se inicia el movimiento de búsqueda

de las causas de su presente vacío, que se enreda en múltiples circunstancias y acontecimientos: «(Barcelona y París, París y Águilas)» (p. 159). Tenemos los dos escenarios en los que discurre la novela: la ciudad (Barcelona y París) y el pueblo (Águilas). La ciudad española es comparada al cementerio cuando asiste al entierro de Ayuso. El lugar le condiciona en su descripción, ya que la contempla bajo la óptica de un Larra de «Día de difuntos de 1836»: «el cementerio estaba fuera tu ciudad era el cementerio» (p. 406). La proyección del recuerdo y la trasposición de planos es evidente. El cementerio está descrito como una ciudad de muertos-vivos, la ciudad es un perfecto cementerio de vivos-muertos. Estas descripciones transparentan el estado anímico de Álvaro. Ésta es una diferencia importante respecto a anteriores novelas. En ellas, escondía el estado de ánimo de los personajes y del narrador tras una superficial capa de objetivismo rebosada por el fondo subjetivista y el estado anímico. Ahora ya no hay tal intento y deja vagar libremente el subjetivismo, las impresiones del personaje, por la novela. Busca una mayor efectividad literaria, fundada en una mejor calidad. Pese, pues, a ser una novela de transición, su avance sobre las restantes obras y su diferencia con ellas es notable, puesto que con la mayor libertad estilística se consigue una mejor conjunción de elementos, al no estar sometida a unas premisas previas.

Por oposición al ahogo de la ciudad española, París debería ser otra cosa. Era el exilio y el lugar donde se fraguaban posibles alternativas políticas, pero la visión que de ella nos ofrece el personaje no puede ser más fría [33]. En París contempla, a través de las enumeraciones, una industrialización que le desagrada profundamente, un espacio blanquecino, carente de luz y de personas. Las máquinas se enseñorean del paisaje, vacío de todo elemento humanizador. Trenes y metro son los símbolos de este espacio y señalan lo que será el futuro de su patria, lo que acontecerá tras el des-

[33] «Boulevard de la Chapelle con su denso tráfico de camiones, automóviles, motocicletas, triciclos; y sobre el andén central del mismo bulevar, en los lejos del cuadro, el metro aéreo, con sus vagones fantásticos e irreales recortados en un cielo aterido y ventoso, descolorido por un sol de nítida blancura» (p. 181).

arrollo y la integración en Europa. Su paraíso democrático se ha convertido en una inmensa fábrica donde el hombre es servidor, no dueño. De este modo, la ciudad adquiere dos significados: será un cementerio español, muerte por inactividad mental, o una fábrica desarrollada que aniquila al hombre. Nada hay de positivo en las urbes; de forma más patente, es el entorno hostil que aparecía en *Juegos de manos*.

El segundo espacio importante es el campo, la zona de Yeste (Almería) que el autor visitó en diversas ocasiones y recogió en *Campos de Níjar*. En estos pueblos, la pobreza y crueldad se aúnan para crear un sentimiento de desolación total, con un paisaje no sólo muerto, sino también lleno de presagios de muerte, escenario idóneo para las matanzas de los campesinos o del toro en los años pasados, alejado de todo misticismo noventayochista, sin sublimación posible, carnicería cruel que refleja y nada tiene que ver con el toreo turístico. Como todo lugar habitado de España, Álvaro lo siente cementerio: «El pueblo se le aparecía como un gigantesco cementerio, en donde cada ventana era una tumba, cada edificio el mausoleo de un sueño o una esperanza» (p. 207). Juicio de tremenda dureza que no esconde el ahogo que sienten las personas. Cuando Juan Goytisolo comenta la belleza de este paisaje, le responde un ventero: «Para nosotros, señor, es un país maldito» [34]. Su semejanza con África, el calor, la sequedad deslumbrante, la afirma en diversas ocasiones [35]. Este aspecto es importante porque de aquí surgirá en parte su huida al otro continente junto con los parias de otros países: «el paisaje africano» (p. 163).

En *Campos de Níjar* encontramos una cita que es clave en este aspecto: «El pueblo está desierto a causa del sol» (p. 24). Es este sol abrasador uno de los elementos simbólicos de la novela cuando se refiere al campo español. La luz y el calor excesivos van a indicar el hundimiento y la barbarie, calor que provoca la sequedad de la tierra y obnubila los cerebros. Son fenómenos atmosféricos abotargadores que

---

[34] *El furgón de cola*, p. 189.

[35] *Campos de Níjar*, Barcelona, Seix Barral, 1973, pp. 20, 67, 71, 112.

se oponen al gris de la ciudad. La luminosidad del campo evidencia todas las lacras del país en estas zonas abandonadas, es paralela a la muerte: «Era una desolación luminosa y muda que evocaba la idea de la muerte» (p. 188), aunque no exenta de belleza.

La ciudad, sus colores sucios, señalan la mediocridad del paisaje y de los habitantes. Muerte y desolación en el campo abandonado y suciedad urbana se concitan para que el personaje rehuya ambos entornos. Álvaro busca el recogimiento y la oscuridad se muestra como el ámbito idóneo para reconstruir su personalidad. Si la luz destaca la pobreza y supone la resignación ante las normas, la pasión de Álvaro crece avasalladora en la penumbra. En el recogimiento sombrío nace su pensamiento y reaparece su pasado para vislumbrar su futuro. Frente a la lobreguez que jalona el recuerdo y propicia la vuelta al pasado, el presente está marcado por el bordoneo de ese «apático e indolente verano» (p. 327), «abrasado verano» (p. 155), «sofocante jornada de agosto» (p. 414). La luz exterioriza y denuncia las miserias, la sombra es más adecuada para el recuerdo. El valor del sol consiste en evidenciar. Con él Álvaro nos muestra la realidad palpablemente. Esa iluminación surge tanto del paisaje como de su propio recuerdo. Su mirada selectiva proporciona la claridad, su mente ilumina los recuerdos, de donde procede la necesidad de la penumbra ambiental para resaltar más el pasado y para que nada pueda distraer su búsqueda, la interpretación y conocimiento de su personalidad. Esta luz selectiva proporciona diferentes percepciones del mismo paisaje. Si Álvaro encuentra una comunidad en un trabajo colectivo, la luz cambia de significado, como en el caso de Yeste. El abotargamiento producido por el sol desaparece al alumbrar un trabajo común [36]:

> El mismo día los habitantes de la Graya subieron al cerro y empezaron a clarear el monte para establecer sus hornos. El eco de los hachazos sonaba en el valle alegre como una música. Meses y meses habían acumu-

[36] *Señas* supone «la toma de conciencia de la complejidad de una misión del ambiente español desde una perspectiva realista. Los distintos estratos exigen tratamientos distintos», según F. Morán, *Novela y semidesarrollo*, ob. cit., p. 378.

> lado una energía que se desfogaba airosamente, acompañada de voces y tonadas (p. 132).

La transformación lleva a una conclusión: el paisaje cambia. Si Álvaro Mendiola observa unos rasgos sociales de relación humana, se tiñe de connotaciones positivas. De lo contrario, éste resulta gris o abrasador. Y su significación depende siempre del hombre. El paisaje carece por sí mismo de peculiaridades esenciales, depende directamente de la percepción, diferencia importante que aleja al personaje del fatalismo y le obliga a la investigación de las causas de la miseria. Su diatriba irá contra los responsables del fatalismo que anida en los habitantes del país, contra los incitadores a la resignación ante el dolor.

El movimiento espacial del personaje a través de la ciudad y del campo no busca una descripción fiel del entorno, sino que es un viaje de autoconocimiento. No es sólo una explicación del medio, sino la interpretación subjetiva frente a los intentos objetivizadores de las novelas anteriores. Anota aquellos aspectos que le influencian para sobrepasar lo físico, llegar al psiquismo de los habitantes y explicar las causas de su actitud.

Luz y armonía no son equivalentes en *Señas*... Tal separación es esencial porque sirve de vínculo con *Reivindicación* y rompe con la tradicional simbología de la luz imperante durante años en la literatura española, especialmente en los libros de viaje de los noventayochistas. De esta forma, el espacio se convierte en un elemento crítico, no en un simple marco decorativo.

La presencia que se encuentra en la novela del campo y la ciudad permite testimoniar sobre los dos principales hábitats españoles. Ya no hay un absolutismo urbano, como sucedía en sus anteriores novelas, ni ruralismo exclusivo como en los libros de viaje, sino una vinculación entre los dos espacios. En ambos se encuentra una alienación en el sentido de resignación, percibir el medio dominante sobre el hombre, que configura un paisaje en el que «toda vida se extingue» (p. 153).

Al agobio que el espacio le ocasiona al personaje corresponde la angustia de un tiempo vacío y malgastado, a la que sólo puede oponer su combate con los fantasmas pretéritos. Se mantiene la presión del pasado, tal y como aparecía ya en la primera etapa de su obra, mediante unos actos encadenados que desembocan en un presente vacuo que, en *Señas de identidad,* no es sólo el del personaje, sino que se expande a las circunstancias familiares y nacionales. Es, por tanto, más difícil de analizar, su penetrabilidad es menor. Pero resulta imprescindible el desvelarlo, pues Álvaro siente su peso como determinante. Al frenesí de la guerra había sucedido el embrutecimiento de los años posteriores, hasta la locura económica desarrollista. Todo esto era preciso aclararlo para reconstruirse, pues su actitud depende del análisis: «Sabías que, a tu muerte, lo pasado se aniquilaría contigo. Dependía de ti, únicamente de ti, salvarlo del desastre» (p. 156). Como contrapunto a su vida estéril y al pasado huero y cruel, el amor es la única solución posible para sobrevivir a la labor destructora del tiempo y de los hombres:

> Aventura moral común que ni el implacable y escueto tiempo humano conseguiría arruinar del todo. La erosión cotidiana (¿o era espejismo tuyo?) no prevalecía contra lo que entre vosotros había de precioso (p. 326).

Sin embargo, la acción corrosiva del tiempo actuará también sobre esos sentimientos. El amor irá cediendo, según veremos, para dejar paso a la irremplazable necesidad de lograr un autoconocimiento. Con el presente angustiado y condicionado, la otra persona puede convertirse en un infierno. La salvación radica en una búsqueda que debe realizarse en soledad, sin ayuda posible, porque en la lucha contra el desgaste temporal y en la necesidad de asumir y superar un pasado no cabe compañía válida. De otra forma, el amor se pospone a la condición previa del sé-tú.

De aquí la necesidad de la expansión temporal, que se produce a partir de un momento concreto, unos días de agosto de 1963. Sin embargo, las dataciones no son tan abundantes como en su primera etapa. Apenas encontramos la presencia de algunas horas señaladas: «El reloj marcaba las siete menos diez» (p. 13). Podía decirse que el tiempo se encuentra diluido. El año marca un punto de referencia con respecto al resto de la trilogía, lo que nos permite ver la evolución. Los tres días se emplean para dar tiempo al personaje para sus cambios de escenario (casa, cementerio, Montjuich). Pero la ausencia de marcas indica que lo importante va a ser el tiempo subjetivo del personaje, el propiamente novelístico, que está alimentado por un presente que suministra los datos necesarios para la indagación. Tal búsqueda procede de una angustia temporal y existencial evidente ocasionada por la carencia de alternativas valiosas para Álvaro, lo que le lleva al intento de suicidio en el bulevar Lenoir.

En un presente estático, tal y como se configuraba en sus anteriores novelas, la diferencia radica en la introspección que se efectúa y que temporalmente se convierte en retrospección, pues la profundización en el análisis del presente lleva a incluir en él el pasado. Esto supone un retroceso por necesidad de buscar una explicación en el pasado y es reflejo de las dificultades que el personaje sufre para adecuarse a su presente sin destruirse. Así, el retroceso resulta una técnica para indicar la dificultad de captar los rasgos de una sociedad en un proceso de cambio, y una necesidad intrínseca en el viaje del protagonista: analizar el pasado con la esperanza de que no fuese tan nefasto como creía. Tenemos, por ejemplo, la niñez centrada fundamentalmente en la actitud de mártir de la señorita Lurdes, cuya paranoia contagia su generosidad infantil y su impresionable mente, y en el posterior conocimiento de Jerónimo, que le atrae hacia la aventura de ser diferente. Ambas actitudes vitales marcan al niño Álvaro, cuya receptividad no precisa de hechos palpables, bastándole impresiones elaboradas sobre detalles parciales. Es un pasado reconstruido con indicios por los que se puede suponer lo acontecido, rehaciendo su historia con subjetivismo [37].

La omnipresente violencia le produce una sensación de fatalidad y miedo constante a lo largo de su vida: «pasado

---

[37] Sólo anotar los rasgos de simultaneísmo que se producen fundamentalmente entre sus recuerdos de Yeste, lo leído y lo recordado (el programa de los festejos y la acción de la policía) en un primer nivel (v. cap. III). Similar caso encontramos en el capítulo IV.

y en buena hora lo fuera, puesto que de él no brotaba ningún presente limpio» (p. 419). Lo que le conduce «al tobogán y al síncope» (p. 366), intento de suicidio motivado por su particular experiencia y selección e interpretación de los datos. Así, su pasado es uno de los posibles pasados, pues opera con datos parciales, pero decisivos para Álvaro, lo que ocasiona su angustia presente, y ésta no puede solucionarse sobre una sensación de inestabilidad y fatalismo. Es, pues, un punto de partida, no una solución. El autor necesita conducir al personaje a capas más profundas para que su subjetivismo encuentre la solución que apetece.

Salvo este incremento del pasado, poca novedad temporal introduce Goytisolo con respecto a sus anteriores novelas en esta obra de transición. En este aspecto puede anotarse la mezcla entre el aborto de Dolores y la película de los hermanos Marx, muy alternada pero diferenciados ambos recuerdos tipográficamente, lo que indica con claridad el proceso que conduce hasta el capítulo VIII, precedente de su siguiente novela. Así, podemos distinguir cuatro niveles progresivos: la unidad temporal en el pasado encuadrada por un comienzo y final de capítulo en presente (p. ej., el cap. I) deja paso a una serie de alternancias amplias entre pasado histórico (1936), pasado vivido (1958) y presente, como en los sucesos de Yeste (cap. III) [38]. Posteriormente, los períodos dilatados dejan paso a alternancias breves espacio-temporales que se mezclan sin datos expresos que permitan identificarlas, pero señaladas con diferente tipografía (cap. VI), para concluir con las alternancias en un continuo narrativo en versículos, sin ninguna señal externa que permita diferenciarlas (capítulo VIII) y que conducen a su obra siguiente [39].

Reivindicación del conde don Julián se localiza con el

[38] Sin embargo, lo importante no es la novedad de la técnica empleada, ya preludiada por *Tiempo de silencio,* sino la función que cumple: la alternancia pasado-presente está al servicio de la subjetividad.

[39] «Son dos novelas que transcurren en el presente. Pero cuanto ha ocurrido en ellas pertenece al pasado. El presente es inmóvil, paralizado, estático; nada puede ocurrir en este tiempo circular, en esta pesadilla monótona», dice P. Gimferrer, *Radicalidades,* ob. cit., p. 16.

lema que encabeza la novela, procedente del *Journal du voleur* de Genet. La acción se sitúa en Tánger. Posteriormente los nombres de las callejuelas, ya en el texto novelístico, indican el vagabundeo del personaje por la ciudad, mientras el guía turístico señala las peculiaridades: «Tangier is a wide-open city» (p. 46).

Tras la ciudad y el campo españoles de *Señas...*, el autor se sitúa fuera de nuestras fronteras. En un alejamiento espacial que acompaña al apartamiento de una cosmovisión determinada. El motivo por el que elige este lugar lo encontramos en el lema que encabeza el capítulo I, extraído de la *Historia de España* de García de Valdeavellano:

> Uqba [...] no pudo ocupar Tánger, obligado a desviarse hacia el Atlas por un misterioso personaje, al que los historiadores llaman casi siempre Ulyan y que, probablemente, se llamara Julián, o quizás Urbano, Ulbán o Bulián.

Su situación es, pues, idónea. Por un lado, puede contemplar la península: «tu tierra al fin: contrastada, violenta, al alcance de la mano» (p. 15), lo que le permite tener siempre delante el motivo de su odio. Por otro, ocupa el lugar del denostado conde que acabaría traicionando a su rey y entregando la llave de su país a los invasores musulmanes. Él, el personaje, va a ser un nuevo traidor que, apoyándose en Tariq como Julián, va a arrasar su patria en su mente. La maldición que sobre Julián descargase Alfonso X en su *Crónica General* («Maldita sea la saña del traidor Julián [...], despreciador de Dios, cruel en sí mismo, matador de su señor, enemigo de su casa»), recae sobre él.

Su deambular por las calles tangerinas le lleva al encuentro de variados detalles que captan su atención: un sablista (pp. 22-23), una joven (p. 27), unos anuncios (pp. 28-29), la biblioteca (pp. 31 y ss.), una música (p. 51), un gallo decapitado (p. 51), etc. En este paseo, los datos se entremezclan con sus pensamientos y van a cumplir un papel fundamental en la novela, pues suministrarán material de apoyo a su traición. El fumadero de kif al que, finalmente, llega y el efecto de la droga situará esas impresiones irrelevantes del paseo como jalones fundamentales de su discurso, convirtiéndose en parte fundamental de los contenidos de la novela, ya que su función de vínculos estructurales que mantienen la unidad resulta esencial para la traición.

Además de este acopio de materiales, el paseo tiene un valor simbólico, pues convierte el espacio en un reflejo de la mente del personaje, que vaga por la ciudad de una a otra calle, volviendo sobre sus pasos, recorriendo parte de una calle para cambiar luego de dirección, deambular físico paralelo al de su pensamiento, pues cambia de tema según los estímulos recibidos del ambiente. Finalmente llega al Zoco.

Tariq y él se encuentran en el fumadero ante un aparato de televisión. La penumbra y la droga provocan la reflexión del personaje sobre la necia encuesta que retransmitan acerca del Referéndum, lo que desata su ira. Así, frente a la «luz desvergonzada, sol sarcástico» (p. 11), «la tiniebla favorece de ordinario tus negros designios» (p. 131). Su traición y desarraigo pasa por una vuelta a la oscuridad, al útero que le permita nacer a una nueva vida y personalidad. Tiniebla regeneradora, tal y como la siente en el acto de calzarse: «los cautelosos pies abrigados en las babuchas, inmerso en la apaciguadora penunbra fetal, avanzando a tientas por la lenitiva matriz» (p. 15).

Espacialmente, es una obra más centrada que *Señas*. La unidad de ubicación es superior, lo que favorece una mayor profundización. Los cambios escénicos de *Señas* producían un cierto descentramiento del personaje, pues la variación de su pensamiento estaba motivada por los diferentes lugares de su recorrido. Ahora no precisa tales cambios. El mismo lugar nutre su mente, en él encuentra los suficientes componentes para ejercitar la crítica. La reducción del espacio conlleva una crítica más profunda, penetrando en cada aspecto y evitando la dispersión a través de diferentes detalles.

A la unidad de lugar le corresponde la unidad temporal, un día. No es extraño este paralelismo. Recordemos que *Señas* se localizaba en tres lugares y se desarrollaba durante tres días. En *Reivindicación* excluye la noche, lo que hace que la evasión de la luz por parte del personaje para concentrarse en su traición sea voluntaria, no forzada.

En la ambientación se contienen varios tiempos. El personaje efectúa un retroceso donde se entremezcla su niñez y educación con los rasgos del presente: «devuelto a tu infancia y a sus sombríos placeres: veinticinco, veintiséis años: nueve tenías tú (si los tenías) y la imagen (inventada o real) pertenece a una ciudad, a un país de cuyo nombre no quieres acordarte» (p. 60). Pretende romper la pesadilla de un presente eternizado, repetido por lustros con monótono triunfalismo, lleno de preguntas retóricas, en el que los días se suceden sin ilusión. Esas doce horas pueden ser las de cualquier día, aunque se marquen en un 15 de diciembre de 1966, pues lo importante es que sea un clímax en el que desembocan los veintisiete años anteriores [40]. Como en un teatro de marionetas, el narrador rompe el tiempo a voluntad, introduce anacronismos para mostrar la permanencia del pensamiento a través de la identificación de Séneca, Manolete, Isabel la Católica..., ruptura que se acentúa al realizar diferentes papeles el mismo personaje en un proceso proteico de transformaciones, ya que todos responden a la misma esencia con diversas caras, son intercambiables sin que varíe su pensamiento.

Ruptura temporal, fuera del orden lógico, pero con una lógica interna literaria. No es necesaria la cronología objetiva, puesto que la creada por el personaje es la que interesa. Quiebra las barreras temporales y muestra la permanencia de unos planteamientos que ridiculiza al hacerlos simultáneos, contraponerlos y señalar su envejecimiento, la caducidad e inoperancia de esos mitos.

No es un viaje a un pasado histórico, sino un recorrido por los recuerdos que se han ido acumulando a lo largo de una vida y que siguen operando en el presente. De aquí que no pueda hablarse de tiempos excluyentes. En *Señas* podían éstos anularse mutuamente porque Álvaro vive como distintas su niñez, juventud, etc. Cada etapa está perfectamente diferenciada de la anterior y de la siguiente. Álvaro lo siente así y así lo plantea. En *Reivindicación* no hay ex-

[40] «Suprimidos los límites entre realidad y sueño, los conceptos de tiempo mecánico y espacio finito desaparecen en esta novela [...] como en todo mito, el tiempo cronológico es inexistente», J. Ortega, ob. cit., p. 154.

clusiones, pues no es una historia, sino una cultura que desde niño recibió acumulativamente; no hay separaciones, sino continuidad, y el momento presente es resultado de los anteriores, la suma total que los contiene. Por eso, sólo metafóricamente puede hablarse de un pasado que se inquiere. Se analizan unas fuentes personales que están pesando sobre un presente, ampliado por la inclusión de los elementos acumulados a lo largo del tiempo y que revelan sus relaciones e interdependencia en la conformación de una mentalidad. De aquí procede la integración de múltiples episodios bajo una figura o el desglose de un episodio en varias figuras. No hay niveles temporales, como sucedía en *Señas*, sino mentales, en un tiempo presente y determinado, cuyo resultado es una novela mucho más cohesionada.

Tiempo y espacio forman una unidad que posibilita la penetración del protagonista en espacios cerrados y angostos, a la vez que le permite proyectar sobre ellos sus vivencias pasadas y actualizadas. Sin tal actualización la crítica no sería posible, pues supondría un constante proceso analítico a lo largo de toda su vida anterior, lo que difuminaría su odio intenso y lo reduciría a una toma de conciencia sin la destrucción final de su infancia. Se trata de evocaciones caóticas y reflexivas [41]. Con el desorden refleja el mundo sin sentido que le rodea y con la reflexión realiza la crítica en profundidad y la hace personal, fruto de su experiencia en los detalles (lo que le da entidad psicológica al personaje) y extensible a los lectores por los datos que la fundamentan (lo que supone su aceptabilidad). Las dimensiones temporales y espaciales se estrechan para posibilitar una mayor concentración crítica y alcanzar más profundidad, evitando distracciones. De aquí saldrá a la nueva vida en *Juan sin Tierra*, rompiendo moldes y arrasando restos de ataduras, pero vislumbrando ya un ambiente más abierto, otra luz.

En la tercera obra de la trilogía aparecen tres espacios (París, Cuba, el mundo árabe) que se asocian en la mente del personaje con el común denominador del hombre me-

[41] Gimferrer señala que en *Señas* «lo común es la estructura presente-pasado», y que en ésta «lo característico de la obra sea la simultaneidad disruptiva de una superposición de niveles temporales mutuamente excluyentes», *Radicalidades*, ob. cit., p. 23.

nospreciado y segregado. Al comienzo de la novela, Álvaro contempla el latifundio azucarero de sus antepasados y se siente atraído por los esclavos cubanos. Pero hoy ha desaparecido la esclavitud en Cuba, y decide unirse a los nuevos esclavos. En *Reivindicación* el turista occidental rechazaba al árabe por salvaje y sucio, lo que provoca la repulsa del personaje hacia su propia cultura y se vincula a los marginados. Este desprecio es el que se transforma en París en opresión social sobre los emigrantes musulmanes que realizan los más duros trabajos, lo que le lleva al personaje a conocer esa cultura y efectuar una doble vinculación entre la Cuba colonial y el mundo árabe: los esclavos negros son similares a la situación actual de los árabes en occidente cristiano, donde se emplean como mano de obra barata, planteamiento sociológico que se concretiza literariamente en la zanja donde defecaban los negros, similar a aquella de las obras públicas en que trabajaban los árabes. En ambos casos destaca la vinculación a la tierra, sinónimo de vitalismo. Por eso toma su decisión final: «y el amor que hallarás junto a ellos será ardiente y estéril como las planicies del desierto» (p. 86).

De nuevo en esta novela la luz adquiere una significación primordial. En Cuba, los esclavos buscaban la oscuridad para preservar su cultura e identidad, lo que origina el reproche del blanco:

> repudiáis la blancura
> asumís las tinieblas de la barbarie
> la opacidad original os atrae (p. 47).

Todo lo oscuro es reivindicado a lo largo de la trilogía como su ámbito natural. El sol sólo ha revelado miseria en *Señas* y Álvaro ha decidido volver a la oscuridad del útero para nacer a una nueva vida. En *Juan sin Tierra* se sumerge en las cuevas que sirven de escondrijo a los cimarrones y en las cloacas desde donde puede invadir la ciudad odiada, surgiendo de la tiniebla, ámbito predilecto en el que se siente aislado y protegido. Sólo tras esta gestión en las tinieblas puede renacer a una luz diferente, la que ilumina el estéril y áspero desierto, lejos del consumismo y la alegría urbana. El rechazo del mundo instituido le ha conducido a un paisaje desconocido hasta entonces por el personaje y que le va subyugando a lo largo de su distanciamiento a partir de un punto en principio intrascendente: la sequedad africana de Yeste. De esta forma, el espacio deviene un importante elemento en la estructura de la novela y la composición del personaje, ya que denota su tensa búsqueda a través de atlas, calles o grabados, las vueltas para saciar su anhelo de nueva vida, la salida al laberinto de recuerdos personales que hay que clarificar, ejemplificados en Tánger o Fez.

Desde el año 1086, «en la rota cabal de Zalaca» (p. 185), hasta el «subsuelo actual de Manhattan» (p. 78), pasando por «la quema solemne en Madrid de cinco convictos del pecado nefando: un bufón, un mozo de cámara del conde de Villamediana, un esclavillo mulato, otro criado de Villamediana y un paje de escolta del duque de Alba» (p. 191) y Cuba, «mucho antes de tu abortado nacimiento, una centuria y pico atrás» (p. 15), tiempos diversos confluyen en *Juan sin Tierra,* «en este día inaugural del verano de 1973, 1351 según el calendario de la Hégira» (p. 119).

Se ejerce una depuración sobre los acontecimientos pasados con el fin de dominarlos y de alejarse de su influencia. La reflexión crítica de la historia destruye el agobio del presente para tener un futuro sin lastre. Sin embargo, el planteamiento del tiempo y del espacio resulta en *Juan sin Tierra* forzado. Basada en el recuerdo, su dispersión es muy superior a la de *Reivindicación,* donde tiempo y espacio estaban perfectamente integrados. Ahora, y salvo en el caso de Cuba, la novela se extiende para ejemplificar sobre diferentes modos de vida en diversas épocas, apenas trabadas por la presencia de un mismo personaje, Vosk, que adopta aspectos distintos. La fragmentación de estos elementos resulta poco motivada. Semeja un pulpo, cuya cabeza fuese el narrador-personaje que dirigiese cada uno de sus tentáculos en diferentes direcciones para hacer calas espacio-temporales que ejemplificasen y justificasen su alejamiento definitivo, aunque ya no es necesario justificar nada con datos objetivos, sino que basta la voluntad de alejamiento del personaje tras la sátira apasionada de *Reivin-*

dicación. Juan sin Tierra resulta reiterativa sobre las obras anteriores, aunque aporta la salida final, que es consecuencia de *Reivindicación,* y un mayor desapego afectivo del personaje con respecto a su pasado. Pero en *Juan sin Tierra* se vislumbra una nueva función del tiempo que es una importante variación. Hasta esta novela, la presencia constante del tiempo suponía una fuerte vinculación con la novela tradicional. El sentimiento de libertad conlleva una no preocupación por su transcurso, originada por la vinculación a una cultura donde la premura temporal, el agobio no existe, pues lo que interesa no es el hacer muchas cosas, sino las precisas para sentirse feliz. Es la sustitución de la acumulación cuantitativa por la calidad. Éste parece ser el sentido del empleo del futuro en la novela, un tiempo hipotético para un espacio libre, tras las dificultades superadas.

La trilogía se organiza con una temporalidad progresiva, ya que partiendo del análisis del pasado, el personaje avanza hacia su futuro, lo que no impide la alternancia de diferentes planos espaciales y temporales. Hay que considerar el proceso de selección por el que se tocan unos momentos y lugares y se obvian otros, la predilección por algunos temas e, incluso, ciertos aspectos de ellos. Esto permite, por un lado, el constituir determinados momentos o lugares en símbolos: la reiterada aparición de la luz o las tinieblas, asociados a un tiempo concreto y desde un punto de vista determinado son claves que atraen o repelen al personaje. Además, la selección de aspectos discontinuos y separados supone que no se intenta dar objetividades y valores absolutos, sino que, al contrario, se trata de destruir todo lo absoluto con una crítica intuitiva y personal en sus oposiciones y contrastes. Sólo permanece inmutable el deseo de huida, primero hacia la muerte y luego hacia la realización personal a través de otra cultura [42].

Por eso, las estructuras espacio-temporales son más rí-

---

[42] Dice M. Eliade que este mito destaca «la travesía iniciática de una vagina dentada o el peligroso a una gruta o a una hendidura asimiladas a la boca o al útero de la Tierra Madre. Todas estas aventuras constituyen de hecho pruebas iniciáticas, a consecuencia de las cuales el héroe victorioso adquiere un nuevo modo de ser» (ob. cit., p. 95).

gidas en *Señas,* con división de capítulos en la que cada uno de ellos se concreta en una época y espacio, mientras que en *Reivindicación* hay equivalencia entre el arrasamiento, la mezcla de tiempos y espacios y la necesidad de acabar con lo establecido. En *Juan sin Tierra* la destrucción de coordenadas de espacio y tiempo supone una divagación a la búsqueda de una nueva forma de vida, empleando para ello una serie de cortes que permiten las entradas y salidas del narrador en perfecto desglose entre personaje y discurso, lo que es una desintegración buscada cara al lector, al que trata de introducir en el espacio-tiempo que crea, y paralelo al distanciamiento irónico y la nueva libertad de la que el personaje comienza a disfrutar.

Siguiendo a Genette, se pueden ver los puntos siguientes [43]. Desde el punto de vista de la relación entre discurso e historia (tiempo narrativo y tiempo real), contamos con los siguientes movimientos narrativos: *a)* Las pausas descriptivas, en las que el tiempo del discurso es más amplio que el tiempo histórico. Se marca así un «tempo» lento. Se emplea con el fin de analizar el sentimiento del personaje ante los acontecimientos. Son los momentos en que Mendiola se detiene a contemplar su narración. De esta forma tales pausas se convierten en focos de importancia creciente. En *Señas* son puntos de reflexión que recogen los resultados de su análisis (comienzo y final de los capítulos), mientras en *Juan sin Tierra* es la partida hacia nuevas destrucciones (salidas del narrador a escena), lo que supone una importante diferencia con respecto a la presencia del narrador en la primera etapa. Antes tenían un valor lírico y de descanso, ahora son un motivo para reflejar la tensión. *b)* La escena o diálogo. Planteado anteriormente como una igualdad entre el tiempo del discurso y de la historia, cobra ahora un nuevo valor. Con valor clásico se mantiene en los comienzos de *Señas...*, posteriormente se emplea para producir alteraciones temporales, de aceleración del «tempo» del discurso; así en el diálogo de Dolores y Álvaro, que cubre varios años en cinco páginas *(Señas,* pp. 335-339). También sirve para unir tiempos diferentes (la confesión en *Juan sin Tierra,* pá-

[43] Gérard Genette, *Figures III,* París, Seuil, 1972, pp. 128 y ss.

gina 289). Esto supone un cambio de función, dejando de ser el punto álgido de dramatización para convertirse en recapitulación no dramática. *c)* El sumario, por el contrario, posee un valor de dramatización. No es un simple resumen que sirve de transición, sino una recapitulación con un alto grado de intensidad. Un buen ejemplo lo tenemos en el final del capítulo II de *Reivindicación* (pp. 124-127): reúne todos los elementos que constituyen la novela y su pasión ante ellos. Idéntica función cumple el subcapítulo titulado «Variaciones sobre un tema fesí», concentración del valor e innovación espacial de *Juan sin Tierra. d)* La elipsis. Dos tipos diferentes encontramos en la trilogía. La explícita, fundamental en *Señas,* donde entre los capítulos queda un vacío temporal, producto de la selección ejercida por el narrador, o cuando elude etapas de su vida, como la universitaria. Más interesante es el empleo de la elipsis hipotética empleada en las otras dos novelas. El narrador selecciona ciertos tipos y espacios que pueden parecer completos, pero que evidentemente no lo son. El lector reconoce la selección efectuada, pero desconoce los posibles huecos, aunque tenga claro que la crítica no abarca todo lo conocido por el personaje.

De esta forma se rompe con los aspectos temporales y espaciales de la novela decimonónica, creando nuevas posibilidades mediante un discurso selectivo caracterizado por unos eficaces recursos estilísticos. Desde el punto de vista de la frecuencia de aparición de datos objetivos en el discurso tenemos que en *Señas* se relata cada acontecimiento en una ocasión. Esto es lo normal. Sin embargo, en el capítulo final de esta novela hemos visto casos de reiteración de episodios, como su deseo de alejamiento. Se repite aquí lo que se ha ido ejemplificando en los anteriores capítulos. Tal recurrencia es fundamental en el resto de la trilogía. En *Reivindicación,* con el tema de los noventayochistas, y en *Juan sin Tierra,* con Cuba, King-Kong, etc. Cada repetición insiste sobre un aspecto de la realidad considerado fundamental y en cada caso se enfoca de forma diferente (más o menos alejado, desde diversos puntos), por lo que lo observado adquiere un relieve y se enriquece con nuevos datos.

En general, el progresivo predominio de las características narrativas más premiosas (pausas, sumarios, reiteraciones) y la desaparición de la escena y la elipsis hace que la trilogía vaya adquiriendo un «tempo» lento a medida que avanza, por lo que el interés no viene producido por la intriga o la trama, sino por el valor de la palabra y la articulación del discurso. El tiempo tiende a disolverse, a convertirse en tiempo narrativo sin las vinculaciones con el tiempo externo de las novelas anteriores. Por otra parte, la extensión de la crítica a todo lo europeo diluye la historia y el referente y los convierte en discurso [44].

[44] Para Severo Sarduy, el Álvaro de *Juan sin Tierra* va «no hacia la utopía [...], sino hacia la *atopía:* el no lugar, la *errancia,* el atributo —y no el ámbito— del sin tierra». S. Sarduy, «La desterritorialización», en AA. VV., *Juan Goytisolo,* ob. cit., p. 176.

4. EL PERSONAJE

La ética del desarraigo

Conducida por Álvaro Mendiola, la trilogía resulta un proceso para «desaprender» y liberarse de los tabúes sociales, desde la familia hasta el cuerpo sometido, con el fin de alcanzar una identidad alejada de la masificación. El camino de interiorización posibilita la neutralización de los mitos personales tras comprobar la imposibilidad de destruir el mal en la realidad exterior.

La penetración comienza con el monólogo interior de *Señas de identidad,* que marca las coordenadas de la novela en unos límites que van del interior de Álvaro al entorno social en un vaivén que facilita el conocimiento de los estímulos externos y la respuesta del personaje, que se desdobla para mejor conocerse. Esto hace que el lector y el personaje se conozcan simultáneamente, el proceso de desvelamiento se realiza al mismo tiempo para ambos. La selección de datos que hace Álvaro en su mente, debidamente contrapunteados, es el objeto de la reflexión, tan atinada que se ha considerado exclusiva de Juan Goytisolo [45].

---

[45] «Hay algunos aspectos autobiográficos en el personaje de Álvaro. He volcado en él una serie de vivencias personales. [...] Yo creo que el escritor debe escribir siempre sobre lo que conoce y evitar lo demás», «Entrevista», por E. Rodríguez Monegal, en AA. VV., *Juan Goytisolo,* ob. cit., p. 115. Julio Ortega ha dedicado un estudio psicoanalítico a Goytisolo a través de *Señas* y *Reivindicación,* en su citada obra *Alienación y agresión,* donde se refiere a «Álvaro (Goytisolo) [...] autor-personaje», p. 33. Según P. Gim-

El punto de partida son las Voces y los documentos, que reúnen todas las acusaciones que afectan la conciencia de Álvaro. La alternancia entre las Voces y el desprecio del personaje hacia ellas, en una doble visión del problema, va a ser la técnica básica de la obra. El resto de agujeros negros de la vida de Álvaro es irrellenable, pues la estructura de la obra y las motivaciones del personaje están delimitadas por este contrapunteo. Aunque el monólogo interior es el medio principal de la presentación de Álvaro, no hay que olvidar que éste también es presentado en tercera persona, sobre todo en el capítulo V, donde analiza su fracaso y desencanto ante las actividades de los exiliados y la vida de los emigrantes. Tal objetivación responde a un alejamiento emocional de ese medio fosilizado y se abre una capa de indiferencia ante las desdichas de los emigrantes y el fastidio que le provocan las actividades políticas planeadas y nunca realizadas. Esta objetivación se produce también en el recuerdo del destierro de Antonio, cuyo motivo radica en las actividades políticas de su amigo. En la objetivación de su vida parisina hay una mezcla del deseo de separarse del personaje y la necesidad de dar una visión objetiva de una oposición política esclerotizada, de tal forma que este capítulo V puede considerarse un testimonio visual de una realidad deprimente, unión de documento y rechazo del protagonista.

Psicológicamente, su retroceso inicial es hacia la niñez y sus sentimientos, primer punto del que recuerda algo, ya sea vivido o contado referente a sus antepasados. Será la partida en busca de sus raíces: «habías pesquisado tus eventuales predecesores, rastreando en sus vidas la pista soterrada que debía conducirte a tientas a la verdad» (página 55). A lo que no está dispuesto el personaje es a encontrar la verdad en el conformismo. Busca la razón y causa de unas circunstancias, no se encierra en lo habitual como solución. Fromm ha planteado este problema como funda-

ferrer, «pese a algunos puntos coincidentes u homólogos, no pocos de los datos claves del personaje de Álvaro han sido objeto, respecto a la identidad real del autor, de un sistema de desplazamientos que asegura la autonomía de la creación novelesca» (*Radicalidades*, ob. cit., p. 13).

mental, pues ante la imposibilidad en la sociedad actual de lograr una plenitud, se crean sustitutivos, apariencias de identidad personal: «Se buscaron, y se encontraron, muchos sustitutivos del verdadero sentimiento individual de identidad. La nación, la religión, la clase y la ocupación sirven para proporcionar un sentimiento de identidad». Este deseo de alcanzar un *yo* es tan importante que, ante la dificultad de lograrlo, puede sustituirse incluso por lo más opuesto a él: «¿Hay algo más evidente que el hecho de que los individuos arriesgan sus vidas, renuncian al amor, renuncian a la libertad, sacrifican sus ideas para sentirse uno más del rebaño e identificado con él, con lo que adquieren un sentimiento de identidad, aunque sea una identidad ilusoria?» [46]. El enfrentamiento entre la razón inquisidora y la irracionalidad conformista es, de hecho, el dilema que tiene planteado Álvaro. No conformándose con la sumisión, está condenado al enfrentamiento con los demás. Pero está en juego su vida y opta contra lo instituido.

La huida de la familia es la negación de todos los valores tradicionales que representa y, a la larga, el rechazo global de una sociedad que los ha posibilitado. La familia es la fuente, pero en su andadura irá profundizando en el país, en su alejamiento inexorable, progresivo, lleno de dolor.

Cada recuerdo es un jalón de su apartamiento, cada conocimiento un paso hacia la soledad. El conjunto de contradicciones alimentadas por la sociedad es patente en esa familia escindida en extravagantes iluminados y sicópatas beatos (su tío Eulogio y la señorita Lurdes, respectivamente), pero anclados en sus prejuicios y sin querer admitir al diferente, al pariente negro. Se provoca la separación crítica que le irá aislando y su distanciamiento se amplía de lo familiar a todo su círculo de relaciones. Álvaro irá anotando unos extremismos que van desde la conformidad absoluta que incita a la nivelación de todo gusto e idea y su encajonamiento en un patrón común, hasta la rebeldía inoperante de una sistemática oposición, carente de contenidos

[46] E. Fromm: *Psicoanálisis de la sociedad contemporánea*, México, F. C. E., 1976, pp. 58 y 59.

sólidos: «Él y los demás exiliados de México, con sus manoseados recuerdos...» (p. 315).

Dentro de este ambiente de familiares y conocidos, su amigo Sergio es el punto opuesto con su rechazo del «bon seny»: «Partió en dos el pan [...], lo espolvoreó con sal y [...] metió el mechón dentro y empezó a comer» (p. 83). Entre el conformismo y la provocación inútil está la realidad y la conciencia crítica, pero nadie parece darse cuenta ni preocuparse por salir del tópico o de lo chocante.

El descubrimiento de la realidad lo realiza Álvaro en sus pesquisas por el país. Su viaje a Yeste le pone en contacto con la violencia ciega que acabó con su padre y que masacró a unos campesinos por ejercitar su derecho al trabajo.

A esa realidad histórica se le superpone un presente absurdo. Por un lado, la brutalidad del olvido de un pasado prometedor hasta que fue seccionado, y por otro, el pueblo que acepta sumisamente el embrutecimiento y se desahoga en salvajes orgías con un toro, con el fanatismo y sed de sangre que estos súbditos, «bueyes sin cencerro», desarrollan cuando se sienten fuertes (p. 146). La vida del español se debate entre la sumisión y la bestialidad sanguinaria, carentes del sentido del trabajo y de la libertad de los campesinos muertos en 1936. Perdido el equilibrio, extirpado el criticismo, campea la barbarie en el solar patrio.

En el extranjero, entre los españoles se continúa la dicotomía. Por un lado están los emigrantes, con una añoranza necia que se encuentra en su mitificación de España, cuando fue el hambre lo que les obligó a marcharse y con la idea fija de haber perdido un paraíso al que desean ardientemente volver olvidados de las desdichas pasadas. Frente a la mitificación en que se refugia el emigrante están los fosilizados estratos de los exiliados, desde un ejemplar de la Semana Trágica hasta los recién llegados (p. 248). Esta situación le aparta a Álvaro de los sumisos y de los discordantes, «en la amarga generación de los tuyos, condenada a envejecer sin juventud ni responsabilidades» (p. 155).

Entre dos extremos, lo que considera propio del español, ese «proverbial radicalismo», que se alejan de la realidad que contempla, que no pueden cambiar España porque actúan con apriorismos y prejuicios, Álvaro siente una completa soledad, la de vivir en un mundo diferente, la angustia de encontrarse perdido entre familiares y compatriotas, alucinado porque no quieren ver la evidencia. Bajo el influjo benéfico del vino de Fefiñanes (p. 13), Álvaro analiza las causas de su soledad. En un mundo contradictorio y extremista, donde cada ser vive con sus mitos y amparado en la masa, el personaje se siente desarraigado, asombrado por la sumisa actitud social. Se aúnan su exilio interior y exterior. Alejado de la masa hispana y de las contradicciones familiares, se sabe extranjero en todas partes, sin un lugar donde enraizar, de donde procede su constante angustia, que Fromm considera irresoluble:

> Quienes no son familiares por vínculos de sangre y suelo son mirados con desconfianza. [...]
> La persona que no se ha liberado de los vínculos de la sangre y del suelo aún no ha nacido del todo como ser humano. [...]
> El carácter idolátrico del sentimiento nacional puede advertirse en la reacción contra las violencias de los símbolos del clan [47].

Nos encontramos, pues, entre el gregarismo que impide la realización de la persona, y una conciencia crítica que conlleva la desvinculación de esa mitología y el consiguiente rechazo por parte del resto de la población; es decir, entre la masificación y la marginación, lo que Julio Ortega denomina alienación [48]. Álvaro opta por buscar una nueva vida:

aléjate de tu grey tu desvío te honra
cuanto te separa de ellos cultívalo
lo que les molesta en ti glorifícalo
negación estricta absoluta de su orden eso eres tú (p. 419).

Fromm explica así esta huida:

> La necesidad de desarrollar la razón no es tan inmediata como la de tener alguna estructura orientadora, ya

[47] Fromm, ob. cit., p. 55.

[48] J. Ortega, ob. cit., p. 37: «El alienado es un marginado físico y espiritual».

que lo que en este último caso está en juego para el hombre es su felicidad y su tranquilidad, y no su salud mental [49].

Álvaro busca esa estructura orientadora. Se ha apartado de su familia: «Quieres ser epílogo y no comienzo, el error de ellos debe terminar contigo [...], que lo que venga de ti sea enterrado» (p. 346). Tras su intento de suicidio, apartamiento definitivo, se encuentra «puro presente incierto, nacido a sus treinta y dos años, Álvaro Mendiola a secas, sin señas de identidad» (p. 367). Su suicidio fallido es un punto determinante en su vida. Ha sido una expiación de los males que gravitaban sobre él procedentes de los pecados de sus antepasados. Ahora ha conjurado su pasado. El suicidio parece tener tanto de real como de simbólico, un hiato con su pasado que le libera y lanza hacia la posibilidad de una nueva vida por él elegida, porque su sufrimiento procede de la capacidad de analizar lo que de monstruoso esconde la realidad. Liberado de la anterior vida que le identificaba, elige su camino entre los parias:

> Tu salvación debías buscarla allí, en ellos y en su universo oscuro, como de instinto y sin aprendizaje de nadie, severamente, junto a ellos, habías buscado el amor: desprendiéndote poco a poco de cuanto prestado recibieras (p. 366).

No hay, pues, sólo una búsqueda de identidad, que logrará en novelas posteriores, sino, sobre todo en esta obra, un desasimiento de la identidad recibida, significado en el verso de Cernuda que encabeza la novela: «Mejor la destrucción, el fuego», que fue su título inicial.

Las Voces de las que se aleja Álvaro son familiares y también la propaganda de la «tribu», sustantivo que servirá en diferentes ocasiones para designar a España (p. 109), denominación importante que señala toda una concepción del país. Anzieu y Martin [50] han señalado las características que configuran a una tribu frente a los demás grupos sociales y nos permite señalar los puntos que Álvaro considera im-

[49] Fromm, ob. cit., p. 60.
[50] Anzieu y Martin, ob. cit., p. 193.

portantes en su desarraigo y ver su identificación con los ragos de la tribu, a través de la vinculación que se establece entre las partes de la novela por medio de las Voces, causa primera de la meditación del personaje. Estos datos nos señalarán lo que J. Ortega ha denominado alienación interpersonal, o sea, imposibilidad del personaje de relacionarse con los demás, su desvinculación de los compatriotas.

Esto es complementario de lo visto hasta ahora. Al testimonio levantado por Álvaro contra las costumbres se une la dificultad de comunicación con los demás. La primera característica en el desenvolvimiento tribal es la palabrería, todo tipo de propaganda e información que unifique los criterios, fundamental para la pervivencia de la tribu. Tal misión se encuentra encomendada en la novela a las Voces, medios de propaganda del régimen que introducen los restantes puntos críticos de la obra que van a ser arrasados. Sin embargo, están empleadas en un doble sentido. Las voces son aceptadas por la comunidad y ejercen un papel de nivelación en las actitudes sociales contra las actividades de Álvaro. Por otro lado, su papel de conciencia colectiva lleva a la sumisión hipócrita de la sociedad, ya que sus miembros ejecutan actos contrarios a lo afirmado. La separación entre apariencia y realidad conlleva, al no admitirla, la alienación del personaje y se emplea para contrastar irónicamente la vocinglera propaganda y la dura realidad, un distanciamiento del que nace la crítica.

La moral inculcada no funciona en la realidad. Álvaro descubre esta dicotomía en su juventud, la escisión de la teoría y de las personas, lo que le produce un asombro que irá aumentando con los años. La propaganda feliz se contrapone a la angustiada vida de los hombres. Así, la sumisión de Ana, madre de Sergio, esconde una serie de deseos insatisfechos, su curiosidad morbosa sustituye experiencias sensuales desconocidas y prohibidas por la normativa social. Sergio es otro caso de doble vida, y le informa a su madre de los detalles de su vida íntima, procurándole amantes de entre sus amigos.

Pero hay otros casos dolorosos. Álvaro descubre la radical mentira de ciertas afirmaciones al contrastarlas con la realidad:

> estos cinco años de postguerra han sido igualmente duros para todos, para los vencedores como para los vencidos (p. 33)
>
> sin embargo [...]
> hombres armados habían golpeado a compatriotas indefensos con látigos fustas bastones se habían cebado en ellos con sus culatas correas botas (p. 410).

Este pasaje final de la novela es, sin duda, uno de los más emotivos. Provocado por la inscripción en el podio de una estatua, «a su Caudillo Libertador» (p. 408), desahoga en él Álvaro todo su odio al presente por medio de un versículo largo en el que el monólogo interior remarca los sufrimientos de aquellos a los que se siente vinculado. El clima grupal tranquilo, que mencionan Anzieu y Martin como característica tribal, se ha logrado mediante la muerte de los que creyeron y lucharon por una vida más digna. Su emocionado recuerdo de Companys (p. 415) culmina la rememoración de un pasado arrasado en el que pudo haber enraizado pero que, desaparecido ya, resalta esa violencia que le repele, esa paz de los cementerios que mencionase Larra en 1836 y que recuerda el propio Álvaro como omnipresente en España.

Personajes desaparecidos testimonian una historia que pudo ser humana y los concentrará en Jerónimo, único representante combativo que él pudo conocer en su niñez. Los muertos son el recuerdo de una brutalidad que creó la ficción de la tranquilidad:

> una paz tan completa que a las nuevas generaciones puede parecerles natural, cuando en realidad no es obra natural, sino preciosa obra de cultura merced a la vigilancia de un hombre (p. 287).

Rodeado de actitudes opuestas y absurdas, colocado ante una realidad cambiante y que no admite análisis esquemáticos, en una postura crítica incomprendida, situado entre la barbarie y la frialdad técnica de Europa, el sentimiento de soledad que embarga a Álvaro es angustioso y le empuja hacia una actitud distante e inquisitiva.

Su primer conocimiento de la existencia de algo no monótono, de una conciencia diferente a lo habitual, lo tuvo a través de Jerónimo, que aporta la aventura y el exotismo: «Su rostro cobrizo había suplantado de modo progresivo en tus noches la faz nebulosa y lejana del Kirghís» (p. 44).

Pero en esta novela, la que será una gran ayuda para Álvaro es Dolores. Compañera suya en la pensión de madame Heredia, le ayudará decisivamente en su alejamiento:

> Dolores había disciplinado sabiamente tus impulsos, había satisfecho año tras año tu creciente necesidad de amor. [...]
>
> El día en que todo haya sido olvidado y nuestros huesos se pudran lejos tal vez uno del otro, nuestro amor parecerá todavía indispensable y justo, frente al azar y la gratuidad de los otros (p. 327).

Esta plenitud amorosa, de cuerpo y espíritu, tiene su contrapunto en los amores de madame Heredia y Frédéric. Su amor platónico parece más puro que el de Álvaro, pero resulta un escondite vergonzante de la homosexualidad, que provoca la ridícula desesperación final de madame Heredia: «Il a foutu le camp avec mon fils» (p. 335). Pero el transcurso del tiempo y su relación con Dolores no soluciona el problema de Álvaro. Le ayuda a sobrellevarlo, aunque urge buscar una solución a su inquietud primordial: «He perdido mi tierra y he perdido mi gente. [...] Ni siquiera sé quién soy» (p. 339).

Las personas y las ideas le resultan incomprensibles, no puede ser ayudado. Debe alejarse de aquellos que se sienten satisfechos de su vacuidad y ocultación de los problemas, buscar sus señas en el rechazo total de un mundo caduco y vincularse a los desheredados, llevar hasta el final su crítica aun a riesgo de autodestruirse: «La salud mental se caracteriza por la capacidad de amor y de crear, por la liberación de los vínculos incestuosos con el clan y el suelo, por un sentimiento de identidad basado en el sentimiento de sí mismo como sujeto y agente de las propias capacidades, por la captación de la realidad interior y exterior a nosotros, es decir, por el desarrollo de la objetividad y la razón» [51]. Las palabras de Fromm resumen perfectamente la situación psicológica de Álvaro, aunque en el personaje se presentan

---

[51] Fromm, ob. cit., p. 63.

ciertas variaciones. Así, se siente incapaz de crear hasta que no se haya producido su liberación con respecto al clan, pues de lo contrario, todo lo creado tendría los estigmas de esa comunidad: «quieres ser epílogo y no comienzo el error de ellos debe terminar contigo» (p. 346), por lo que no puede existir una plenitud amorosa hasta que no se produzca el desenraizamiento. Su razón le ha colocado en una situación crítica que no admite términos medios, le ha llevado a hacer tabla rasa de su pasado para crearse otra personalidad, cuyo núcleo es la crítica y el análisis. Los valores degradados le llevan «al tormento de la criatura condenada a estar sola y que se consume en busca de una comunidad»[52], desgarramiento entre el rechazo y la necesidad de los otros.

Tenemos, pues, un personaje fundamentado en la crítica social. Junto a su pensamiento se desarrollan en la novela acontecimientos históricos, lo que le da una mayor verosimilitud, tanto en los detalles como en la concepción general del país, muy relacionado con la crítica y análisis de Juan Goytisolo. Sin embargo, sobreponiéndose al realismo escueto de la etapa anterior, meramente expositivo, y al esquema del realismo socialista, según el cual mostrar=denunciar, ahora se profundiza en el ambiente y el personaje.

La necesidad del personaje de separarse de un país que diverge de sus propósitos conduce del testimonio al conocimiento profundo de sí mismo y de los demás, y éste se transmite con una nueva forma estética. A un nuevo mundo le corresponde una diferente expresión literaria, si bien ésta es aún demasiado racional y ordenada para el caos interno del personaje.

El proceso a una cultura

Reivindicación del conde don Julián continúa la profundización iniciada en *Señas...*, con un narrador que se analiza, una voz que carece de nombre, aunque ciertos datos aluden sin duda a Álvaro, fotógrafo de la agencia France Press (página 58), y a sus recuerdos infantiles (p. 94).

[52] G. Lukacs, *Teoría de la novela*, Barcelona, EDHASA, 1971, página 47.

La razón de esta carencia de personalidad, de nombre, es doble. Por un lado, el personaje atacó en la novela anterior a sus impuestas señas de identidad y decidió abandonarlas en una negativa a reconocerse en su pasado. En un segundo lugar, la novela es el desarrollo del pensamiento del propio protagonista, que se convierte en narrador y destinatario. Es lógico que él no se nombre a sí mismo.

Álvaro había decidido su alejamiento definitivo de España. Su historia personal y la de su patria eran divergentes. Ahora va a romper los últimos vínculos que le atan y le resultan dolorosos, por ser los más íntimos. Desde el comienzo de la novela se ofrecen dos datos importantes. Por el primero, Álvaro manifiesta claramente su deseo de cortar la última atadura. La Madre es ya Madrastra (p. 15), término que denota un parentesco no sanguíneo y que connota odio y marginación, alejamiento definitivo, físico y afectivo de su antigua patria. En segundo lugar, estando en Tánger, ciudad que fue la puerta de España para los árabes en el 711, Álvaro se apoya en fray Luis de León para el tema de la traición: «sin Rodrigo, ni Frandina, ni Cava: nuevo conde don Julián fraguando sombrías traiciones» (p. 16). Este poema conlleva varias cuestiones a desarrollar: la traición del conde, el castigo al que es sometido Rodrigo por su incontinencia [53] y la vinculación a otras dos leyendas, la versión que da del tema García de Euqui, obispo de Bayona, en su *Historia de España* (1390), donde introduce el castigo de la serpiente, tema básico de la novela relacionado con el encantador de serpientes [54] y con la obra de monseñor Toth [55],

[53] «Coincidiendo con la derrota de [los musulmanes], el rico erotismo español de la Edad Media deserta casi totalmente de nuestra literatura [...]

La destrucción de la España sagrada fue atribuida por nuestros cronistas y poetas a un delito sexual [...] Y decenas de poemas celebran la penitencia impuesta al rey vencido de ser devorado por una culebra». «Declaración de Juan Goytisolo», en AA. VV., *Juan Goytisolo,* ob. cit., pp. 139-140.

[54] Así, en los seminarios y colegios religiosos se ponía en guardia contra la «serpiente diabólica» (miembro viril) y contra el «antro de Satanás» (la vagina) (Alonso Tejada, *Represión sexual en la España de Franco,* Barcelona, Caralt, 1977, pp. 19-20). Según L. G. Levine: «La serpiente asume múltiples significaciones polisémicas, al servir sucesivamente como símbolo fálico, arma po-

y la violación de la casa de Hércules en Toledo por parte de don Rodrigo en busca de tesoros, ya presente en Alfonso X.

El objetivo del protagonista es «rehusar la identidad» (página 135), texto que podemos considerarlo la base y clave de la trilogía. En él, el narrador nos expone su deseo de traicionar lo que le identifica, lo que desarrolla en dos planos diferentes y fundamentales: lengua y cultura en los capítulos II y III, e infancia en el IV.

Tenemos, pues, un personaje sin físico ni nombre, sólo un pensamiento inquisidor que destruye su pasado para poder reconstruirse nuevamente. Se trata de buscar una nueva opción, no las restringidas alternativas que le ofrece este ambiente. Por esto podemos considerarlo como un verdadero protagonista, luchador por su liberación.

Su plan es el ataque a los rasgos hispanos de su mente y la destrucción de toda su cultura y educación, recopiladas a lo largo de siglos y asumidas por él durante años, y que forman el «cordón umbilical» con su despreciado país. Para ello cuenta con la ayuda de Tariq y su ejército musulmán. Otro elemento importante de la traición será la serpiente. No es el único animal empleado, pero sí el más importante, con su valor bisémico de destructor y maldito, según imagen acuñada por la Biblia, a lo que se añade el ataque que Goytisolo recoge contra el padre Las Casas por su defensa de los indios: «Nació a la luz de la fama matando la fama de su patria, como el viborezno que al nacer desgarra las en-

derosa de los árabes de España, compañero fiel del encantador en la primera parte y de Julián en la cuarta, instrumento para efectuar la sodomización del niño y evocación irónica de la leyenda castradora de Rodrigo» (ob. cit., p. 237). Reveladora es también la explicación que da J. A. Valente del simbolismo de la serpiente: «Símbolo fálico, la serpiente es también símbolo de la fecundidad femenina (pene y vagina a la vez; poder fecundante y poder devorador). La serpiente representaba en el mundo antiguo la vida y el agua y, a la vez, la muerte y la destrucción» («El poder de la serpiente», *Las Palabras de la Tribu,* Madrid, Siglo XXI, 1971, p. 179). Ambos símbolos (destructora del país, informadora del nuevo orden) parece alcanzar en la obra de Goytisolo.

[55] Tihamer Toth, *Energía y pureza,* Madrid, Sociedad de educación Atenas, 1945.

trañas de la madre»[56], acusación que recuerda el narrador-protagonista de *Reivindicación:* «víbora, reptilia o serpiente enconada que, al nacer, rompe los yjares de la madre: tu vientre liso ignora la infamia del ombligo: vida y muerte se confunden en ti con rigurosidad exacta» (p. 126).

A estos datos se unen otros: el romance del rey Rodrigo devorado por la serpiente en su tumba (lema del cap. IV); la afirmación de Saavedra Fajardo sobre «África, la cual soltó luego por España sus sierpes» (lema del cap. III); «la imagen delirante de la Discordia y su envenenada cabellera de víboras» (p. 169), en un texto en el que se ligan la epopeya virgiliana, la película de Bond, *Operación Trueno* (las algas son como las víboras); el viaje por el sexo femenino en un retorno hacia el útero[57], para nacer de nuevo junto con los recuerdos infantiles del protagonista en la clase de Ciencias Naturales y la lectura de *Energía y pureza* de Toth.

Así describe la biología de la cobra y las peculiaridades de la víbora (pp. 91-92) y cita la obra del monseñor: «La sierpe no hace más que mirar a su víctima; y el pobre pájaro, batiendo las alas, salta de rama en rama, pero no puede resistir [...]». A estos significados hay que unir dos datos de la novela: primero, el niño que es amigo del encantador de serpientes («el guardián de unas obras que hay en mi barrio: vive con una culebra: [...] es un encantador», p. 71), que tendrá amplio desarrollo en el capítulo IV, y segundo, la serpiente que el encantador pone sobre la turista («es la escena de todos los días, pero cambiarás el final», página 66) y muerde a Putifar, la turista. Aparece, pues, un reptil con múltiples connotaciones ya en las primeras páginas, desde el romancero al cine, pero siempre como símbolo destructor de ídolos y generador de vida renovada.

---

[56] J. Goytisolo, *El furgón de cola,* cit., p. 161.

[57] Levine recoge los diez nombres que da al útero: bastión teológico, sancta sanctorum, gruta sagrada, antro, toledano alcázar, dominio elíseo, Hércules Caves, milenario templo, ciudadela y sagrario (ob. cit., p. 177). Esta variedad permite introducir textos diversos (religiosos, gongorinos, militares, mitológicos, etc.), y a la vez supone la vinculación crítica entre todos ellos, señalando así una idiosincracia común.

La serpiente se emplea para romper ese cordón que aún le une a su patria. El destrozo se realiza sobre un programa de televisión (p. 56), donde se anuncia un concurso infantil, un programa sobre Séneca y un reportaje del Referéndum. El odio del narrador mezcla y altera la emisión con los recuerdos de lo visto en su paseo del capítulo I, especialmente la placa con la inscripción «DON ÁLVARO PERANZULES, ABOGADO» (p. 41). Todo ello bajo el influjo del «hachich, aliado sutil de tu pasión destructiva» (p. 126). Bajo el efecto de la droga contempla los programas de la televisión, produciéndose una serie de asociaciones libres: «don Álvaro Peranzules, más conocido ahora por su seudónimo de Séneca, nació en la comarca de Gredos [...]» [58] «su padre, don Álvaro Peranzules Senior [...] la madre [...], Isabel la Católica» (p. 113). Alvarito es educado en el estoicismo y en el respeto a los valores literarios: Siglos de Oro, Noventa y Ocho... Por ello, su ayudante será el doctor Sangredo, médico de la obra de Espinel, *Vida del escudero Marcos de Obregón* (p. 150). Don Álvaro representa el prototipo del carpeto y concita el odio del narrador por lo que lo destruye con la introducción de insectos muertos en sus obras preferidas en una cura homeopática, y su epitafio será el himno de la legión [59].

Simultáneamente, Isabel la Católica, representante de la madre virtuosa de Alvarito-Séneca, se transforma ahora en la mulata provocadora que baila en *Operación Trueno* (página 165). La destrucción se continúa con el ataque a la ensalzada política imperial y al lenguaje. La primera se ridiculiza con el «garbanzo nacional: epicentro y motor de vuestras gloriosas empresas flamencas, italianas, ultramarinas» (p. 191).

---

[58] «Séneca no es un español, hijo de España por azar; es español por esencia, y no andaluz, porque cuando nació aún no habían venido a España los vándalos, que al nacer más tarde, en la Edad Media, quizá no naciera en Andalucía, sino en Castilla», decía Ganivet en su *Idearium español* (citado por Levine, ob. cit., p. 156).

[59] «Una operación de homeopatía: la cultura española está anquilosada, es una inmensa fachada, un caparazón vacío; hay que combatirlo con algo semejante, con el caparazón de insectos muertos», dice M. Durán («El lenguaje de J. Goytisolo», en AA. VV., *Juan Goytisolo*, Fundamentos, ob. cit., p. 59).

Respecto al lenguaje, la destrucción es más intensa y valiosa. Ataca el sentido de propiedad idiomática del carpeto y el desprecio hacia las hablas hispanoamericanas (p. 195). Pero más importante es el deseo de arrasar los textos que sustentan los ideales periclitados y contradictorios con el presente. Esto se realiza con la intertextualidad consistente en el empleo de textos procedentes de otras obras e integrados en la novela con el fin de mostrar sus peculiaridades.

Me voy a centrar fundamentalmente en textos literarios, que se complementan o se oponen en un sistema de relaciones que sirve de punto de apoyo para la crítica o para la huida del protagonista. Este recurso es básico en *Reivindicación,* y podemos dividirlos de acuerdo con su finalidad y uso en:

1. Textos estructurales:
   De la trama: Virgilio y Fray Luis.
   Del estilo: Góngora.
2. Textos temáticos: Alfonso X, Pedro del Corral.
3. Textos-motivación, que pueden ser:
   — principales (*Azorín,* A. Machado, Unamuno y Ganivet),
   — subsidiarios (Calderón, Guillén de Castro, Tirso de Molina, Espinel, Lope de Vega, López Alarcón), al servicio de los principales.
4. Textos recreados: Cervantes, Vélez de Guevara, Mora, Ortega, Perrault, Berceo.
5. Textos apólogos o ejemplificadores; muy amplios y variados (Caro, R. Darío, Espronceda, Lorca, Ibn Hazam, Larra, M. Machado, Muntannabí, Otero, Pérez de Ayala, Pérez de Guzmán, Fernando del Pulgar, Quevedo, Rojas, Juan Ramón, Lara y los suministrados por C. Fuentes, Cortázar y Cabrera Infante)[60].

---

[60] Sobre textos no literarios, v. *supra,* cap. 6, nota 9. El término intertextualidad procede de Julia Kristeva, que lo define como «el índice de un modo en que un texto lee la historia y se inserta en ella». Ph. Sollers comenta esta definición diciendo que «un texto se escribe con textos [...], no se inspira en otros textos, no tiene fuentes: los relee, los reescribe, los redistribuye en su espacio» (citados por Castellet, «Introducción a la lectura de *Reivindicación del conde don Julián*», en AA. VV., *Juan Goytisolo,* ob. cit., p. 192). En definitiva, se trata de la idea de que una obra literaria puede prescindir de la realidad externa como referente, pero no del *corpus* literario anterior, en el que se inscribe y del

1. *Textos estructurantes.*—Son los verdaderos guías en el planteamiento de contenidos y estilo que busca el autor. Hemos visto que la trilogía en su conjunto responde a un descenso a los infiernos en busca de un nuevo futuro, viaje iniciático que supone la posibilidad de un nacimiento a otra vida más agradable. En este aspecto, el recuerdo del mítico Eneas como guía literaria es esencial. Así lo plantea ya en el primer capítulo, «reino de las sombras, del sueño y de la noche, ínclito Eneas súbitamente abandonado por la sibila» (p. 85), y se repite en la tercera parte, respondiendo al descenso de Eneas acompañado por la sibila. La cita se sitúa en un punto clave de la novela, el viaje por los órganos sexuales femeninos, uno de los centros estructurales del relato. Su continuación en la cuarta parte vendrá dada por los textos de monseñor Toth basados en el epígrafe titulado «Descensus Averni», que configuran, en conjunto, la característica primordial de la obra, el regreso al útero y la investigación del infierno cultural.

La presencia de Virgilio es, pues, estructural y temáticamente inevitable al ofrecer el precedente glorioso de otro héroe que tuvo que fundar una ciudad lejos de su patria. Eneas es el guía en quien se mira el narrador para ese viaje y concentra en tres páginas (pp. 168-170) los seiscientos versos que dedica Virgilio al viaje de Eneas por el Averno (VI, vv. 300-900). Se complementa con Fray Luis de León, que proporciona la faceta mítica destructiva. Si Virgilio puede ser un autor válido para toda la trilogía, Fray Luis centra *Reivindicación...* sobre el tema de la destrucción de España, basándose en la «Profecía del Tajo». La idea general del poema preside toda la novela y encontramos citas en las páginas 16, 45, 125[61].

---

que hace un referente. Cf. Julia Kristeva, *Semiotiqué,* París, Seuil, 1969, especialmente p. 113.

[61] Por ejemplo, esta cita de la p. 125 de *Reivindicación*

> «En mal(a) punto (hora) te goces,
> injusto forzador.»

Se corresponde con los vv. 6-7 de Fray Luis y entre paréntesis he anotado las variantes que introduce Goytisolo. Cito el texto de Fray Luis por la edición de Oreste Macrí, *La poesía de Fray Luis de León,* Salamanca, Anaya, 1970.

A estos datos concretos hay que añadir el del verso 25, «la espaciosa y triste España» (p. 125), idea que preside toda la novela, y el de la cita del «Hercúleo estrecho» (v. 53) y «Hércules sagrado» (v. 60), que puede haber influido sobre la visita a las «Hercules' Caves» (p. 47), nombre dado al sexo femenino.

La poesía de Fray Luis se emplea como punto de partida a la invasión de España. La vinculación de la novela al poeta es uno de los elementos básicos de la trama de la invasión, cuyo personaje se convierte en «nuevo conde don Julián fraguando sombrías traiciones» (p. 16); a ellos se puede sumar la alusión a la «Canción de la vida solitaria» (vv. 1-2), «descansada vida fuera del mundanal ruido» (página 188). El vocabulario de Fray Luis de León se encuentra disperso a lo largo de toda la novela. Basta abrir cualquier página y leer el léxico guerrero y relativo a la destrucción: «centros de alistamiento y banderines de enganche» (términos tomados de los centros de reclutamiento de la Legión Española, p. 135), «guerreros, desmantelad, cuchillos» (página 135), «asolado país», «ruina completa» (p. 199), etc. Es la destrucción de todo lo ensalzado hasta ahora, como los árabes hacen con el reino visigótico: «pillar, destruir, violar, traicionar» (p. 157).

Para el estilo, Góngora es el poeta aludido y guía de la nueva forma literaria: «Jerifalte Poeta que, despreciando la mentida nube, a la luz más cierta sube» [62]. El texto gongorino básico empleado es la *Fábula de Polifemo y Galatea.* Prácticamente todas las citas son de este poema [63].

---

[62] Cf. *Reivindicación,* pp. 15, 124. Según afirma Gonzalo Sobejano: «Descubrir una verdad más pura, engendrar un diseño y una hechura y un modo nuevos, son metas perseguidas con abnegación por el novelista, que se refugia en el ejemplo de Góngora, lo hace ansiando revivir su radicalidad creadora», «Don Julián, iconoclasta de la literatura patria», en *Camp de l'arpa,* abril-mayo, 1977, p. 13. El poeta siempre es citado por alusiones, no se le nombra.

[63] Est. 6: «albergue umbrío y redil espacioso» (p. 170). Est. 5: «caliginoso lecho» (p. 168). Est. 12 (alusión): «no es sordo el mar, la erudición engaña» (p. 26). Est. 9: «Pisando la dudosa luz del día» (p. 31). Est. 44: «árbitro de montañas y ribera» (p. 68). Est. 6: «melancólico vacío del, pues, formidable bostezo de la tierra» (p. 168). Est. 14: «cándidos lilios y purpúreas rosas» (pá-

La función de Góngora es doble. Por un lado, es un símbolo y ejemplo de la diferencia con el estilo empleado hasta ahora, que cambia por un lenguaje más cuidado y barroco. Tiende, como el poeta, hacia la oscuridad, en el sentido de hacer partícipe al lector de la construcción de la novela, obligándole a fijarse más, a prestar más atención mediante la introducción de datos o citas que son el hilo conductor de la novela. Crea un estilo más difícil y culto, apartándose de la sencillez del realismo socialista, que afecta tanto al vocabulario como a la construcción del párrafo, y a la totalidad de la novela, que resulta así más tensa, en el sentido de que cualquier frase o término puede revelarse fundamental, lo que exige una lectura atenta. En segundo lugar, la elección del *Polifemo* obedece a su vinculación con la gruta en la que va a penetrar, a lo que no ha debido ser ajeno el comentario de la estrofa sexta que hace Dámaso Alonso[64], que analiza «bostezo» y da los siguientes sinónimos: grieta, sima, abismo y caverna.

También se pueden señalar influencias gongorinas en todo el estilo a través de ejemplos que pueden espigarse en la novela:

Cultismos: «dominios lucífugos» (p. 172), «ondas imbricadas» (p. 12).
Alusiones mitológicas: «Sísifo y Fénix» (p. 135), «ciclópea pupila» (p. 125).
Adagios: «Genio y figura hasta la sepultura» (p. 110).
Fórmulas: «escuetas no, largas» (p. 164), «monstruo no, ni bifronte, ni hermes» (p. 230).
Hipérbaton: «que torcida esconde, ya que no enroscada la lasciva cabeza» (p. 67).
Metáforas: «rotundas esferas» (p. 27).
Perífrasis alusivas: «en esa sutilísima zona sagrada» (página 67), «cicatriz venenosa» (p. 136).
Aliteración: «Cauteloso, sagaz, escurre y serpentea» (página 144).
Paranomasia: «florilegios, florestas, florones, floriculturas, floripondios» (p. 157).
Plurimembración: «Traición grave, traición alegre: trai-

ginas 109-171) (también se alude al soneto («Patos del) aguachirle castellana», p. 45). Citado por la edición de Dámaso Alonso, *Góngora y el Polifemo*, Madrid, Gredos, 1967, vol. III.

[64] *Poesía española*, Madrid, Gredos, 1971, pp. 333-334.

ción meditada, traición súbita: traición oculta; traición abierta: traición macha, traición marica» (p. 135).
Unión de opuestos: «docilidad bestial» (p. 172).
Hipérboles: «la sangre corre sin saciar su furor: la lógica de la muerte se impone» (p. 232).

A estos rasgos se une la utilización de sintagmas no progresivos y otras lenguas (árabe, italiano, francés, inglés), con lo que tendremos una idea del barroquismo de esta novela.

Los tres autores fundamentales forman un sector positivo, que será completado y contrastado por otros varios [65].

2. *Textos temáticos.*—La función es conducir el tema. Destaca especialmente el Rey Sabio, citado en el lema inicial de la novela. La obra básica empleada es la *Primera Crónica General.* El primer lema («Maldita sea la saña...») pertenece al capítulo 575 [66] de la *Crónica.* El del capítulo tercero («los moros de la hueste...») al 259 [67].

Más importante es el final del capítulo 259: «Aquí se remató la santidad et la religión, las cruzes et los altares

---

[65] Sobejano habla de este sector positivo, formado por Américo Castro, Cervantes, Góngora, Larra, Fray Luis de León, Rojas, Carlos Fuentes, Cortázar, Cabrera, Virgilio. Los negativos son: Dámaso Alonso, *Azorín,* Calderón, G. de Castro, Rubén Darío, Ganivet, Lorca, J. R. Jiménez, López Alarcón, López García, los Machado, Menéndez Pelayo, Menéndez Pidal, Ortega, Blas de Otero, Pérez de Ayala, Quevedo, Santa Teresa, Tirso, Unamuno y Lope. Sobejano añade autores literarios tratados de forma neutral (Alfonso X, Berceo, Rodrigo Caro, Espinel, Espronceda, Pérez del Pulgar, Guevara, Perrault, Lermontov) y se extraña de ausencias como la de Juan Ruiz, la picaresca, el realismo decimonónico, etc., por considerarlos críticos. Asimismo, anota las alusiones y no presencia de autores tan objetables como Pemán, Benavente, Donoso, Balmes, etc. («Don Julián...», art. cit., pp. 7-8).

Sobre esta novela en concreto, y la función de cada uno de estos autores, ha declarado Juan Goytisolo: «La relación con Fray Luis es, por ejemplo, temática, a través de la «Profecía del Tajo» y la leyenda de la destrucción de España; con Rojas, moral, por el mismo "ánimo subversivo" [...]; con Cervantes, de estructura (las moscas=examen de la biblioteca de Don Quijote); con Góngora, lingüística», *Disidencias,* cit., p. 314.

[66] Cito por R. Menéndez Pidal, *Floresta de leyendas heroicas españolas: Rodrigo, el último godo,* Madrid, Espasa-Calpe, 1973, p. 11, líneas 3-15, tomo I. Este libro es manejado por J. Goytisolo para diversas citas sobre la destrucción de España.

[67] *Floresta,* I, pp. 14, líneas 29-30, y 15, líneas 1-4.

echaron de las iglesias; la crisma et los libros et las cosas que eran para onrra de la cristiandat, todo fué esparzudo et echado a mala part»[68]. Este texto resume los males caídos sobre España. Su importancia estriba en que plantea el punto álgido de la traición del narrador. Las páginas 231-233 de la novela indican la destrucción de las imágenes religiosas, concretamente de la Dolorosa. Su violencia orgiástica se nutre de los datos aportados por Alfonso X y los incrementa para ocasionar una destrucción completa. El tema de los males que caerán sobre España desde la mente del protagonista se amplía con Pedro de Corral, que proporciona los medios destructivos. Con otras crónicas, este autor añadió nuevos elementos a lo historiado por Alfonso X. Dos datos básicos toma Goytisolo de su *Crónica Sarracina.* El primero es circunstancial. Don Rodrigo se enamora de las piernas de la Caba, «mostró yaquanto de las piernas, e tenía tan blancas commo la niebe, e ansí lisas»[69], tal y como le acontece al protagonista al ver a la hija de don Álvaro: «descubre la insólita perfección de sus piernas suaves y bien torneadas: escuetas no, largas» (p. 164). Más importante es la segunda cita: «E la culebra, como estaba *fambrienta* e era grande, en un punto ovo comido la natura e començóle de comer por el vientre»[70]. La palabra está subrayada por Goytisolo (p. 144). El motivo de la culebra se llena de connotaciones hasta convertirse en un diablo burlesco, un diaño.

Otro *corpus* que ha considerado Juan Goytisolo es la introducción efectuada por Menéndez Pidal a la citada *Floresta...* Así, la afirmación del rechazo con que veía la *Crónica Sarracina* Pérez de Guzmán parece conducir a Goytisolo a la consulta de este autor, según veremos. Asimismo, parece haber tomado en consideración la siguiente cita: «El nuevo episodio del palacio encerrojado de Toledo tiende a presentar a Rodrigo cual hombre impío, violador de las más sagradas tradiciones»[71], características que se gloria en atribuirse el protagonista de la novela.

---

[68] *Floresta,* I, p. 16, líneas 7-11.
[69] P. del Corral, *Crónica Sarracina,* contenida en *Floresta,* I, página 74, líneas 4-5.
[70] «Crónica sarracina», en *Floresta,* I, p. 139.
[71] *Floresta,* I, p. XXXIX.

Este detalle nos lleva de nuevo al nombre del palacio, «la casa de Hércules de Toledo», no citado como tal en la *Primera Crónica General.* La casa de Hércules se menciona, procedente de la tradición musulmana-vitizana, en la *Crónica de 1344*, de donde la toma Pedro del Corral, dato a tener en consideración como procedente de esta novela. Volviendo a las citas de Menéndez Pidal, *Reivindicación* responde al desafío lanzado por el investigador:

> Todavía esperamos al artista fuerte en osadía que quebrante los cerrojos y penetre en el recinto para revelar los viejos misterios imaginativos allí celados por Hércules [...] La historia será guía para introducir al poeta en oscuros penetrales del alma humana, y a su vez la mirada adivinadora de la poesía puede ser centinela avanzada de la Historia [72].

De esta forma, se aúnan los textos literarios y los de sus comentaristas para forjar un texto que no es recreación sino creación nueva. La serpiente, maldita en la perspectiva hispana y cristiana, deviene punto de apoyo en su traición, tal y como aparece a lo largo de los lemas: «Ya me comen, ya me comen / por do más pecado había» (cap. IV), texto citado por Pidal como contenido en el *Quijote* (II, 33) [73] y de quien lo recoge Goytisolo, al no encontrarse estos versos en otros romances recogidos por el investigador.

El lema del capítulo III («África, la cual soltó luego por España sus sierpes...»), perteneciente a Saavedra Fajardo, también forma parte de esta *Floresta* [74], e instituye a la serpiente medieval como medio fundamental de agresión de este nuevo conde don Julián.

Se puede, pues, afirmar que el tema de la novela, la figura y deseos del don Julián de Goytisolo, se conforma fundamentalmente sobre la visión de traidor que se elabora a lo largo de la literatura española y que recoge Menéndez Pidal en su floresta *Rodrigo, el último godo* [75], con lo que

---

[72] *Floresta,* III, p. CVIII.

[73] *Floresta,* II, p. XXIII.

[74] *Floresta,* II, p. 156.

[75] Sobre el romancero de Rodrigo, de donde extraigo los datos, es fundamental *Romancero Tradicional,* de Menéndez Pidal, Caro,

Goytisolo toma lo odiado y despreciable, lo convierte en personaje literario y lo revuelve contra la misma mentalidad que lo creó.

3. *Los textos-motivación* proporcionan el fundamento destructivo de la novela. Los principales proceden de la nómina de autores del Noventa y Ocho y de su particular percepción literaria y paisajística de España, que dinamitará el protagonista.

El autor más aludido de esta generación es Unamuno, especialmente con textos procedentes de *En torno al casticismo* y *Andanzas y visiones españolas.* Los motivos más tratados son su concepción del espíritu castellano y la percepción restringida que tiene de los clásicos. Sobre el primero, Álvaro mina su simbolización de un espíritu estéril, y el paisaje lo emplea para crear un clima novelístico odioso que es blanco de sus ataques por su sequedad y monotonía. El autor funde las ideas unamunianas con similares expresiones de otros noventayochistas y forma bloques monolíticos para luego aniquilarlas [76].

El narrador también adopta de Unamuno descripciones y las aprovecha para sus propios fines, como la del español: «El alma castellana, dermato-esquelética, crustácea, con la osamenta-coraza por de fuera, y dentro la carne, ósea también» [77]. El texto aparece en la página 140, pero importa

Catalán, Galmés y Lapesa, Madrid, Gredos. En esencia, la evolución sería: explicación vitizana de la derrota tomada por el historiador árabe Ar-Raci (s. X), traducida por Gil Pérez (h. 1320), de donde cogió el tema la *Crónica de 1344.* Sobre esta Crónica y la «*Historia*» del obispo Euqui, hizo Pedro del Corral en 1430 su *Crónica Sarracina,* de donde nacen los romances. Según M. Pidal, estos romances y, sobre todo, el horaciano «Vaticinio de Nereo», serían la base de Fray Luis.

[76] Compruébese la procedencia de algunas citas: «La tierra enjuta y desnuda donde la gea domina a la flora y a la fauna». *Reivindicación,* p. 140, y Unamuno, *Andanzas y visiones españolas,* Madrid, Espasa-Calpe, 1968, p. 242. «La llanura inacabable donde verdea el trigo y amarillea el rastrojo», *Reivindicación,* p. 38. «Estribaciones de huesosas y descarnadas peñas erizadas de riscos: colinas cubiertas de pobres hierbas, donde sólo levantan cabeza el cardo crudo y la retama desnuda», *Reivindicación,* p. 112, y Unamuno, *En torno al casticismo,* Buenos Aires, Espasa-Calpe, 1943, pp. 54 y 55, respectivamente.

[77] *Andanzas y visiones españolas,* ed. cit., p. 242.

más considerar que con ligeras variaciones se reitera a lo largo de la novela para caracterizar a don Álvaro. El narrador le altera el sentido, de un significado positivo en Unamuno lo pasa al literal y lo convierte en peyorativo. Ya no es el alma que soporta calamidades y luchas, sino el ser impermeable, crustáceo, amparado tras su caparazón insensible a los cambios, idéntico a sí mismo. Hay, pues, una reconversión en la función de la cita, adecuándola al nuevo contexto, lo que supone una burla al volver contra el ensayista vasco sus propios textos, y resulta más dura la destrucción de sus ideas, uso similar al del capítulo 259 de la *Crónica* de Alfonso X.

Por otro lado, diversos textos de nuestro Siglo de Oro son arrasados en *Reivindicación* por el empleo que de ellos realizaron los noventayochistas, muy especialmente Unamuno. A través de él llega a la novela la cita de *Las mocedades del Cid* («que es dañoso el discurrir...») [78], atribuida por Juan Goytisolo al prototípico caballero español, enemigo acérrimo de la crítica. Asimismo, se ataca el espíritu laudatorio que impregnaba a los miembros del Noventa y Ocho hacia actitudes «esencialistas», como la alabanza ganivetiana del cruento doctor Sangredo, o la consideración unamuniana de Calderón, «cifra y compendio de los caracteres diferenciales y exclusivos del casticismo castellano» [79].

Es imposible separar tales alusiones del discurso en el que aparecen incorporadas como una variante más de las reminiscencias de estos autores. Refiriéndose a ellos les denomina «enemigos viscerales del Baedeker» (p. 139), famosa guía turística escrita por el alemán Justi. Su relación con Unamuno consiste en la crítica que el vasco hace de ella en su artículo «En el Escorial» [80], lamentando que se diga que una obra es fea porque Felipe II era un rey árido, enemigo de la riqueza, e imprimió su sello al monasterio. Unamuno considera éste un juicio político, critica a su autor y pasa a ensalzar la monotonía del monasterio como reflejo perfec-

---

[78] *En torno al casticismo,* ed. cit., p. 95.
[79] *En torno al casticismo,* ed. cit., p. 66.
[80] *Andanzas y visiones españolas,* ed. cit., pp. 49 y 55.

to de Castilla y sus gentes. Este ejemplo ilustra perfectamente la multiplicidad de connotaciones de cada cita o alusión que podemos esquematizar partiendo del significado de la cita para Unamuno (espíritu español) en un contexto de alabanza de la peculiaridad hispana, que pasa a tener un significado para Goytisolo de ahogo moral e intelectual.

Sin que aparezcan tan claramente como las anteriores, las referencias al *Idearium español* son constantes, pues de él procede el doctor Sagredo (Sangredo para Ganivet y para Unamuno), compañero inseparable de Séneca en *Reivindicación.* Es, pues, Ganivet un autor fundamental en la novela. No hay citas textuales, pero su espíritu impregna la obra: se trata de matar a quien sea con tal de conservar intactas las esencias, y esta idea simple y efectiva llena la visión del novelista, especialmente en los capítulos II y III: «Arrojo, resolución heroica, desprecio de los bienes materiales, terquedad, intransigencia: fe tranquila, sin nubes: serena sumisión a la voluntad de Dios» (p. 116).

De forma semejante a la de Unamuno, dos factores influencian al personaje procedentes de *Azorín,* el paisaje y su interpretación de los clásicos españoles. Goytisolo se basa en *El paisaje de España visto por los españoles,* de donde recopila paisajes fáciles de identificar por su estilo, aunque no siempre los cita literalmente [81].

---

[81] Expondré algunos ejemplos. «¡Castilla, Castilla!: minutos de serenidad inefable en que la Historia se conjuga con la radiante Naturaleza: a lo lejos se destacan las torres de la catedral: una campana suena: torna el silencio.

Ante nosotros, átomos de eternidad se abren, arcanos e insondables, los tiempos venideros» *(Reivindicación,* p. III, y *El paisaje...,* Madrid, Espasa-Cape, 1969, p. 55. «El camino se extiende, inacabable ante la llanura: todo es llano, uniforme» *(Reivindicación,* p. 111, y *El paisaje,* cit., p. 58).

Similares citas se ofrecen de *Azorín* en otras partes de la novela. Así, en la p. 140, «suenan, se desgranan [...] los colores apenas brillan *(El paisaje,* pp. 62 y 66), o «un cuartito...) *(Reivindicación,* pp. 159 y 177, y *El paisaje,* p. 122). De *Azorín* procede la cita que sigue a la de la *Celestina,* fragmento del *Isidro* de Lope de Vega: «[...] hermana o sobrina / ya es Teodora, ya Rufina, / Brígida, Teresa y Ana / Pascuala, Isabel y Juana / Paula, Antonia y Catalina» *(Reivindicación,* pp. 173-174, y *El paisaje,* p. 136).

También los *Campos de Castilla* de Antonio Machado van a ser objeto de saqueo y destrucción, centrándose principalmente en el poema «Campos de Soria»: «palacios con escudos de cien linajes hidalgos [...], campanas de la Audiencia de Soria» *(Reivindicación,* p. 141), texto al que se suman constantemente las cigüeñas, alcores y peñas [82]. El ataque indica el rechazo de la etapa de realismo social, en la que Machado servía de orientador temático. Frente a los contenidos, predominantes en su primera etapa, Goytisolo hace ahora hincapié en la forma y busca romper mitos incorporados ya por la mentalidad odiada. Arrasa al Noventa y Ocho como creadores de esa percepción del honor social y antiindividualista.

Estéticamente, estos autores son los que revitalizan el Siglo de Oro en su peor faceta de sumisión. Su estilo lleva al ensalzamiento de lo perenne, bien sea con el gemido unamuniano o con el detallismo de *Azorín.* Ideológicamente, estos autores están manipulados, en el sentido que ahora precisaremos. Todos ellos tienen, por ejemplo, un gran afecto por África en general y por los países árabes en particular. Son numerosos sus artículos en este sentido. Así, *Azorín,* en *El paisaje de España visto por los españoles,* escribe sobre «España y África»; lo mismo hace Unamuno en *En torno al casticismo* y Ganivet alaba el espíritu árabe en su *Idearium* antes de ensalzar a Santa Teresa. Y esto por citar sólo las obras empleadas por Goytisolo.

La manipulación, entonces, es anterior a Goytisolo. Él ataca la visión que ha recibido, en la que ha sido educado: el Imperio, sus valores representados por el teatro del honor del siglo XVII o la mística del XVI, las esencias de una Castilla tradicional, etc., que se deforma en un racismo antiárabe y oculta la visión del castellano degradado que nos dan *Azorín* y Antonio Machado. Su pobreza, su cainismo se subliman a

---

[82] «Los viejos olmos, las grises peñas, las mulas pardas: las campanas de aldea piadosas, madrugadoras sencillas de esta Castilla mística y guerrera, Castilla gentil, humilde y brava: tierra serena y reposada, grave sueño de piedra», «la primavera tarda» *(Reivindicación,* pp. 162 y 140, respectivamente). Hay versos de los poemas CXXV (vv. 4-8) y CXXVI (vv. 7 y 14), de *Poesías completas,* Madrid, Espasa-Calpe, 1975.

estoicismo y cruzada. De aquí nace la parcialidad que denuncia, el ataque no contra el Noventa y Ocho en general, sino contra la visión de estos autores recibida en su niñez. De ahí la necesidad de destruir esa niñez. En consecuencia, su ataque profundo va dirigido contra los que, amparándose y utilizando el prestigio de estos autores, les mutilaron en su provecho [83]. El problema, entonces, no está en por qué no recoge ciertos autores más proárabes, sino en por qué a los que trata lo hace no en su totalidad sino parcialmente. El protagonista lucha sólo contra lo que le han impuesto, señala la tendenciosidad de sus educadores y ataca la sumisión con que este engaño es acogido por quienes deberían ser conscientes de él y denunciarlo: «míralos incrustados en sus sillones, guarnecidos de poderosas gabardinas, cigarro en mano, bigotico en tilde, brillo capilar, lustre zapateril en acorde perfecto» (p. 125).

Considero textos subsidiarios aquellos de los clásicos que proceden de las citas que de ellos hacen los autores del Noventa y Ocho, por lo que son una expurgación literaria de los clásicos al servicio de la mentalidad de sus glosadores. Guillén de Castro, Lope, Tirso y Calderón se recogen por lo que sirven al concepto del honor y, en consecuencia, a una ideología que excusa así la guerra civil y esconde tras ello sus verdaderos intereses económicos. Sus versos están colocados en boca del ínclito, crustáceo y polivalente don Álvaro, informan su pensamiento y actitud ante la vida actual. Hay, pues, una equivalencia entre su origen y su función en la novela.

A Guillén de Castro se deben los versos iniciados «que es dañoso el discurrir» (p. 37) [84], de *Las mocedades del Cid.*

---

[83] En *El furgón de cola* (cit., p. 90) dice Goytisolo lo siguiente: «Un frondoso ejército de críticos ocupa las columnas de los diarios, expone sus *juicios* a través de las ondas de la radio, sonríe bajo un identificable bigotito alfonsino en las infinitas pantallas de televisión, El Siglo de Oro, el espíritu nacional de Castilla y el Noventa y Ocho son sus temas predilectos, al parecer inagotables (Ortega, el Cid, Platero, Unamuno, el Quijote, Séneca y la Tauromaquia es la receta perfecta del cóctel predispuesto al premio nacional de literatura Francisco Franco)».

[84] Guillén de Castro, *Las mocedades del Cid,* Madrid, Espasa-

De esta misma comedia puede proceder el apellido de don Álvaro, Peranzules, donde representa, pese a su papel secundario, el buen sentido castellano. Este Peranzules es el mismo consejero del rey Alfonso que aparece en el «Romance del rey don Alfonso» en su huida de Toledo [85]. La referencia a Guillén de Castro se hace a través de Unamuno. Lo reafirma la introducción al texto, «el magnífico dúo de Diego Laínez y el conde Lozano batiéndose a estocada limpia» (p. 37), que no corresponde a la comedia, pues no es el padre del Cid, sino su hijo, el que se bate. Además, esta introducción procede de la primera comedia, mientras que el texto transcrito forma parte de la segunda y son las palabras que dirige Arias a su hijo Pedro antes del combate por el honor de Zamora.

De Lope de Vega se utiliza esencialmente *El castigo sin venganza*. Encontramos seis citas de esta comedia exponentes de la bárbara hazaña del duque de Ferrara. De éstas, tres pertenecen al monólogo en el que toma su decisión final [86]. A esto se añade el ya citado fragmento del *Isidro*, recogido por *Azorín*, y el famoso soneto incluido en la comedia *La niña de plata*, «Un soneto me manda hacer Violante», del que se reproducen vv. 4, 6, 10 y 13 en la página 181.

De Tirso proceden versos de su comedia más popular, lo que lleva implícito todo el mito del donjuanismo [87], y Calderón aparece representado con sus dos obras más famo-

---

Calpe, 1968. Corresponde a los versos 2058-2060 de la segunda comedia (acto tercero).

[85] Menéndez Pelayo recoge este romance en su *Antología de poetas líricos castellanos*, Madrid, CSIC, 1945, vol. VIII, p. 157. Incluido entre los «Romances del Cid», XXX: «El conde Don Peranzures / un consejo le fue a dar / que caballos bien herrados / al revés habían de herrar».

[86] Lope de Vega, *El castigo sin venganza*, Salamanca, Anaya, 1968, acto tercero, vv. 2846-2857: «Seré padre y no marido...» (página 177), «Esto disponen las leyes...» (p. 178), «Quien en público castiga...» (p. 37), Las tres restantes son dichas por el hijo, Federico: «Oh, padre, ¿por qué me matan?», «Mucho fiara de ti», «Porque es tanto mi peligro» (p. 117) (vv. 2299; 1874-1875; 1528-1531, respectivamente).

[87] «Pero todo son ideas / que da a la imaginación / al temor: y temer muertos / es muy villano temor» (p. 117). Tirso de Molina, *El burlador de Sevilla*, Barcelona, Bruguera, 1972, p. 193.

sas, *El Alcalde de Zalamea* («Al rey la hacienda y la vida...», I, v. 873) y *La vida es sueño* («bien dicen que nuestra vida...», III, v. 2343) (p. 117).

A través de estos autores se elabora la idiosincrasia del carpeto, que lleva impresa un sentido del honor y de la muerte, fugacidad de la vida que conduce a los mayores excesos en aras de su integridad. La permanencia del tema del honor demuestra una osificación mental. Inoperante hoy la oposición honor/vida, tratar de mantenerlo, como pretende don Álvaro, es un anacronismo y contraría todo espíritu crítico. La ironía brota de la inserción en el presente de una visión social ya caducada.

Completan el influjo del Siglo de Oro sobre el pensamiento español Espinel, presente por la visión que de él da Ganivet, cuyo doctor Sagredo es el mejor exponente de ese español que sólo sabe curar mediante sangrías, el *profluvium sanguinis,* y Teresa de Jesús con su paradoja «vivo sin vivir en mí» (p. 115), santa a la que considera Unamuno como uno de los prototipos de Castilla (el otro prototipo es el caballero, consideración compartida por Ganivet). El texto de la estrofa se incluye dentro de los conocimientos fundamentales de Alvarito.

La tenaz pervivencia de estos planteamientos, incólumes pese al transcurso de los siglos, se manifiesta en dos poetas del XIX, herederos y recopiladores de valores heroicos y esenciales. De López Alarcón escoge el protagonista el conocido soneto «Soy español»[88] (p. 161), compendio de una concepción de vida que el narrador considera resumen y producto de los siglos anteriores y que preludia la destrucción de don Álvaro. López García le ofrece su poema « ¡Dos de mayo! », del que toma la estrofa quinta: «siempre en lucha desigual canta su invicta arrogancia Sagunto, Cádiz, Numancia, Zaragoza y San Marcial» (p. 176)[89]. Ambos autores representan la culminación decimonónica de los autores del XVII.

---

[88] *Reivindicación,* p. 161. Incluido en *Las mil mejores poesías de la lengua castellana,* Ávila, Ed. Ibéricas, 1962, p. 634. «Escogiendo el tomo en rústica de las mil mejores poesías de la lengua» (*Reivindicación,* p. 38).

[89] Incluida también en *Las mil mejores poesías,* cit., p. 396, como la de Santa Teresa, p. 90.

4. *Textos recreados.*—Denomino así a los que proporcionan a Goytisolo aspectos sobre los que crea nuevas burlas. Entre ellos se encuentra Cervantes, fundamentalmente dos capítulos del *Quijote:* el escrutinio en la librería de Don Quijote (I, 6), que corresponde al escrutinio que el narrador hace de la literatura española, introduciendo los insectos en los libros (pp. 31-39), y los consejos que Pedro Recio da a Sancho (II, 47), transferidos en *Reivindicación* para la destrucción de la lengua (pp. 197-198). El primer caso es el de una recreación libre del episodio. Su origen cervantino no le ata literalmente, sino que le suministra una idea que el narrador conforma con libertad. En el segundo caso, la intertextualidad es más clara y el narrador se ciñe al texto de Cervantes, pero introduciendo todos aquellos términos de origen árabe que se refieren a la comida. Ambos episodios testimonian un homenaje a Cervantes y, a través de ellos, el autor logra mostrar su deseo de desvincularse de su lengua, atacar a quienes todavía hoy denostan u olvidan (como Ortega) la dominación árabe y sus aportaciones a la cultura y lenguas españolas. Ridiculiza a los que la niegan mientras emplean el vocabulario que nos legaron.

Vélez de Guevara está presente por intermedio de su diablo Cojuelo levantando los tejados de Madrid para mostrar la vida de sus habitantes, atalaya la vida hispana [90]. Como en el caso de Cervantes, el texto sirve para recrear, a lo largo de las páginas 148-151, una panorámica del Madrid actual, en el que encuentra como ejemplo máximo de español a un hombre mediocre que denomina Garbanzote de la Mancha (p. 151).

El texto empleado para crear un estado onírico procede del poema «Don Opas» [91], de José Joaquín de Mora, «ásperas selvas son sus dos bigotes: en las cuales un potro se perdiera» (p. 152), perteneciente a una octava de la cuarta parte del poema burlesco. En esos bigotes encuentra el narrador su ambiente propicio: «bravío, montaraz paisaje en el que deleitosamente te extravías y emboscas» (p. 152). Allí topa-

[90] «Y levantando los hojaldrados a los techos de los edificios, descubre de golpe la carne del pastelón de la ciudad y toda su humana variedad de sabandijas racionales». *Reivindicación* (p. 148).

[91] Menéndez Pidal, *Floresta*, III, p. LXXVIII.

mos con Séneca defecando y con el premiado novelista (páginas 152-156). Así, un breve fragmento es suficiente para desatar la imaginación del autor y crear nuevas posibilidades sobre el texto, que expande a toda la obra su significación y convierte la imagen poética en discurso novelístico para un mayor aprovechamiento de sus peculiaridades.

Similar técnica aplica a la *Vida de San Millán* de Berceo [92]. La llegada de dos caballeros, San Millán y Santiago, que «descendiendo por el aer a una grant pressura» (p. 152) «con la inefable seña blanca et la grand espada relucient en la mano» (p. 142), son «azote y baldón de la muslemía en la vasta piel de toro» (p. 142), es contestada y asumida por la acción de Julián [93].

Vinculado a Berceo está su comentarista Américo Castro, que en *La realidad histórica de España* comenta el origen pagano de estos santos, procedentes de los Dioscuros, Cástor y Pólux, protectores de ejércitos. De aquí la alusión al «albo y dioscúrico caballo» (p. 142) y el denominar a Santiago «hijo de Júpiter» (p. 145). También de Américo Castro toma Goytisolo la descripción que realiza Alfonso X del patrón de España, con la «seña blanca et la grand espada relucient», ya citada [94].

Sobre Ortega encuentro algunas alusiones: «fidelidad a las élites» (p. 140), «masa desvertebrada» (p. 160), referentes ambas a *España invertebrada* y en donde ventila ocho siglos de dominación árabe con afirmar que fue «un soplo de aire africano», «la marea musulmana» [95]. Pero importa más el aprovechamiento burlesco del ensayo de Ortega titulado

---

[92] Citado por L. G. Levine, ob. cit., p. 198. V. también p. 288, notas 81-82. El origen de esta mención está en la obra de Américo Castro, *La realidad histórica de España*, México, Porrúa, 1971 [4], pp. 331-332, de donde procede asimismo el vocabulario árabe arrasado en las pp. 196-199 de *Reivindicación* (pp. 213-219 del ensayo de A. Castro) y la expresión «la esencia hispánica a prueba de milenios», escarnecida por el narrador en «La capra encarna nuestras más puras esencias» (p. 82), de *Reivindicación*.

[93] «Galopa, sí, galopa por el fúnebre y estólido páramo: [...] culebra astuta arma poderosa de Julián» (p. 144).

[94] Castro, ob. cit., pp. 331-332.

[95] J. Ortega y Gasset, *España invertebrada*, Madrid, Espasa-Calpe, 1972, p. 140. En general, véase el cap. 6 de la segunda parte.

Los toros[96], del que procede «el bos primigenius» (p. 199) y el «Urus» (p. 200), descrito en «die philosophischen Schriften von Gottfried Wilhelm Leibniz» (p. 200). A través de este texto busca ridiculizar a un autor que cita en alemán, con cierta presuntuosidad, en un ensayo sobre los toros. La burla se continúa con la alusión a las «orteguinas» (p. 200) «puro teorema geométrico» de esta «exquisita filosofía de salón» (p. 199) y ese «hueco enorme, pavoroso vacío» (p. 200) que forma parte del citado ensayo: «Si extirpásemos a la vida española de los últimos dos siglos todas las discusiones sobre asuntos taurinos, represéntese el hueco enorme, el pavoroso agujero de vacío que en ella habríamos abierto»[97]. Se incluye el discurso que preparaba Ortega para un homenaje que iba a recibir. En él se habla de «esta comida en que comulgan tauromaquia y filosofía», cita que le ha suministrado al narrador la fecunda unión entre el Séneca y Manolete, estoicismo y tauromaquia, que veremos reforzado por Pérez de Ayala.

Además de algunas alusiones, como «el zapato de tacón de una cenicienta» (pp. 216 y 221), el cuento de Perrault, *Caperucita Roja*, es fundamental en la novela. Se plantea el motivo en la página 95: «la vieja y abnegada sirvienta [...] lee en voz alta, para edificarle, la paradigmática historia de Caperucita y el lobo feroz», que se mezcla con la «macheteada conversación que le llega a través del jardín de la casa vecina» (p. 95) sobre el sexo, que le vincula, «obligado a penetrar en el virgiliano antro» (p. 100), a la obra de monseñor Toth: «el desgraciado joven sucumbió a los cantos de sirena: el mismo se metió en el pantano» (p. 102). Se produce así una unión textual basado en una trasmutación del sentido del cuento. Sobre la idea de que el cuento señala una represión sexual y un miedo hacia lo desconocido (sólo lo conocido es bueno), la relación con el texto de monseñor Toth es doble: ambos pertenecen a la infancia y educación del protagonista y tratan, de diferente modo, de reprimir al niño. De aquí que la mezcla de los dos textos sea normal

[96] Incluido en el libro *La caza y los toros,* Madrid, Espasa-Calpe, 1962, pp. 125-126.
[97] Ortega, *Los toros,* ob. cit., p. 147.

y adquiera amplio desarrollo en el asalto final del capítulo IV, produciéndose así una «nueva versión sicoanalítica con mutilaciones, fetichismo, sangre» (p. 13) de Caperucita.

El creador del «Agente 007» es ampliamente utilizado a través de su novela *Operación Trueno,* llevada al cine. Lo encontramos, aparte del cartel anunciando la película (páginas 28, 40, 51, etc.), en la mulata que baila (p. 77), luego convertida en Isabel la Católica (p. 165); en la persecución de que es objeto el agente y en Bond buceando (p. 78), lo que se vincula a su viaje por el útero (p. 165). Además, los recursos de ataque del 007 son empleados en la destrucción del carpeto (pp. 143 y 176), aunque no interviene en el asalto al niño (p. 213). James Bond representa el nuevo héroe. La novela de Fleming suministra una ambientación sensual que el protagonista aprovecha para sus viajes y una violencia desatada que atrae al protagonista y le ayuda en su propio ataque.

Tenemos, pues, una utilización de los textos en un proceso de recreación personal, que va desde el homenaje a Cervantes hasta la denostación de Ortega y Perrault, pasando por el empleo burlesco de Mora. La adaptación del texto a la óptica del novelista supone una crítica implícita de estos autores. Se trata del aprovechamiento de otras obras, pues una novela nace siempre apoyándose en el *corpus* literario. Goytisolo utiliza este *corpus* para construir directamente con él, incorporando los materiales que le ofrece, unas veces como homenaje a un autor, otras ridiculizando al que se trata de mantener unas concepciones ya caducadas.

5. *Textos apólogos.*—Son citas que se introducen en la novela para subrayar un aspecto concreto. Más concisos que los anteriores, tanto en su extensión como en los elementos de *Reivindicación* a los que aluden, su función es suministrar un material que se contraponga para originar un diálogo textual que se convierte en el verdadero protagonista de la obra, pues el narrador los enfrenta y contrasta para burlarse de una mentalidad periclitada. El narrador oscila de textos negativos, aquellos que justifican su traición, a los positivos, que le ayudan en la salida de su angustia, creando un sarcasmo despectivo hacia lo instituido. Entre los primeros destacan los que emplea para satirizar a don Álvaro. Así,

Rodrigo Caro aporta la mentalidad del caballero español que concibe a los emperadores y filósofos romanos nacidos en Hispania como españoles, atribuyéndoles una actitud anacrónica [98], de Manuel Machado procede la burla y la vestimenta [99], de Pérez de Guzmán el físico [100] y de Fernando del Pulgar la semblanza de Isabel la Católica, recogida por Pemán en una memorable *Historia de España contada con sencillez,* verdadera antología de esta actitud [101].

A estos autores más destacados se les suman otros varios que van desde la adivinanza juanramoniana al chotis achulapado [102].

---

[98] Alusión a los vv. 37-42 de «A las ruinas de Itálica», de Rodrigo Caro: «nuestras figuras gloriosas y efemérides patrias suscitan el bostezo pulcro y cortés, la amable, comedida sonrisa: Trajano, Teodosio, Adriano!» (p. 136).

[99] Del soneto a «Felipe IV» toma el verso tercero para caracterizar al proteico don Álvaro: «siempre (todo) de negro hasta los pies vestido» (pp. 79 y 91). Del poema «Castilla» toma los cuatro versos finales adaptándolos (subrayo los cambios introducidos por J. Goytisolo): «¡el ciego sol, la sed y la fatiga!: por la terrible estepa castellana, al *descanso,* con cientos de los suyos, polvo, sudor y hierro, *Ulyan* cabalga» (p. 192). Ambos poemas, así como los que luego citaré de Rubén Darío, se encuentran incluidos en la citada antología *Las mil mejores poesías de la lengua castellana* (pp. 553-554 y 349-310, respectivamente), lo que muestra el abundante material que de este libro popular y recomendado en los colegios en la España de los cuarenta toma el autor.

[100] Compárese la similitud en la descripción física que cito a continuación y las que nos ofrece Pérez de Guzmán en sus *Generaciones y semblanzas:* «era un hombre de mediana estatura, de frente muy despejada y con un entrecejo que daba serenidad y energía a su mirada» (p. 113).

[101] «De mediana estatura, bien compuesta en su persona y en la proporción de sus miembros, muy blanca y rubia, los ojos entre verdes y azules, el mirar gracioso y honesto» (pp. 162-163). Cf. H. del Pulgar, *Claros varones de Castilla,* Madrid, Espasa-Calpe, 1969, p. 149, líneas 1-5. En el resto de esta descripción («oye misa..., aprende latín», etc.) se alude también a este texto.

[102] Además de «el aire pegadizo del chotis *Madrid*» (p. 51), recoge dos fragmentos de este tema de Agustín de Lara: «Madrid, la cuna del requiebro y del chotís, [...] Madrid, Madrid, Madrid, en México se piensa mucho en ti» (p. 182-183). «En Chicote [...] el agasajo postinero de la crema de la intelectualidad» (p. 148). M. Vázquez Montalbán cita en su obra *Crónica sentimental de España* (Barcelona, ed. Lumen, 1971, pp. 111 y 143) este chotis como ejemplo de una actitud vital. Otra cita de esta obra justifica

Entre los textos que ejemplifican positivamente la actitud del narrador y le ayudan en su destrucción destacan las críticas de Pérez de Ayala a la mezcolanza ideológica de toros, política y actitud vital, autor satírico con respecto a los valores caducos, al concepto del honor y al esperpento que es la idiosincrasia hispana [103]. Se encuentra apoyado por Fernando de Rojas, cuya actitud positiva en el aspecto de la exaltación corporal, sexual y de libertad individual

---

la alusión de Goytisolo a la «juandeorduñesca víctima de amor»: «El público acudía a ver las películas de Juan de Orduña, galán de los años treinta que, con *Locura de amor* y *Agustina de Aragón* tendrá, al final de los años cuarenta, el acierto de incorporar los gritos de Aurora Bautista a la epopeya española iniciada por Indíbil y Mandonio» (Vázquez Montalbán, ob. cit., p. 56). De este ambiente de épica de cartón procede la degradación y burla a que la somete Goytisolo en *Reivindicación:* «Agustina sirve hot-dogs en un climatizado parador de turismo» (p. 136), denuncia sarcástica de la caída mercantilista de los valores eternos e imperiales que se voceaban en la postguerra.

De Juan Ramón Jiménez emplea la descripción de Platero como adivinanza: «es pequeño, peludo, suave: tan blando por fuera que se diría todo de algodón, que no lleva huesos» (p. 115) *(Platero y yo,* Madrid, Taurus, 1977, p. 11). «Sus ojos de azabache imploraran como dos escarabajos de cristal negro» (p. 147).

También menciona o cita a otros autores. De Blas de Otero hace referencia al poema «En el principio» (de *Pido la paz y la palabra):* «nos queda la palabra» (p. 193); también de este poeta es el verso «ni más ni menos, más» (p. 194). Junto al cisne rubeniano (p. 55), los vv. 1-2 y 5-6 de la *Marcha triunfal* de Darío («¡Ya viene el cortejo...») se encuentran burlonamente incorporados a la danza de la mulata (en la p. 76). De Espronceda cita de los últimos versos del *Estudiante de Salamanca:* «tal, dulce suspira la lira que hirió en blando concierto del viento la voz, leve, breve, son» (p. 239). A esto habría que añadir la estrofa del *Pelayo* que sirve de lema en el capítulo IV. De Lorca utiliza los conocidos versos que sirven de estribillo a la primera parte del «Llanto por Ignacio Sánchez Mejías»: «Hay qué terribles cinco de la tarde...» (p. 201). Están introducidos en el texto de ataque a Ortega.

[103] V. su ensayo *Las máscaras,* donde plantea la farsa macabra que es España y su iniciador, Séneca, «a quien Nietzsche llamó, con expresión feliz, el torero de la virtud» (en *Obras completas,* Madrid, ed. Pueyo, 1923, vol. III). También alude a la novela *Tigre Juan* en «la patria no es la tierra, el hombre no es el árbol: ayúdame a vivir sin suelo y sin raíces» (p. 124) *(Tigre Juan y el curandero de su honra,* Barcelona, AHR, 1957, p. 32).

tanto alaba Goytisolo en su ensayo sobre este autor [104]. Larra ofrece una denuncia más seria y ligera a la vez, acerada con respecto a la sociedad española y a su estratificación tan lábil e inconsistente [105].

No podía faltar el apoyo de la poesía árabe [106], el ataque a la consideración de los españoles de ser los vigilantes del idioma frente al desviacionismo hispanoamericano, pese a su inferioridad numérica y ser la lengua algo vivo. En esta sátira se encierra un ataque a la pobreza creadora española en prosa, inferior a la latinoamericana en número, calidad y riqueza lingüística [107].

---

[104] «La España de Fernando de Rojas», incluido en *Disidencias*, pp. 13-35. Del «Prólogo» de *La Celestina* toma la imagen de su propia traición: «víbora, reptilia o serpiente enconada que, al nacer, rompe los yjares de la madre» (p. 126), lo que connota la idea de venganza que afirma Rojas: «la hembra [...] le mata (al macho), y, quedando preñada, el primer hijo rompe los yjares de la madre, por do todos salen y ella queda muerta y él quasi como vengador de la paterna muerte».

La otra cita son las palabras con las que Celestina embauca a Melibea sobre lo que es el amor y que el protagonista atribuye a su violencia («Aucto décimo»): «un fuego escondido / un sabroso veneno / una dulce amargura / una deleitable dolencia / un alegre tormento / una dulce y fiera herida / una blanda muerte» (página 173).

[105] Con *El hombre globo*, «abajo, el sólido de los sólidos: [...] en medio, el hombre líquido: [...] el hombre-gas, el hombre globo: [...]» (p. 21); «las cautelosas capas medias que fluctúan de lo líquido a lo gaseoso» (p. 45), y *La planta nueva o el faccioso*, readaptado por el protagonista a su denuncia: «basta dar una patada en el suelo y en un volver la cabeza, la pareja está allí, inseparable, con su imperativo poético» (p. 190).

[106] Ibn Hazam, empleado para engañar y seducir a Alvarito al que afirma con un verso de *El collar de la paloma* (cap. XX): «quisiera rajar mi corazón con un cuchillo, meterte en él y, luego, volver a cerrar mi pecho» (p. 220), y Mutannabí, autor cuya cita apoya la invasión: «olas que galopan como sementales en furia hasta la opuesta ribera» (pp. 61-62, 116).

[107] Carlos Fuentes, Cabrera Infante y Cortázar le suministran los textos en habla mejicana, cubana y argentina. La aportación de cada uno comprende, respectivamente (según L. G. Levine, ob. cit., p. 284, n. 50), «boy, boy [...] pa que no digas», «mia pa eso [...] se ñamaba», «carpetéame [...] te lo digo yo» (pp. 194-195). Otras citas son de Lermotov («romántica, lermontovianamente recitas el negro ensalmo: adiós, Madrastra inmunda, país de siervos y se-

Estos textos producen una serie de cambios en el estilo [108], que no serían posibles sin la reciprocidad entre el protagonista y los textos. De su lucha y antagonismo nacen las diferentes opciones del narrador ante lo que desea destruir, empleando desde el texto médico, con claro influjo de Martín-Santos, escueto y lacónico, al barroquismo delirante que despierta el cuento infantil o el enervamiento ante los noventayochistas. Como se ha señalado, es un discurso circular [109] con una lucha contra la razón establecida.

De esta forma, la intertextualidad configura una novela de crítica y homenaje a unos autores, burla e indignación ante otros, produciendo un cambio en la postura del lector. Es creativa porque aprovecha fragmentos para recrearlos y ampliarlos al gusto y medida del protagonista, y los convierte en chispa que enciende la imaginación del narrador y la expande, y porque altera la perspectiva anterior del lector al que induce a ver los textos con nuevos ojos, destruyendo sus ideas al sembrar la duda. Ahora bien, esto no supone sencillez, pues la novela se desarrolla a base de citas crípticas que suponen un lector culto, ya que sólo un conocimiento literario lo más completo posible permite un disfrute amplio de la obra.

Implica no sólo saber de quién es la cita, sino el ambiente que rodea al autor citado desde el punto de vista crítico y

---

ñores», p. 15, Quevedo en su soneto «A Apolo siguiendo a Dafne»: «bermejazo platero de las cumbres, a cuya luz se espulga la canalla (p. 43). Además, hay alusiones a Stevenson («quince hombres llevan el cofre del muerto...», p. 77) en la canción de los piratas de *La isla del tesoro;* a Iriarte («panal de rica miel», p. 20); a San Juan de la Cruz («beatífica visión al final de la noche oscura», p. 78), y al cine, lógicamente (Buñuel, Bergman, Hitchcock).

[108] M. Durán ha clasificado los estilos presentes atendiendo a su grado de emoción. De más fríos a más cálidos son: 1) estilo escueto; 2) textos literarios; 3) monólogo interior; 4) parodia; 5) exaltación; 6) delirante», en AA. VV., *Juan Goytisolo,* cit., páginas 64-65.

[109] «El carácter circular de la novela resalta todavía más por la simetría en el uso de los estilos, al principio y al final. La novela se inicia con un monólogo interior cargado de emoción, pero que deriva poco a poco hacia la minuciosidad descriptiva [...] La novela termina igual, pero invirtiendo simétricamente los dos estilos». Durán, *ibid.,* pp. 66-67.

social con el fin de apreciar más justamente la denigración o ensalzamiento de que es objeto.

Pero esta sátira a referentes textuales es comparativamente externa, aunque configura su idiosincrasia, pues resulta sencillo apartarse de ellos. Más difícil y profunda es la ruptura de su nivel infantil, contra el que emprende el ataque en el último capítulo.

Es en la infancia donde el personaje veía en *Señas* la raíz de sus males. La ya comentada alusión a la carta de la esclava al comienzo de la novela anterior es el origen de la inquisitorial búsqueda, primero, y desprendimiento, luego, de sus señas de identidad vinculantes a un medio y cultura represores. De aquí la necesidad de romper con esa infancia, origen de su cultura y desdichas presentes. Todos los caminos esbozados a lo largo de esta novela van a converger a este capítulo final de *Reivindicación:*

> ¿el niño?: ¿qué niño?: tú mismo un cuarto de siglo atrás, alumno aplicado y devoto, idolatrado e idólatra de su madre, querido y admirado de profesores y condiscípulos (p. 215).

Y este niño es el mismo que aparece en *Señas,* como podemos comprobar a través de la alusión de amor a la naturaleza de ambos *(Señas,* p. 50). Alvarito es piadoso, reza jaculatorias y cumple, como nuevo Caperucito, los mandatos de su madre (p. 207).

El narrador se dispone a acabar con su niñez, etapa de su vida que le vincula íntimamente a su cultura y a sus prejuicios. Lo realiza en dos tiempos. El primero, rápido: «encorvarás la culebra en el niño y le rebanarás el cuello» (p. 209), final del cuento de Caperucito. Pero esto resulta precipitado y no contempla otros aspectos educativos. Además, carece del sadismo necesario para conducir a la ruptura total. Por eso rectifica:

> no
> no es así
> la muerte no basta
> su destrucción debe ir acompañada de las más sutiles torturas (p. 210).

Desde el inicio de la novela, el narrador se ha visto rodeado de animales tradicionalmente considerados demoníacos (serpientes, arañas, escorpiones, etc.) que va poco a poco asimilando y, ahora, ya incorporados a su ansia destructora, vuelve contra sus educadores, rehaciendo el cuento de *Caperucita Roja.* Recurre de nuevo a la serpiente, símbolo odiado por su cultura, que se venga de monseñor Toth, Rodrigo y todo aquello por lo que fue despreciada. La culebra es otra y es él mismo simultáneamente: «no le miréis: dicen que con sus ojos hipnotiza» (p. 216), «tú y tu fuerte compañera: la serpiente» (p. 218). Subyugado el niño por el reptil, el protagonista duda de nuevo sobre el camino a tomar. La elección se resolverá en función de lo que suponga el mal mayor. El niño violado carece de culpa, puede redimirse. Si le seduce y le atrae al pecado, puede emplearlo para mayores males, aparte de que el sentimiento de culpabilidad que genera en la víctima es superior. Esta segunda opción será la preferida. Alvarito, siguiendo la advertencia de Toth, se vuelve hipócrita; con una doble vida: «el niño que frecuenta colegio e iglesia y el que busca y acata la serpiente» (p. 224). Su suicidio le permite al narrador escapar definitivamente de lo odiado y recuperar la unidad personal perdida: «monstruo no, ni bifronte ni hermes: tú mismo al fin único, en el fondo de tu animalidad herida» (p. 230).

Como cuento tradicional que es, puede ser desglosado en una serie de núcleos. La articulación de éstos constituye una secuencia que varía según la perspectiva del agresor y del agredido [110]. A este relato se une la presencia del texto de monseñor Toth. Esto hace que no sea sólo un cuento, sino que se incluyen una serie de datos que nos conducen a una situación educativa concreta, raíz de sus angustias, a lo que añade la sacrílega iconoclastia contra una imagen de la Dolorosa (pp. 231-233). Es la ruptura del mito.

[110] Sigo el esquema de C. Bremond, «La lógica de los posibles narrativos», incluido en *Análisis estructural del relato,* Buenos Aires, Tiempo Contemporáneo, 1972, p. 100.

Perspectiva del agresor *Perspectiva del agredido*

Adversario a eliminar
(su propia infancia, p. 217)

↓

Víctima a atrapar
(Alvarito, p. 206)

↓

Búsqueda de la víctima
(«escudriñando sin éxito», página 218)

↓

Engaño
(«halagos y mimos», p. 219)
(«confía en mí», p. 220)

↓

Engañado
(«el niño hostigando por el áspid y el áspid azuzado por el niño», p. 220)

↓

Proceso de la falta
(«mansito, sabiendo ya lo que le espera», p. 222)
(«todos los días él te trae dinero», p. 223)

↓

Falta cometida
(«escamoteará varios billetes», «busca y acata la serpiente», página 224)

↓ ↓

Daño a infligir
(«un día te mataré», p. 227)

↓

Proceso agresivo
(«golpearás la faz», p. 227)

↓

Daño infligido
(«el niño se anuda cuidadosamente la soga al cuello», p. 230).

Muestra este esquema la degradación creciente del personaje, evolución que afirma la desvinculación definitiva de su tierra y valores culturales, condensados ahora en la versión de Perrault. El choque emocional es violento y profundo, pues el triunfo del personaje sobre Alvarito presentaría, según los psicoanalistas, la asunción de la imagen fantástica del padre castrador, reivindicándola.

El sacrilegio final que se comete con el pillaje de la iglesia y la apoteosis que suscita el drogar a las beatas que acuden a comulgar procede de la *Primera Crónica General*[111], donde se narran los desafueros cometidos por los árabes victoriosos. Goytisolo transforma este pillaje y lo actualiza introduciendo las dos acusaciones más habituales hoy día: el moro drogadicto y violador, ambos aspectos procedentes de los temores que este pueblo suscita en el mundo cristiano, atribuciones que, según el autor, son proyecciones de los propios sentimientos y deseos tabúes sobre una raza diferente. Aprovechando, pues, la denostación de Alfonso X, actualizándola y desvelando lo que tiene de instinto proyectado, construye un final de *Reivindicación* al que une la violación de la virginidad y que constituye, en conjunto, un fragmento fundamental en la novela que muestra perfectamente cómo Goytisolo aprovecha los materiales literarios y los reinterpreta, recreándolos para adaptarlos a sus propios fines. Recoge el texto alfonsí, lo asimila, lo desmenuza y destruye para reintegrarlo literariamente adaptado a sus fines. El texto ha ido destiñendo y rehaciéndose para componer algo diferente y adecuado a la novela en una verdadera escritura en palimpsesto que preludia sus pos-

[111] Capítulo 559, citado por Menéndez Pidal en su *Floresta,* I, p. 16: «Aquí se remató la santidad et la religión, las cruzes et los altares echaron de las eglesias; la crisma et los libros et las cosas que eran poar onrra de la cristiandat, todo fue esparzudo el echado a mala part; las fiestas et las sollempnías, todas fueron oblidadas; la onrra de los santos et la beldad de la eglesia, toda fue tornada en laydeza et en viltança». Antes, el cronista ha citado las violaciones: «las mugieres guardávanlas pora densonrrarlas, e la su fermosura dellas era guardada pora su denosto» *(ib.,* p. 15). Sobre este incremento de la violencia, v. Jerome S. Bernstein, «*Reivindicación del conde don Julián* y su discurso eliminado», en *Voces: Juan Goytisolo,* Barcelona, Montesinos, 1981, pp. 55-65.

teriores novelas, donde espacios y personaje se irán metamorfoseando.

El narrador carece de rasgos físicos e incluso de circunstancias externas, salvo una ligera ambientación. Su entorno es el deambular físico por las callejas tangerinas o mentalmente en un fumadero. Su ámbito es su propia mente, donde se produce la intertextualidad, combate con los textos de su educación. A través de su monólogo, apenas salen a flote un par de datos que permitan identificarle como el Mendiola de *Señas*. Es más un pensamiento que un personaje entendido como poseedor de un físico y un nombre, un ser deprimido y agresivo. La agresividad, nacida de su angustia, es su característica más acusada. El rompimiento con su infancia y su epifanía arábiga culmina unas tendencias apuntadas en *Señas*, pero que no podían esperarse. El camino que en *Señas* va a seguir es el cubano o el francés. Pero del africanismo del paisaje almeriense sale *Reivindicación*.

En esta novela, el personaje es más autónomo, está más solo. Ni el amor ni la amistad, salvo una ligera alusión («los amigos que aún tienes se salvaron sin duda», p. 12), están presentes. Nadie puede ayudarle porque su liberación depende de sus vivencias culturales recibida bajo dos ópticas. La más influyente es la del Noventa y Ocho, la que le han dado mutilada por intereses partidistas y represivos, en su educación [112]. Su odio le convierte en un luchador contra sí mismo. Según Fromm, se cumple así una necesidad humana provocada por la sociedad, que coarta al individuo y le impide su desarrollo armónico, lo que le deja la destrucción como única salida: «Creación y destrucción, amor y odio no son dos instintos que existan independientemente [...], y la voluntad de destruir surge cuando no puede satisfacerse la voluntad de crear» [113]. Esto es lo más alejado de la indiferencia. Su asalto es una prueba de amor, de pasión, una lucha

---

[112] Propongo, dice Goytisolo, «la destrucción de todos los mitos y todos los símbolos sobre los que se ha edificado la personalidad española, desde la época de los Reyes Católicos. El mito del caballero cristiano [...] El mito del destino español singular y privilegiado [...] El mito de la virginidad femenino [...] El mito del paisaje de Castilla, ensalzado por el 98, etc.». «Declaración de Juan Goytisolo», en AA. VV., *Juan Goytisolo,* art. cit., pp. 138-139.

[113] Fromm, ob. cit., p. 39.

contra lo que considera nocivo e inútil y contra los que promocionan esa opresión, consideración que trata de extender al lector español contemporáneo que sufrió los mismos problemas, lo que conforma una obra esencialmente hispana.

La reelaboración que efectúa de los datos externos hace que éstos no nos interesen por sí mismos, sino por estar al servicio del personaje. Engulle lo externo para devolverlo destrozado. Ante esto, el lector debe adoptar una postura, asintiendo o rechazando lo que se le ofrece, pero no puede quedar impasible o soslayar el ataque. La apariencia de irrealidad no es más que el no reconocimiento del objeto criticado, pero éste existe, aunque esté tratado subjetivamente al nacer de la relación hostil personaje-entorno y personaje-pasado.

Se trata de una variante del mito del Paraíso perdido. El reino visigodo es ese Edén arrasado por los árabes, según la leyenda. La sombra del narrador recupera y reivindica esa pérdida y aniquila su educación castrante, eliminando, finalmente, con Alvarito, la idea de la infancia límpida y de la niñez feliz, inmaculada y paradisíaca.

La liberación

Goytisolo mantiene en *Juan sin Tierra* el personaje de sus dos obras precedentes. Desde el comienzo muestra el narrador su vinculación con el niño Álvaro Mendiola y con sus actitudes de madurez, y como en anteriores novelas, sigue obsesionado por su infancia:

> lentamente te has despojado de los hábitos y principios que en tu niñez te enseñaron: no cabías en ellos: como culebra que muda de piel, los has abandonado al borde del camino y has seguido avanzando (p. 83).

Este texto confirma el planteamiento de los problemas del personaje.

En *Señas* la niñez es fuente de su vida, en *Reivindicación* el protagonista concluye todos sus motivos en la infancia odiada. En *Juan sin Tierra,* el recuerdo de las fotografías vistas en su infancia y la educación recibida se presentan como causantes de su fracaso.

La estructura de la trilogía enlaza el capítulo primero de *Señas* con el último de *Juan sin Tierra,* ambos presididos, aunque de forma diferente, por sus antepasados, que son también el comienzo de esta novela. La niñez se constituye así en el núcleo fundamental y generador de las desdichas del personaje, motivo que vincula todas sus novelas con mayor o menor intensidad, infancia infeliz que conformará una vida vacía. A la destrucción de este estigma está dedicada la actividad del personaje, que amplía ahora su campo de acción con respecto a las novelas anteriores.

Un segundo punto a considerar es la permanencia de las serpientes, aparecidas en la novela anterior. Sus cambios de piel suponen un paralelismo que se intensificará luego con otros seres, con la modificación de su vida futura. Importante es la postura retraída que adopta el personaje. De una investigación y un combate anteriores pasamos a una ruptura ya realizada que le proporciona una mayor seguridad en sí mismo y un distanciamiento irónico ajeno al dolor anterior: «te asirás a tu anomalía magnífica» (p. 63).

Es el final de un largo camino de desposesión el que ahora culmina tras su vuelta al útero materno, útero que es el de la diosa afrocubana por él invocada en *Señas:* Yemayá. Es el nuevo Changó con atributos arábigos, en similar descripción a la litografía de Tariq en *Reivindicación.* Rechazo visceral de la anterior cultura, inculcada por vía sentimental y por el mismo medio repelida. Ya libre, con ironía se burla del pasado y lanza su crítica para captar al lector, «enseñarle a dudar» (p. 146), en un texto que es medina-laberinto autosuficiente y quebrador de las falacias oficiales y de las mentiras cobardes.

Esto lo va a realizar en tres puntos distintos. El personaje cambia y altera los valores sexuales. Esto ya lo hemos visto ampliamente y no volveré sobre ello sino circunstancialmente. Luego tenemos el aspecto literario, en estrecha unión con el personaje, pues éste es sólo texto, lenguaje literario en relación con el tercero, las defecaciones. Se trata de reivindicar la naturaleza, rechazando tabúes y ritos de esconderse para realizar actos fisiológicos. Es la unión con las costumbres de los esclavos.

La cultura occidental ha ido sublimando estos actos y ha introducido costumbres nuevas de acuerdo con la categoría social, lo que les ha hecho diferentes. A mayor nivel social, mayor limpieza. Así, los amos «expelen sin zumbido ni furia, de un modo noble y aséptico» (p. 23), sarcasmo con alusión a Faulkner y Shakespeare, que culmina en los santos, exentos de tal necesidad [114].

La ruptura de los aspectos establecidos (el espacio, el tiempo, el argumento), quebrar las vinculaciones discursivas habituales supone un cambio novelístico importante. El plantear la literatura como juego, exuberancia y crítica desliga al personaje de sus anteriores ataduras. Es, al mismo tiempo, despreciar la lógica y atraer al lector con su juego hacia su terreno, hacerle comulgar con sus ideas, imbuirle su capacidad crítica, causa de sus metamorfosis.

Ayudado por el cine (*Lawrence de Arabia, Locura de amor,* p. 99; *Simón del desierto,* p. 123; *King-Kong,* p. 74), nuevo arte que permite mezclar datos y alterar las fronteras lógicas, el personaje lanza un decidido ataque contra aquellos aspectos literarios que impiden la libertad de imaginación y, en consecuencia, encadenan a un mundo determinado so capa de criticarlo, lo que no es posible si no se desechan antes palabras e ideas de los enemigos.

Ironiza sobre «los textos sagrados del realismo» y el «evangelista san Lukas» (p. 265), enumerando una serie de rotundas afirmaciones que contrastan con la situación que el discurso está creando: «EL REALISMO ES LA CUMBRE DEL ARTE» (p. 271). El personaje era uno de los puntales de la novela realista social, soportaba sobre sus espaldas la representación de una clase o grupo social y es aniquilado: «me llaman V a secas, se da usted cuenta?» (p. 306).

Desaparece el personaje tradicional, el mundo actual resulta incomprensible, incoherente, fragmentario para quien lo contempla, un lugar donde el hombre no puede llegar a realizarse plenamente: «En la familia cultural, las funciones

---

[114] Cf. *Juan sin Tierra,* pp. 23, 171, 210, 220 y 241.

de la ciencia y la religión tienden a llegar a ser complementarias; mediante su uso actual, ambas niegan las esperanzas que una vez despertaron y enseñan al hombre a apreciar los hechos en un mundo de enajenación»[115]. Denuncia, por una parte, la destrucción efectuada por la sociedad sobre el hombre. La novela realista marca la continuidad de un personaje íntegro y comprensible, supuestamente tomado del mundo real en el que no existe tal ser íntegro, sino fragmentado, incognoscible en su totalidad. De aquí la necesidad de una disolución del personaje.

En segundo lugar, se plantea un texto lúdico, un juego irónico similar al de Augusto Pérez-Unamuno, pero despojado de todo tragicismo, con un sadismo que se complace en la destrucción del mito y la producción de un lenguaje demiurgo capaz de originar espacio y sentido sin necesidad de ataduras externas. El narrador-protagonista se siente más libre con esta nueva forma, pero eso no presupone una desvinculación de la crítica. El «goce yermo» es la consciencia de que esta forma es la adecuada a unos contenidos diferentes. Es una toma de postura sin abandonar la labor crítica, separándose de la técnica novelística de la década anterior, incapaz de captar matices y cambios sociales, anclada en un planteamiento fenecido.

El «goce yermo e improductivo» es correlativo a la homosexualidad. Sexo y escritura se encaminan a la improductivad porque es la forma de oposición que el personaje considera más lógica frente a una sociedad basada en el consumo. De aquí su ilegalidad y el definitivo abandono de la cultura anterior. La desvinculación del personaje de su cultura ibera y de la cristiana en general, está motivada por ese culto a la productividad, cuya repulsa le lleva a lo estéril, reflejado en el desierto que abraza, en la propuesta de una nueva sociedad sin ritos y en la creación de un nuevo mito, el mito árabe, perseguido en España durante la reconquista, en Argelia durante su guerra de liberación (p. 93) y, según veremos ahora, en un europeo desprecio por todo aquello que

---

[115] H. Marcuse, *Eros y civilización*, Barcelona, Seix Barral, 1968, páginas 77-78.

se salga de una raza, una costumbre y un nivel de vida determinado por la raza blanca.

Su ayuda para esta huida procede del pordiosero árabe, considerado en esta cultura como un ser cuasidivino [116]. Su repudio de la cultura cristiana y su vinculación a la homosexualidad como solución anticonsumista es hecho público para que el asco y el desprecio que el grupo de turistas siente por los protagonistas sea total, acrecentado por su unión con un sucio mendigo.

El mendigo es asocial y libre, no encadenado por prejuicios ni leyes, y el personaje encuentra en él un modelo de libertad y de desprecio a la cultura represiva. Su odio y esterilidad los encuentra Mendiola también en otros personajes. Con ellos se va a ir identificando, sacando un rasgo o particularidad propia de cada uno para formar su nueva personalidad. Se interesa especialmente por el reverendo Foucauld, trapense y anacoreta en el desierto argelino (1858-1926), cuyo abandono de Francia y martirio resalta en un doble plano, ambiguo y atrayente. Por un lado, la consideración de que su muerte, la de un representante del mundo odiado, se deba a Ebeh (p. 165), y por otro, «el egoísta y estéril placer del martirio» (p. 167). El goce de matar esa cultura y la esterilidad egoísta del martirio son dos puntos complementarios ansiados por el personaje en formación.

La atracción que ejerce sobre el personaje el mítico Lawrence de Arabia (1888-1935), caudillo de los beduinos y autor de *Las siete columnas de la sabiduría,* radica en la crueldad de sus guerreros y en su capacidad de asimilación de lo árabe, similar a la que posee el español Turmeda (1352-1423), renegado franciscano. La fama y prestigio de Turmeda y Lawrence entre los árabes se contrapone al olvido en que yace Foucauld, castigo a su intento de introducir una cultura represiva en un mundo libre.

Junto a los europeos arabizados y a los árabes crueles, el narrador adopta también a los animales como puntos de imitación: «el descenso en la escala animal será para ti una

---

[116] «El pordiosero se había convertido para ti en un símbolo codiciable y precioso [...], conducta independiente, vida al margen» (pp. 315-316).

subida» (p. 79), de la que es eje una nueva sexualidad. La columna sobre la que se asienta Simón el Estilita le recuerda el sexo de King-Kong[117]. La atracción por el rey de los monos, su rechazo de la civilización le lleva a aliarse con el enemigo social que necesita para provocar el hundimiento de la civilización: «culto clandestino a los reptiles y otros animales» (p. 205). Se produce así un proceso de animalización que aleja de la especie humana y le relaciona con los animales que suscitan asco y terror y con los europeos que abandonaron su cultura por el mundo árabe.

El personaje, tras liberarse de las cortapisas que impedían su desarrollo, busca una nueva vida para salir de su anterior vacío. Su traición va seguida de una identificación con dos animales (King-Kong y la serpiente) con una fuerte carga erótica: la serpiente por su simbolismo fálico, el enorme mono por la pasión despertada en la película a la mujer de la expedición que le caza.

Nace así una mentalidad destructiva desarrollada por la ausencia de amor. Mendiola destruye su pasado y sus vínculos personales con el fin de sustituirlos por otros. No es un personaje negativo más que desde el punto de vista del que pertenece, y se siente herido por ello, a la sociedad despreciada. En cambio, es creativo para quien lo contempla desde la cultura a la que pretende vincularse: es un nuevo Turmeda, vilipendiado o ensalzado, según la óptica del espectador.

Dominar la crueldad y la muerte es necesario para su liberación, la sociedad que busca ampliar el libidinal disfrute del cuerpo y la consideración de la vida como canción y juego. Homosexualidad y contemplación suponen una libertad amplia, sin las restricciones de la vida occidental, lo que no significa ausencia de nuevos mitos y yugos, que surgen desde el momento en que se establece un programa (cap. V), sino que estas gabelas las considera más aceptables, son elegidas, no impuestas por nacimiento. Su lucha se desarrolla contra

---

[117] «La pulida superficie cilíndrica que te sirve de apoyo bastarían para colmar por sí solos los más extravagantes sueños de dicha de la devota grey de King-Kong» (p. 124).

Vosk, proteico personaje que representa la mentalidad española, y su figura está presente a lo largo de todos los capítulos, a excepción del último.

Su primer aspecto es el de capellán blanco que catequiza a la negrada y trata de extirpar en ellos la sexualidad. Paralelamente, les recuerda su inferioridad y animalidad, de donde se deduce la protección que están obligados los blancos a ejercer con el fin de purificarlos, aunque no quieran (cap. I). Todo lo natural es considerado demoníaco y debe ser eliminado en lo posible mediante una ascesis, obligatoria para los perversos, voluntaria por parte de los convencidos de su maldad, con el fin de evitar lo que limite una consideración productiva del hombre. Por eso, el padre Vosk, tratando de trascender todo lo humano, de elevar al hombre hasta su primigenia pureza, emplea el fuego como recurso definitivo para convencer a los reticentes y pertinaces.

Como capellán, presenta ya las tres características que definirán su figura: odio al sexo, la consideración impura de las defecaciones y la necesidad de castigo para salvar al hombre. Purificarlo y hacerle socialmente útil será la tarea que desempeñan los sucesivos Vosk en los siguientes capítulos. Así, el sexo será objeto de especial atención. Su máximo ideal, aunque algo pecaminoso, será la Parejita Reproductora.

A través de los Vosk y del programa político que incluye, se aprecia el fondo político de esta novela: el ataque a los símbolos nacionales, el desprecio de los problemas que plantea el destino de la plusvalía, el fracaso de una revolución que conduce al trabajo intensivo («colectividades obligadas a producir y crear riqueza», p. 246), todo ello enfrentado a su lema, «reivindicando el ocio» (p. 246). Se propone la desaparición de toda productividad, que engendra el consumo, incluida la de la parejita, restaurando el disfrute del cuerpo y creando una sociedad nueva e igualitaria: «paraíso, el tuyo, con culo y con falo» (p. 234).

Vosk, como Álvaro Peranzules, son personajes carentes de rasgos tradicionales. Si en *Señas* eran las Voces, toman ahora un nombre y son paseados a lo largo de la novela. Esta obra ya no es una explicación de postura ante las Voces, sino una burla de esas ideas. La polimorfia de Vosk es texto que representa lo odiado, pero sin agonía. No es la razón enfrentada a la falacia de las Voces, ni la lucha contra los interiorizados esquemas educativos, es ahora la burla descarada de unas ideas pobres y machaconas, exponentes de una cultura edificada contra el hombre y de la que, definitivamente alejado, se mofa el narrador protagonista.

La función de los distintos Vosks es estructural. Denominaciones que designan papeles sociales, son racimos de ideas idénticas las que se esconden bajo cada fantasma. Es un resto de los anteriores personajes, pero ahora no los disfraza con caras diferentes, no les cambia los nombres. Mantiene el mismo nombre propio para indicar su gran unidad, su misma concepción de la vida. Basta alterar su función social (doctor, padre, coronel, monje, capellán, etc.) y denunciar la igualdad de sus ideas. Es la identificación del individuo con la masa hasta convertirse en una inicial sin personalidad: V.

Esta técnica convierte al narrador en un creador de personajes, un trujamán que maneja sus títeres, lo que permite un distanciamiento que se transmite al lector y conlleva la imposibilidad de identificarse con el personaje o el narrador, y obliga al lector a incrementar la búsqueda de los motivos de la crítica, que es el efecto buscado por el novelista. Constituye así una nueva forma de personaje para una nueva novela. El discurso como fundamento, el predominio de los signos sobre las cosas, de la peripecia sobre el orden supone un personaje discursivo, capaz de conjurar y derrotar el engaño, la falacia que la palabra adquiere en boca de los Vosk [118].

El origen de este personaje tiene una doble fuente, en apariencia poco relacionada, pero con una raíz común. Se trata de la filosofía alemana, concretamente Marcuse, y el carnaval o la cultura popular.

Marcuse suministra el planteamiento teórico, la base

[118] «Lo que está ocurriendo ahora no es ni más ni menos que el fin de los géneros, o, cuando menos, la sustitución de la noción usual de la novela como *historia* —en terminología de Benveniste— por *discurso*», dice Gimferrer, «Juan Goytisolo, del pasado al presente», *El País*, 8-I-78.

de pensamiento necesaria, a través de su obra, fundamentalmente *Eros y civilización, El hombre unidimensional* y *Al final de la utopía.* Se trata de la constatación de que las teorías políticas no han surtido el efecto necesario para el hombre. Éste sigue estando sometido en una sociedad en la que el desarrollo se ha convertido en un nuevo ídolo, no en un sirviente. La técnica de hoy posibilita un proceso de liberación del hombre. Frente a la idea de Freud, de que la represión sexual puede ser socialmente útil y utilizable en forma de nueva energía para el trabajo, Marcuse propone el empleo de las máquinas para liberar al hombre de trabajos innecesarios y reconvertir la represión, pues una liberalización supondría un rendimiento más alto y gratificante [119]. En consecuencia, la presencia de la genitalidad procreativa, es decir, restringida a la simple función de reproducción, debe abolirse, lo mismo que el restringir el campo de la satisfacción a la genitalidad. Tal restricción es consecuencia de esta teoría procreadora, y el campo de la satisfacción corporal debe ser libidinal, ampliarse a todo el cuerpo.

De este planteamiento nace la idea del personaje-narrador de la escritura como onanismo (p. 225), elemento no directamente productivo ni puesto al servicio de unas ideas, como acontecía con el realismo social. La escritura debe ser autosuficiente, engendradora de su propio sistema y conteniendo en ella misma el placer necesario. Toda escritura apoyada en ideas preconcebidas, marcadas, está condenada a la esterilidad y se aleja de su función básica, la crítica constante a la norma.

Este proceso crítico debe adoptar una forma literariamente válida. No se trata de exponer ideas, sino de darles cuerpo en el personaje y, sobre todo, por medio de un estilo. En este punto es en el que Juan Goytisolo bucea en el

---

[119] «Tendremos que demostrar que la correlación de Freud represión instintiva-trabajo socialmente útil-civilización puede ser transformada significativamente en la correlación liberación instintiva-trabajo socialmente útil-civilización [...]. La eliminación de la represión sobrante tendería *per se* no a eliminar el trabajo, sino a la organización de la existencia humana como un instrumento de trabajo [...]: la liberación de Eros podría crear nuevas y durables relaciones de trabajo», H. Marcuse, *Eros y civilización,* cit., página 149.

mundo de la cultura popular. Frente a la normativa, lo popular ofrece la libertad, la no-norma, la anomía. Y ésta es especialmente destacada en los momentos de libre expresión, que se destapan durante los carnavales. A través del ya citado libro de Bajtin, *La cultura popular en la Edad Media y el Renacimiento,* se descubre el barroquismo y la confusión alborozada de la liberación. El lenguaje barroquizante se impone así por varios motivos: reacción contra la simplicidad del objetivismo, captación por el lenguaje de la confusión del mundo actual, de su dificultad de aprehensión, revivir de nuevo la ceremonia de la confusión y la alegría desbordada que es el festejo popular. Frente al lenguaje oficial, el pueblo mezcla la sátira, la irreverencia, las asociaciones libres, los elementos cultos y plebeyos. El latín, los dichos evangélicos, los refranes, las bufonadas y chistes ofrecen una alegría creativa y satírica. Los superlativos, hipérboles, circunloquios paródicos, palabras tabúes, insultos, todo es abigarrado, polivalente. Sin descuidar otras influencias conocidas, ésta debe tenerse muy en cuenta a la hora de entender la función del barroquismo en la trilogía, muy especialmente en *Juan sin Tierra.*

La presencia de un Vosk polifacético es sintomática en este contexto. El personaje es una máscara cambiante, de aspecto variopinto, pero idéntico en lo esencial. Se trata de un discurso, sin referente expreso. *Juan sin Tierra* supone así una novela radicalmente diferente a sus primeras obras en varios aspectos. Respecto al lector al que se dirige, requiere de éste una mayor preparación, una participación más intensa en la elaboración que de la novela hace con la lectura, exigiéndole para su pleno disfrute que posea un universo cultural amplio. El mundo de los personajes representativos es abandonado para alcanzar un testimonio más intenso y profundo, criticar de forma más subversiva. Para ello, su estilo es más rico y múltiple, compuesto de varios estilos fundidos que apuntan a todo un universo cultural [120].

---

[120] La multiplicidad estilística tiene precedentes en sus dos anteriores novelas. En *Señas de identidad* se encuentran doce tipos diferentes: 1) lenguaje oficial triunfalista, turístico; 2) lenguaje policíaco; 3) recortes de prensa; 4) estereotipos burgueses: 5) la cautela de la oposición española; 6) la vacuidad de los exiliados;

Todo ello denuncia un lenguaje negativo, bien porque esconde las realidades, bien porque pertenece a los dominadores y éstos ocultan la realidad que va contra sus intereses. Por eso, el personaje busca su salida a través de otra expresión, la árabe, que le vincula a los parias. Cada lengua nos da una visión diferente del mundo. No sólo es un medio de enriquecimiento estilístico de la novela, sino también un recurso adecuado de testimonio, pues cada tipo de lenguaje expuesto contiene y demuestra una cosmovisión diferente [121]. El objetivo provoca el discurso más adecuado y éste encierra una ironía hiperbólica, rasgo destacado en la novela, en la que encontramos sintagmas llenos de burla: «alígero catequista» (p. 53), «señero colúmbido» (p. 54), «himalayescos paroxismos» (p. 57), «moderna angeología estructural y generativa» (p. 213). Básicamente, la ironía radica en la presencia de unos calificativos cultos que distorsionan el significado del sustantivo [122].

---

7) argot juvenil; 8) la torpeza del lenguaje obrero; 9) lenguaje interior; 10) lenguaje poemático del versículo; 11) extranjerismos; 12) afrocubano, yoruba.

En *Reivindicación* ya no hay esta muestra de estilos, sino que se centra en aquellos lenguajes que han condicionado su educación: 1) lenguaje científico; 2) lenguaje literario; 3) lenguaje vulgar; 4) propagandístico; 5) turístico extranjero.

[121] 1) Monólogo. Normal: «interrumpirás la lectura de documentos...» (p. 51); exaltado: «su fortaleza escapa sin retención por el géiser...» (p. 117); delirantes: «la asiática horda penetrará en la moribunda capital del imperio y ninguna fuerza la podrá detener» (p. 107). 2) Cultura: pasado: «çusio e orrible pecado de fornicio» (p. 185); presente: «lápices de labios, Klinex, desodorantes» (p. 68). 3) Religión: «Todos hacendosos y castos, ajenos a los deleites torpes» (p. 26). 4) Literatura: «en vez de crear mundos sólidos, reales, y cautivar así el interés de los lectores [...], tú extraviándote en laberintos oníricos» (p. 288). 5) Lengua vulgar: «qué sabrá creío la prieta etta» (p. 54). 6) Lenguas extranjeras cultas. Latín: «membrum erectum in os feminae inmissint» (página 32). Francés: «naître avec le printemps, mourir avec les roses» (p. 34).

[122] Sucede en general con el abundante empleo de cultismos: «límpido y albo», «ebúrneo» (p. 38), «mílites» (p. 110), «maniluvio» (p. 238), etc. Sustantivos y adjetivos están al servicio de la sorpresa que deben producir en el lector. De este modo, buena parte de la burla radica en el contraste, como sucede con la exclamación del ama del ingenio: «he cagado como una reina» (página 20), en la que el choque entre las palabras y quien las pro-

El texto crea así su propia realidad y contexto. El personaje es discurso, repetición o sátira, pero la novela, su narrador, es el tema. La provocación lingüística encierra la destrucción de lo aborrecido, la sorpresa y la ironía rompen los moldes del lector, introducen nuevos elementos que son cuñas que harán saltar lo consabido. Es creación de un nuevo lenguaje y una nueva visión, acostumbrar al lector a abrir su mente y ridiculizar todo lo que se le dé como inmutable, desde Alfonso X a Joaquín Belda [123].

---

nuncia nos acerca al lenguaje esperpéntico de la Isabel II valleinclanesca. Siguiendo este sarcasmo verbal, tenemos que la composición será frecuente en la novela: «goyescoborbónica» (p. 44), «junglasfaltada» (p. 69), «anobuconasales» (p. 77); «pierrecardinescas» (p. 68), sobre un nombre propio; «rodinecopensativas» (p. 239), sobre un nombre propio y la obra de ese escultor; «inspiradoresuelta» (p. 239), y también calcos sintácticos del inglés: «neblumo» (<smog) (p. 97).

Otros rasgos podemos destacar. La presencia de la mitología, tanto grecolatina («Eolo», p. 17), como cubana («Changó», p. 55) y el mito consumista actual: «venta al contado o a plazos» (p. 69). Empleo del lenguaje de los cubanos: «botar», «prieta» (p. 37), «no más», «mismito», «apecha» (p. 40), incluyendo párrafos completos de este habla: «con esa bemba susia que tiene y su pelo pasúo y esa coló suya tan occura que no hay Dio que laclare que nosotra somo meno queya...» (p. 54). Uso de sinónimos formados por metáforas. Así, el pene de los negros es «diablo tiznado» (página 27), «caña» (p. 29), «tabaco» (p. 26); las defecaciones son «materia ignominiosa y oscura» (p. 47), «plebeya viscosidad» (página 46), «no-inodora, no-sublimada, no-oculta, no-aséptica explosión visceral» (p. 46). Juegos de palabras: «novel, nobelable» (p. 71), «bal(vag)ón» (p. 98), «falo-faro» (pp. 149, 153). Utilización de emblemas: «Finis coronat opus», «Natura non facit saltus», etcétera (cap. VI).

[123] Alfonso X en la *Primera Crónica General*, «porque entraban mucho a menudo a los bannos...», pp. 185-187), alusiones a Góngora («rubores mentidos», p. 25), Juan Ramón Jiménez («Platero de felpa», p. 52), Unamuno («super flumina Babilonis», p. 125, relacionado con *Andanzas y visiones españolas*, ob. cit., p. 12), Fray Luis de León («espaciosa y triste Península», p. 155), Vélez de Guevara y Francisco Delicado («cirio Pascual», p. 311), Fernando de Rojas (lema, p. 309), Calderón («Gran Teatro del Mundo», «la vida es sueño», p. 211), Cervantes (pp. 261 y ss.), Menéndez Pelayo (pp. 144, 179, 180, 205, 227, 231), Virgilio («dominio funeral de Plutón», p. 131), Vélez de Guevara (*Reinar después de morir*, página 110), todos ellos ya presentes en *Reivindicación*.

A éstos se añaden autores nuevos: Lamartine (p. 33), Galdós («Orbajosa y Ficóbriga», «Max, Manso y Torquemada», p. 281),

El personaje ha finalizado su periplo. Tras la angustia y el desgarramiento de las dos novelas anteriores, en *Juan sin Tierra* aumenta la ironía, procedente de la alegría del alejamiento y de la vinculación a lo popular. Ironía, humor e hipérbole son los recursos que denotan la exaltación jubilosa del personaje ante su libertad y resaltan el absurdo anacronismo de su pasado.

En conjunto, la trilogía refleja el proceso de introversión de un personaje en lucha por su liberación. Si en la primera etapa nos presentaba la dificultad de la lucha en sociedad, Álvaro Mendiola supone la culminación de ese fracaso. Impotente para realizar una acción social en un medio hostil, le disgusta tanto el punto en el que está su patria como el final al que está destinada, una integración en un mundo desarrollado y antihumano. De aquí proviene su introversión, apartamiento de todo lo externo. Sabe que, puesto a elegir entre la idea de Marx de cambiar la sociedad y la de Rimbaud de cambiar al hombre, no tiene elección. El cambio social no es controlable por él ni por sus amigos. Va mejorando, pero hacia un mundo que le resulta inhabitable, desolado, que no responde ni a sus deseos ni a sus inquietudes intelectuales. Por eso decide apartarse de este medio y busca la forma de cambiar él. Critica primero sus propios valores personales, imbuidos durante la infancia por gente hostil al desarrollo integral del hombre; luego, desarraigado, puede adoptar una postura distanciadora, superior y llevar a cabo la destrucción de los que defienden los valores establecidos, aunque sólo sea con aprobador silencio.

Su postura es la de un ser diferente por su capacidad, bien sea social, como la de Larra, o estilística, como Góngora. Esta superioridad es producto del ejercicio de una larga crítica y de un desapego que le proporciona una libertad intelectual que le diferencia de la pleitesía que los demás se rinden a unos u otros. El desenraizamiento, a medida que se realiza, va poniendo al descubierto una serie de la-

Quincey (*La monja alférez,* p. 24), Lawrence de Arabia (*Los siete pilares de la sabiduría,* p. 255), Turmeda (*Presente del hombre docto,* p. 103), Foucauld (p. 150), *La conquista de Grial* («Caballero Galaor», p. 117), homenaje a Joaquín Belda («Imperativo categórico», p. 77).

cras, lo que, a su vez, ayuda a tal ruptura. Los engaños familiares, sociales y estéticos se relacionan y negarse a admitir uno supone cuestionar los restantes, el descubrir sus vinculaciones, el descarnar las estructuras sociales como un montaje afectivo, coactivo y cultural al mismo tiempo. De aquí la imposibilidad de vivir en tal medio y la necesidad de una crítica que le aparte de su tierra. Sin embargo, la sátira y posterior liberación no es causa, sino efecto del planteamiento estilístico nuevo.

Frente a la univocidad que caracterizaba cada una de sus obras anteriores mediante el empleo de un tipo determinado de lenguaje, estas novelas se caracterizan por ser multívocas. Cada una presenta una serie de normas lingüísticas diferentes que son parte integrante de la misma realidad. Así, se desecha el enfoque único para captar una estructura compleja en sus componentes y relaciones, el diálogo deja de ser un fin para convertirse en un medio de profundización, la descripción deja paso al estado de ánimo, incluso abandona ciertas marcas tipográficas en ese proceso intensivo de integración de las partes en su propia mente. Lo externo se funde en su conciencia y desvela su soledad, su apartamiento y su cambio. En este avance, su monólogo pasa de crítico a delirante, pues delirantes son los actos de la sociedad y varía en sus significantes según los estratos sociales, pero la cosmovisión es la misma. Las oposiciones son aparentes, todas las clases sociales participan de idénticas ambiciones.

El lenguaje se constituye en percepción del objeto primero y, después, en creador del objeto mismo. Cada palabra se convierte en una opción personal enfrentada a las palabras-postura de la sociedad, y resulta ser el verdadero protagonista de la novela, un nuevo discurso que pueda oponerse al establecido, cambiando una crítica asimilable, con la destrucción de un manierismo social y cultural, según se esquematiza en el diagrama adjunto:

Condicionantes *Postura de Álvaro*

Señas de identidad

Clases sociales
Familia
Persona
Cultura
} jerarquía
obediencia } frustración → soledad, desesperación
Ética, anhelo
(Necesidades interpersonales)

↓

Reivindicación del conde don Julián

Palabra transparente/palabra extrema
↓ ↓
Carpeto acrítico/Julián libre
↓ ↓
Sexo encadenado/sexo libre
Opresión/liberación
} → Odio, amargura
Estética, cólera
(Insatisfacción)

↓

Juan sin Tierra

↓ ↑ ↓

Orientación/desorientación
Espacio y tiempo
concreto/presente incierto
Causalidad/inmotivación
Europeo instituido/árabe libertario
} → Plenitud, sexualidad
Política, alegría

La postura de Álvaro, en sus condicionantes y evolución, es un magnífico análisis de la lucha por salir de la alienación y lograr su propia realización [124]. La liberación histórico-sexual lleva a desear la utopía, plasmada en la creación literaria. La constante búsqueda de la felicidad será la que conduzca al ángel de *Makbara*, subvertidor de la escala de valores por amor.

---

[124] «Los tres textos funcionan como comentarios recíprocamente esclarecedores y amplificatorios; cualquiera de ellos es una reelaboración, en distinta clave, de los otros dos», G. Díaz-Migoyo, «La reivindicación de Onán», en AA. VV., *Juan sin Tierra*, ob. cit., página 61.

5. EL TERRITORIO DEL DISCURSO: *MAKBARA* Y *PAISAJES DESPUÉS DE LA BATALLA*

Varios son los aspectos que ligan las últimas novelas de Juan Goytisolo con la trilogía procedente: la sexualidad, el problema del lenguaje y la literatura, la identidad cultural, los componentes populares, pero el autor ofrece novedades interesantes. La más importante es la profunda relación que se da entre estos motivos y temas. En *Juan sin Tierra* se alude y teoriza continuamente sobre los problemas del lenguaje, sobre el placer solitario de la escritura. Conseguir que sexo, escritura y popularismo se fundan hasta formar un todo es un logro que señala la capacidad notable de Goytisolo para hacer literatura integrando los diversos matices de un pensamiento crítico.

La denuncia de los arquetipos europeos, el intento de moldear el mundo sobre lo occidental se convierte en el contraste entre el mundo oficial y el paria de *Makbara,* dos concepciones irreconciliables, a los que se añade el ángel, tránsfuga del paraíso socialista. Son dos mundos opuestos en apariencia, el capitalista y el comunista, y acordes en lo fundamental (situar al individuo al servicio del sistema) los que se enfrentan al radical primitivismo del paria, defensor de la libertad individual, buscador de la felicidad. En *Makbara* realiza un difícil camino de ida y vuelta entre pensamiento y sentimiento, la superación de la angustiosa soledad del hombre actual para otorgar una salida. La explicación del núcleo generador y de la intención de esta obra se encuentra en un reciente artículo de Goytisolo: «en la medida en que intelectualiza y moraliza su sexo y corporeiza moral y pensamiento, metamorfosea, como escribió Malraux, el destino ancestral en conciencia»[125].

Transformar el pensamiento en personaje literario se realiza, en mayor medida que en *Makbara,* en *Paisajes después de la batalla.* Si de la primera puede afirmarse la cuidadosa elaboración de la estructura que, según veremos, integra sus partes en un marco cerrado, en la, por ahora, última creación, Goytisolo incorpora un personaje que, sin perder la poligrafía crítica, ofrece facetas mucho más sugerentes. Antes, sin embargo, de destacar las consecuencias, en mi opinión fundamentales, de este cambio, considero necesario indicar los vínculos esenciales que relacionan a ambas.

La característica básica que liga a ambos textos es la que el propio autor denomina lectura en palimpsesto: los dos narradores ofrecen una pluralidad de lecturas de un episodio en dos vertientes distintas y complementarias. Un paisaje, un espacio o un plano facilitan al narrador el desplazamiento imaginario por la urbe o el desierto. La palabra del halaiquí en *Makbara* o la del vecino del Sentier parisino en *Paisajes después de la batalla* no precisa cambiar de lugar. El mapa es estímulo y motivación suficiente para recorrer el metropolitano o embarcarse en la travesía del Sáhara. El verbo del narrador transforma un punto topográfico en un mundo habitado por seres repulsivos y admirados, sobre los que proyecta sus sentimientos de desprecio y cariño, y en la nomenclatura de ciudades o estaciones del suburbano no se lee sólo un topónimo, sino que éste se abre como una almendra hasta ofrecer todo el universo que encierra. Pero esta polifonía se amplía desde el momento en que el narrador va desgastando la primera impresión para que brote otro paisaje subyacente que se impone sobre el primero, el sustrato formado por otro plano, otro lugar, otro ambiente que adquiere paulatinamente una mayor nitidez hasta diluir el primero. Es un fundido sucesivo: de una ciudad se pasa al desierto amado, de unas dunas al cuerpo deseado, de un

[125] Juan Goytisolo: «Sir Richard Burton, peregrino y sexólogo», art. cit., p. 41.

personaje político a otro consumista, de un lenguaje científico a la burla provocadora. La novela se transforma, así, por arte de la palabra, en una poligrafía sobre temas diversos que se entrecruzan y mezclan para originar una malla de sarcasmo siempre dolido y crítico frente a un urbanismo inhóspito, una actitud insensible, un lenguaje gastado, y a favor de la recuperación de la expresividad comunicativa a través de la palabra, el movimiento del cuerpo, el vestido. Por eso los héroes de ambas novelas, como los de sus obras anteriores, necesitan de la soledad que les permita pensar y se evaden hacia el ámbito de la libertad donde razón y sensualidad se aúnan para buscar un paraíso prístino que desafíe la racionalidad limitadora. Frente a la seguridad monótona del conformismo, Juan Goytisolo sigue proponiendo un cambio y una vida libre y feliz, que se plasma en la intensificación de los desequilibrios del texto [126]. Pero lo importante no es esa búsqueda para alcanzar lo ancestral, sino plasmarla literariamente.

El título de *Makbara* nos remite a un mundo no occidental, aunque muy enraizado en el pasado español, el cementerio árabe. Se trata de otorgar, de entrada ya, una serie de sugerencias que contradicen la forma de contemplar el mundo por parte de un occidental, de hacerle dudar de lo habitual, porque el cementerio árabe no se relaciona con el sentimiento de tristeza y podredumbre occidental. O tal vez sí, y entonces tenemos tres posibles lecturas del título.

---

[126] Prueba personal de esta postura es que nace *Paisajes después de la batalla* con una ruptura, aunque sea tangencialmente literaria: el abandono por parte de Juan Goytisolo de la editorial Seix Barral, que venía publicando y reeditando en España sus obras desde 1970. El que esta novela vea la luz en la también barcelonesa editorial Montesinos se debe a una postura ética del autor. Su anterior casa editorial ha sido engullida por el imperio comercial de don José Manuel Lara, propietario de la editorial Planeta, con el que Juan Goytisolo discrepa sobre promoción literaria e ideológicamente (no olvidemos que en *Señas de identidad* se burla del Premio Planeta y que en *Reivindicación del conde don Julián* le alude con el apelativo de «Al Capone»; confrontar *supra*, nota 17). Su opción por una editorial más innovadora, es un ejemplo más de rectitud que ilustra su postura estética.

El cementerio es tomado en su significación más habitual. Un primer plano de lectura nos conduciría entonces a la consideración del mundo occidental como un makbara, lugar de podredumbre consumista, donde los sentimientos no tienen cabida. Sin embargo, el desarrollo de la novela, las andanzas de los personajes de las catacumbas al cielo, del consumo absurdo al paraíso dictatorial, del capitalismo al comunismo, ambos deshumanizadores, contradice, hace dudar de la validez de esta primera impresión, máxime cuando los amantes realizan sus encuentros en el cementerio. Esto nos lleva a una segunda posibilidad, anclada en el pasado y en la costumbre árabe: el cementerio como centro de regocijo por ser lugar de encuentro de los amantes. Junto con los baños, era el único lugar público en el que los amantes podían entrevistarse sin problemas. De aquí procede la expresión española «ser un calavera», es decir, una persona que está de guardia permanente en el cementerio a la espera de una cita con una mujer. Pero hay una tercera lectura más profunda, más enraizada en las costumbres populares. El cementerio es el lugar donde se resume la más completa idea de lo que es la vida, concepción popular medieval recogida por el Arcipreste de Hita en España, cierre del ciclo vital, donde la vida y la muerte no son contradictorias, sino complementarias.

La composición de la novela es un aspecto fundamental de *Makbara.* Lo es de toda obra, pero, en este caso, el propio novelista comentaba en una conferencia en la Universidad Central de Madrid el trabajo que le supuso buscar una estructura acorde para la obra: acorde con los elementos populares y, simultáneamente, renovadora, crítica y poética. La solución compositiva adoptada por Juan Goytisolo puede considerarse perfecta, pues está en armonía, según iremos viendo, con el lenguaje empleado.

El fundamento de la estructura es tradicional, del tipo dado por *Las mil y una noches* o *El conde Lucanor:* un personaje que cuenta una serie de historias, es decir, que sirve como marco e hilo conductor de la novela y que resulta, simultáneamente, generador y conductor de la obra, clave de la misma. Y éste es un aspecto nuevo sobre la tipología tradicional. Pues si Scherezada o Patronio son voces que desde el comienzo ostentan su condición y reivindican el protagonismo, el cuentista de *Makbara* no aparece hasta el final. El lector se encuentra ante una novela donde los episodios tienen una concatenación lógica, orienta su visión hacia la crítica social y estilística puesta en boca de un narrador para descubrir con sorpresa que ese narrador es tradicional en el más estricto sentido de la palabra, no como un narrador novelesco, sino como quien recoge la tradición popular y cuenta a viva voz en la plaza pública, vive «literalmente del cuento». Lo que le fuerza a cambiar los presupuestos de lectura, a reinterpretar lo leído a la luz del nuevo descubrimiento, a dar un nuevo valor a la crítica, a considerar, en definitiva, la necesidad de alterar la idea de un novelador occidental para pensar, ponerse en el lugar de un juglaresco vendedor de sueños para el que no existe sólo la palabra, sino también el mimo, la imitación, los ruidos. Releer la novela desde esta nueva posibilidad, verla en su escenificación en la plaza pública, salmodiarla marcando pausas, recitándola, son diversas posibilidades no excluyentes y siempre creativas. La estructura hace dudar al lector de sus presupuestos habituales y le envía hacia una forma nueva, participativa, donde la creación no es exclusiva del autor, sino que exige la participación del lector; y el resultado, el mayor gusto exprimido a la obra, depende también de esta capacidad creativa del lector, al que se trata de sacar de su ensimismamiento y proyectarlo hacia la plaza pública. Porque es en esta plaza donde se encuentran otros componentes populares y tradicionales importantes.

Se produce aquí un elemento reivindicativo importante, pues la plaza es el lugar de reunión y de contacto humano. Frente a los lugares cerrados de los almacenes y de las viviendas, ante el aislamiento del individuo, la plaza pública supone la reivindicación de la comunicación y de la fiesta, de la alegría y de la libertad, donde los objetos más heteróclitos se entremezclan y combinan con los personajes más variopintos que ostentan sin temor todos y cada uno de los rasgos de su individualidad, en una tradición de respeto hacia el individuo, de participación, de expresión libre del cuentista, lo que nos presenta un marco abierto, alejado del sistema cerrado que inaugurara el Renacimiento con el *De-*

camerón (10 días×10 narradores=100 cuentos), recuperador de la polifonía tradicional, ambigua y multiforme, del lenguaje [127]. Pero esta riqueza no es fruto de la ambigüedad o indeterminación, sino de una rigurosa y trabada estructura.

La trabajada composición novelística ha sido puesta de manifiesto en un reciente estudio, donde se destaca el equilibrio entre las partes y su función paródica [128]. En cada capítulo de la novela predomina un «personaje»:

Cap. I: Paria. Cap. II: Lo oficial. Cap. III: Ángel.
Cap. IV: Paria Cap. V: Lo oficial-Ángel.
Cap. VI: Paria Cap. VII: Lo oficial-Ángel.
Cap. VIII: Paria Cap. IX: Lo oficial-Ángel.
Cap. X: Lo oficial.
Cap. XI: Oficial-Paria-Ángel-Oficial.
Cap. XII: Lo oficial.
Cap. XIII: Paria. Cap. XIV: Ángel.
Cap. XV: «Lectura del espacio en Xemaá-El-Fná».

Los tres primeros capítulos constituyen la presentación. El núcleo de la novela lo constituyen los capítulos IV-XIV. Con ellos se produce el contraste entre las diferentes actitudes habituales y el tema básico: la libertad individual. La consecución de esta libertad pasa por la crítica de lo percibido como más obvio. El autor busca salir de los moldes mentales y situarse en posiciones aparentemente absurdas. De aquí surge la ironía que saca a la luz el profundo absurdo del consumismo y su función niveladora de la persona. El paria contrasta con el consumismo occidental y el escándalo que provoca arroja nueva perspectiva social.

---

[127] «*Makbara* no está escrita desde la soledad combativa del tríptico de la identidad, sino desde otra soledad: la del que contempla una comunidad humana que admira y a la que desearía pertenecer», dice Gonzalo Sobejano, «Valores figurativos y compositivos de la soledad en la novela de Juan Goytisolo», en *Voces: Juan Goytisolo*, Barcelona, Montesinos, 1981, p. 30 (art. incluido en *Revista Iberoamericana*, vol. XLVII, núms. 116-117, julio-diciembre 1981).

[128] Evelyne García, «Sobre *Makbara*», en AA. VV., *Juan Goytisolo*, Madrid, col. España, escribir hoy, Ministerio de Cultura, 1982, pp. 139-151.

El ángel es un apóstata de la religión comunista. Su combate es la lucha por la plenitud, por despojarse de su angelical cuerpo, todo mente y razón, para adoptar un sexo que le otorgue una plenitud humana. Lo oficial comunista no ha resuelto el problema de la felicidad humana.

Pero la clave de la novela radica en el último capítulo. El tiempo se detiene para centrarse en el espacio. La amplitud y movilidad niegan el reloj, al jefe, a la norma y responden a las condiciones necesarias para un nuevo lenguaje. Es una estructura abierta en un doble sentido. Su composición permite la inclusión de nuevos elementos, es decir, de nuevos cuentos. El que éstos sean narrados por el halaiquí, verdadero marco estructural de la novela, posibilita futuros cambios en otros días, jugando así el autor con la ambivalencia que le suministra el simular una transcripción de lo escuchado y fingir que lo escrito es una de las posibilidades que se ofrecen al lector, libre así de desarrollar su imaginación: «lectura en palimpsesto» (p. 222).

Esta composición abierta, reivindicadora de la comunicación tradicional, directa, da campo verbal a un cuerpo físico, un sexo, y a una moral y un pensamiento crítico, a través de los dos personajes fundamentales, el paria y el ángel, personajes novelescos en el pleno sentido de la palabra, puesto que son discursos, es decir, no sólo componentes culturales, sociales y políticos, sino especialmente lingüísticos. No se trata de una pura intuición creadora o de una casualidad sensitiva, pues es el resultado de una cuidada elaboración acorde con cada una de las partes de la novela, un desmantelamiento riguroso de los sistemas opresivos posteriormente reconstruidos con los materiales derribados. En este punto, «de(cons)trucción» lo denomina en *Makbara*, está el placer novelesco del que señalaré algunos vértices.

Se parte del cuerpo del paria, que abre la novela. La presencia de un cuerpo grotesco es de por sí provocadora. Carente de orejas, tal vez por efecto de la sífilis, se nos ofrece un ser con todos los estigmas de la fealdad, suciedad y degradación. Un primer nivel: se trata de un ser rechazado por la sociedad occidental, pero procedente de una cultura donde los parias son considerados los preferidos de Dios, con lo que Alá prueba a los afortunados. Es peligroso y repulsivo por su capacidad sexual en una sociedad que ensalza cinematográficamente las mayores aberraciones sexuales. Estilísticamente, el cuerpo del paria se presenta como recurrente a lo largo de la novela y sirve de contrapunto al ambiente occidental, consumista y deshumanizado, en el que se mueve. Actúa como constante parodia de lo que le rodea y significa la plenitud personal, pues su lenguaje es corporal, sus actos limpios, frente al engaño de la palabra y a la incapacidad de los otros cuerpos para alcanzar la plenitud amorosa, subyugados por condicionantes culturales y más atentos al engaño de la palabra que a la realidad crítica de los hechos, obnubilados por la propaganda y coartados por la costumbre civilizadora (=castrante).

La castración es completa en el ángel procedente del paraíso comunista, donde se carece de sexo, donde el dogma impera sobre la individualidad personal, donde la forzada puesta en común conduce a la autocrítica absurda; paraíso donde, lógicamente, la Virgen es Secretaria General, mezclando en la sátira la dolorosa constatación de una teoría liberadora y crítica que se vuelve contra la libertad al transformarse en dogma intocable, haciendo del medio un fin y de la crítica una teología alienante. La parodia conduce al aspecto tradicional y popular del cuerpo del paria, cuya apariencia inferior está acompañada de una reivindicación y ostentación de todo lo bajo. Así lo considera el narrador: «fabular, verter lo que se guarda en el cerebro y el vientre, el corazón, vagina, testículos» (p. 221), final de la novela que nos devuelve a la causa inicial. La palabra nace del mismo centro de la vida: el vientre, los testículos, la vagina. Pues en la tradición popular la parte inferior del cuerpo lo era sólo topográfica, nunca valorativamente. Los impulsos sexuales eran generadores de la vida, el vientre transformaba los alimentos en heces que iban a abonar la tierra, a dar nueva vida, cumpliendo así un ciclo vital similar al de la disposición estructural vida-muerte, ya vista. Si el personaje tiene el valor de creación original y propia de una linterna mágica, la ironía procura desmontar el lenguaje oficial, derruirlo para, al estilo cervantino, recrear una sátira donde los componentes humanísticos den un resultado de ludismo creativo. Humor y parodia son elementos típicamente carnavalescos, momento del año en el cual lo oficial se reelabora para mostrar su falacia. Eso y no otra cosa significa la obertura de la novela, donde «al principio fue el grito» remite al cuadro de E. Munch, pleno de violencia expresiva, al evangelio de San Juan y al desgarro que va a ser toda la novela. El desasosiego del lector se subraya con un ritmo lento, pausado, intensificador del paseo del paria y del tedio que la ciudad le otorga, marcado por la escasez verbal y la abundancia de sustantivos equilibrados en sintagmas no progresivos. Este ritmo va *in crescendo* a lo largo de la novela, ganando en rapidez y movilidad mediante una cadencia rítmica de frases más breves y secuencias más rápidas.

Al ritmo que Juan Goytisolo da al lenguaje, más para ser leído en voz alta que en la intimidad silenciosa habitual (lo que supone romper los hábitos de lectura), se añaden las constantes variaciones del tono y se registran diferentes tipos [129].

El empleo de diversos niveles de lenguaje es una técnica ya clásica en este novelista, pero ahora tiene una potencia creadora superior a la de novelas anteriores. Su fuerza se basa en la «elocuencia» (p. 214), que llega hasta el «frenesí» (p. 222). Los elementos se funden de forma meditada al servicio de la provocación y de las asociaciones libres. La comicidad degradante de la altisonancia con que se presenta Pittsburg (pp. 121 y ss.), descripción zarandeada por la presencia del zoco árabe y la carrera de la fecundación, es un choque de estilos diferentes que muestran la vacuidad de la propaganda turística y la contraponen al ritmo intenso (a veces remarcado por los versículos) de la prosa de Goytisolo. En otras ocasiones, el ritmo conduce del espacio de

[129] *a)* Destrucción de lenguajes propagandísticos y radiofónicos, así como el lenguaje de los congresos y simposios, con los que elabora un registro irónico: «Radio Liberty». *b)* Descripciones narrativas en collage, parodiando en la mezcolanza y quitándoles todo tipo de elevación, rebajándolas cómicamente: «Sightseeing-tour». *c)* Ruptura de la objetividad para crear un lirismo, como en «Cementerio marino». *d)* Contraste lenguaje-referente, por lo que el primero queda destruido por la simple presencia provocadora del segundo: «Salon du mariage» (cf. Evelyne García, art. cit., p. 145).

la plaza pública hasta el lirismo intimista del encuentro de los dos amantes, como acontece en «Cementerio marino», donde la alegría y el color que observa el paria va poco a poco mezclándose con la búsqueda amorosa, en «libertad de albedrío, voz recuperada, dueño y señor de su propia vida» (página 49).

El abigarramiento gozoso con que los temas se funden y los motivos se entremezclan conduce de descubrimiento en descubrimiento, cada objeto presentado es adjetivado, cada palabra atrae a la siguiente sin una relación objetiva, por una concomitancia semántica profunda. El objeto puede conducir a la persona, ésta a la parodia literaria y de aquí al color [130]. La sorpresa por la variación de los registros va acompañada, en un nivel léxico, por la sorpresa de la palabra. Por un lado tenemos los juegos que posibilita el sintagma. Las series de adjetivos o sustantivos son lógicas hasta que, de pronto, dejan de serlo; un elemento nuevo inflexiona la serie, causa la sorpresa del lector y es aprovechado por el escritor para atraer otra significación, con lo que se crea una verdadera serpiente literaria, una prosa barroca y rica donde cada secuencia es un cuadro introducido por un término de la anterior ,alterando frases hechas para componer algo nuevo y sugerente:

> vivir, literalmente, del cuento: de un cuento que es, ni más ni menos, el de nunca acabar: ingrávido edificio sonoro en de(cons)trucción perpetua: lienzo de Penélope tejido, destejido día y noche: castillo de arena mecánicamente barrido por el mar (p. 219).

Parodia popular que también aparece en el paradigma para crear nuevas palabras. Así, sobre «cavernícola» forma «avernícola», donde se da no sólo la novedad del término, sino también el significado tradicional que posee el averno como lugar al que se desciende para nacer a una forma diferente de concebir el mundo, cual un nuevo Eneas. La

[130] «Una cajita de metal con sus bienes raíces, una baraja gastada, una lámina de anatomía en color, un tratado de artes galantes y recetas afrodisíacas, un viejo y sobado ejemplar del Corán: ancianos de blanco hasta los pies vestidos, muchachas con aretes y pulseras de plata» (p. 122).

misma palabra base sirve para componer términos peyorativos, como «sorbonícola», con el que designa a los estudiosos de la universidad parisina, cerrados en sus teorías, incapaces de ceder y de comunicarse, de comprender nada desde sus presupuestos occidentales, coros de mente cerrada como los de cualquier cavernícola, que han convertido la cultura en una lucha personal y de escuelas irreconciliables y estériles. Parodia, pues, doble, donde los mismos compuestos pueden cubrir opuestas y sorprendentes funciones, dando así a la novela una movilidad estilística y poética fuera de lo común.

Al desmantelamiento paródico del lenguaje oficial, a las sugerencias léxicas, se unen los diferentes niveles del plano semántico. Un ejemplo señero es el del falo. Posee tres atributos fundamentales: poder, fuerza y tamaño. Los tres componentes son atributos propios de la sociedad constituida, el principio básico de toda jerarquía. Aquí se trastroca la escala de valores al revolverse el lugar donde se depositan. Se trata de una revolución: lo que en la cabeza es base de una sociedad opresiva, en el pene es fundamento de todo cambio, de una nueva vida. El falo inerme es soledad e incomunicación. El falo erecto es recuperación de la palabra, reivindicación del cuerpo y del amor. A través del falo y de la felación se recupera la verdadera dignidad de la palabra plena, la palabra del amor. El lenguaje del cuerpo se revela como verdadero y superior al que emplea únicamente la garganta como medio. Sin embargo, este campo semántico no se mantiene unitario a lo largo de la novela. En una obra donde las variedades múltiples, el juego literario es constante, no podía escapar a él un elemento tan valioso. Así vemos que el campo del falo se extiende a la naturaleza, denominándose también «volcán», «colmena», y a la religión, con lo que se vincula al ángel, a través de la serie «nardo-vara florida-flor de la Inmaculada Concepción». Falo que es absorbido por el vientre para lograr su plenitud tras su salida del vientre que son las cloacas urbanas. Vientre que, en el lenguaje tradicional, equivalente a la tumba, pues ambos descomponen la carne que reciben para devolverla de nuevo a la tierra y ayudar a su fecundación, uniéndose muerte y vida, nacimiento y resurrección, con lo que se cierra el ciclo de esta novela, se enlaza con el título que la abre, y muestra en su interior una serie de recursos perfectamente elaborados, trabados y organizados, apoyándose unos en otros, enriqueciéndose mutuamente y creando un mundo de sugerencias [131].

Makbara posee múltiples posibilidades de lectura y para realizarlas es necesaria una notable sensibilidad y capacidad de análisis que no deje de lado ningún nivel y, en consecuencia, ninguna de las intenciones del autor. El lector es conducido por caminos diversos, obligado a desviarse, a dar marcha atrás. No se trata sólo de la denuncia de una sociedad «eurocrataconsumista», tema ya tratado anteriormente por Juan Goytisolo, ni de los componentes carnavalescos populares, reivindicadores del lenguaje del cuerpo y de la sátira libre, recogidos en *Juan sin Tierra* [132].

El placer de la lectura radica en el texto mismo, en la concepción de la novela como discurso libre, lúdico, lleno de procedimientos cambiantes, caleidoscópicos, donde se unen los juegos de palabras, la mezcla temática. Sobre unos motivos básicos se contrapuntea, se ironiza, se obliga a dudar de las creencias arraigadas y de la inmutabilidad de los pilares básicos de la sociedad. Se busca el juego destructor de lo establecido, juego estimulante y grato que destruye lo consabido y concluye, en el último capítulo, con algunas de las más bellas páginas escritas por Juan Goytisolo [133]. Deconstrucción rica, polivalente, liberadora.

Si el cuidado compositivo es fundamental en *Makbara*, no lo es menos en *Paisajes después de la batalla*, donde se añade algo que la convierte en una novela de gran importancia: la sensibilidad. En su estructura, *Paisajes* aparenta en principio una menor calidad técnica, lo que es engañoso

---

[131] Cf. Evelyne García, art. cit., pp. 144-150.

[132] Ya el crítico Paul Ilie había predicho esta evolución. Refiriéndose a *Juan sin Tierra* afirma: «El motivo de la serpiente es reversible: la muda de la piel es una metáfora para el cambio de costumbres, para el cambio de geografía a lo largo del antedicho sendero serpenteante del exilio, y, finalmente, para la aparición de nuevos aspectos públicos» *(Literatura y exilio interior,* Madrid, Fundamentos, 1981, p. 226).

[133] Afirmación coincidente con G. Sobejano, «Valores figurativos...», en *Voces,* ob. cit., p. 31.

como tantos otros aspectos de esta novela. Al igual que en *Makbara*, la clave de su montaje no se ofrece hasta el final, pero a diferencia de ella, tal clave no es técnica, no es un «cornice» impuesto que enmarca una serie de sátiras, sino que se ha ido creando a lo largo del texto sin que se perciba. En principio, *Paisajes* es una novela de personajes. Su especificidad estriba en que no es ahora el texto en boca de un cuentista, sino el narrador-personaje quien está escrito en palimpsesto, misterioso, sorprendente y polifacético. Puede pensarse que es un científico aberrante, o un obseso terrorista o un misántropo lleno de ternura. O todo a la vez o inexistente, pues, en definitiva, no es más que texto literario que se trenza y destrenza bajo la mirada del lector. El protagonista es la escritura con la peculiaridad de que le calificaría de falaz y esto es, en mi opinión, fundamental.

Hasta ahora, en una obra sabía el lector cuándo se le ocultaba algo. Otros personajes podían resultar engañados, pero él estaba puesto en antecedentes, era un ser superior que merecía todo el respeto del autor. De este juego en el doble nivel novela-lector nacía la intriga (así, en *Juegos de manos*, David desconoce que le han hecho trampas con los naipes, pero el lector lo sabe y de ahí la curiosidad por ver su reacción). Este enigma de las primeras novelas se fue adelgazando progresivamente hasta resultar implícito (en *Señas de identidad*, Álvaro Mendiola no se conoce a sí mismo, lo que provoca una angustia de la que es partícipe el lector, curioso de su desenlace). Pero en *Paisajes* el planteamiento da un giro copernicano: el protagonista engaña y el lector ignora si lo afirmado por el ente de ficción es cierto o falso, y esto marca una concepción de la novela totalmente diferente. Se baja al lector de su endiosado pedestal omnisciente y se hace del personaje una persona que le tutea, rompiendo la superioridad que siempre había mantenido. De esta construcción pueden rastrearse antecedentes [134], pero importa más señalar que después de esta técnica compositiva

[134] En castellano, en las dos últimas obras de la prodigiosa tetralogía de Luis Goytisolo, «Antagonía»: *La cólera de Aquiles* y *Teoría del conocimiento*. Esta doblez del personaje puede ser tan importante como la ibseniana Nora de *Casa de muñecas*, semilla de todo el teatro contemporáneo.

no puede novelarse igual en castellano. Si se pretende realizar algo nuevo, es preciso tenerla en cuenta. Así, el personaje falaz aporta una diferente percepción novelística que destrona al lector, eleva la creación literaria y obliga a participar en la elaboración de la obra con los cinco sentidos para desentrañar la postura del personaje, forjarse una idea sobre él para luego, cuando está encasillado, descubrir con asombro en las páginas finales que sus otros aspectos no resultan complementarios, que cualquiera de ellos puede ser el esencial, lo que implica que ninguno lo es, que toda opción cerrada resulta capciosa y define más al lector que al personaje, el cual en unas ocasiones asombra («Verlo para creerlo») y en otras afirma que sus posturas son caretas («Revelaciones a granel») de su oculta personalidad [135].

Se quiebra así la estructura tradicional de la novela: «el narrador no es fiable» (p. 177); y la identificación novela-narrador («escribir escribirme: tú yo mi texto el libro», página 193) conlleva la ruptura completa, «desmembrado y hecho trizas como tu propio relato» (p. 192), formando un discurso literario donde cada episodio escudriña un aspecto distinto de la realidad. Por eso el fragmentarismo de *Paisajes* es relativo y la novela posee una unidad intensa no sólo por ser creación de un narrador único, de un héroe aislado, sino también porque cada uno de los referentes es discurso, sean políticos o psicoanalíticos, matrimoniales o periodísticos, y su caos hace ostensibles las contradicciones sociales.

La composición está, en consecuencia, en íntima relación con el estilo. Si la estructura es el narrador, el héroe es perverso y su discurso polimorfo, alimenta su lenguaje barroco con una serie de meandros estilísticos de afirmaciones y negaciones («Hasta entonces... No obstante... Más tarde...», pp. 9-10) en un ritmo lento de dobletes sintácticos o

[135] Se presenta como un conspirador en el fragmento «Instrucciones elementales para la creación de un foco insurreccional», pasa a ser periodista científico en «Cómo reducir sus tensiones», un meteco secuestrado en «¡Raptado por los Maricas Rojos!», un obseso sexual émulo del reverendo Dodgson (alias Lewis Carrol) en «Última pirueta dialéctica»; resulta ser un tierno esposo en «A ella» y, en definitiva, un ser polimorfo a partir de «Reflexiones ya inútiles de un condenado».

marcadas pausas poéticas (p. 81) y largas comparaciones homéricas de epopeya moderna («El Sentier»), para agitarse de pronto con el primitivo tam-tam («Come back, Africa») remansarse en un sintagma no progresivo de puro placer enumerativo (en el fragmento cuyo título es pastiche del de un poema de Aragon: «L'Sa Monammu»). Es también metanovela donde el narrador comenta y puntualiza los motivos de un adjetivo (p. 54) o sustantivo (pp. 61 y 76) y una flagrante oposición a la corriente del realismo social («¡Qué vergüenza!») con desapego de su producción anterior («De nuevo en los papeles»). Todo ello unido a una variedad de registros estilísticos procedentes de fuentes diversas (periodísticas y epistolares, conferencias, discursos, telegramas y octavillas) que, además de burlescas, se destrozan mutuamente por su diferente planteamiento y el violento contraste léxico (así, el artículo científico y la carta obscena).

Como el personaje, al igual que la estructura, el estilo se forma y se ridiculiza, héroe y composición dependen de un texto que es violencia estilística en una escritura subversiva que transporta otra ética. Pero, ¿qué relación psico-sociológica existe entre la adquisición de una mayor competencia expresiva; el sentimiento de soledad afectiva e intelectual y el distanciamiento de la militancia partidista? De entrada puede considerarse que un mejor manejo de la lengua protege afectivamente y proporciona una mayor eficacia en el combate contra las nuevas formas de dictadura ideológica [136]. La alienación tecnocrática actual fundamenta un proceso reductor del lenguaje a lo meramente utilitario, según es bien conocido por los planes de estudio de las lenguas, tanto nacionales como extranjeras. Se genera de esta forma una mentalidad con grandes limitaciones para desarrollar un pensamiento crítico que se enfrenta al consumismo, considerado elemento realizador del hombre. Frente a esta postura, la función del escritor es destruir los moldes estandarizados con su originalidad creativa, romper lo habitual en estilo y temas. Hay, pues, una reivindicación donde se unen la persona del autor y lo político, y su poder lingüístico lo pone

[136] Cf. Fernando Morán, *La destrucción del lenguaje en la literatura*, Madrid, Mezquita, 1982.

al servicio de la desalienación, de la diferencia individual y contra los hábitos inculcados. Mostrar la diferencia con un lenguaje social supone destruirlo, lo que conlleva el rechazo del medio social al que así acusa. Resulta, pues, inseparable una verdadera ruptura lingüística y un sincero apartamiento político. *Juan sin Tierra* ya había mostrado tal interrelación con su barroquismo crítico. *Makbara* adelantaba un paso más al conducir al escritor a una soledad ambigua, pues su exilio sincero no impedía que detentase un poder intelectual del que carecían los desclasados que admira. Si la primera satisface el deseo destructivo del lenguaje y la cultura impuesta, la segunda le acerca a las minorías oprimidas con la consiguiente gratificación afectiva, pero en ambos casos la respuesta al aislamiento intelectual es teórica, por lo que producen una impresión de mayor equilibrio y perfección, pues están más racionalmente organizadas, mientras que *Paisajes después de la batalla* es el comienzo de solución afectiva práctica del problema de la soledad, y su lenguaje, en consecuencia, parece desorganizado, al ser de un racionalismo (en su sentido peyorativo) menor y más intensamente afectivo. El estilo y la composición chocante de *Paisajes* constata la concienciación inicial de una soledad irremediable, de su diferencia. Y, sin embargo, a través de estos contrastes aflora su auténtica relación con los demás, la percepción de su desgarramiento.

La novela, pues, la forman las cambiantes caretas del texto en un juego de manos que es engaño a la vista hasta el final. La composición se identifica con un personaje falaz, cuyo discurso esconde un desgarramiento, es el «texto-vilano» que edifica una «urbe-medina», un discurso inaprensible «lógicamente» de una novela-laberinto donde el lector se extravía guiado por un narrador engañoso y desmembrado hacia un territorio que es «simple geografía del exilio», resultado de un apartamiento interior («La ciudad de los muertos»). Es un nuevo frente de otro combate literario donde la circularidad de la composición y sus fragmentos abren una serie ilimitada de lecturas posibles («El orden de factores no altera el producto»). Tal posibilidad se atisbaba ya en *Juan sin Tierra,* aunque condicionada por la salida del personaje, y en *Makbara,* limitada por el marco narrativo del halaiquí, pero es en esta última obra donde el diferente orden de lectura ofrece perspectivas cambiantes del héroe y es un camino por donde el autor aún puede profundizar.

También es novedad importante apuntada en *Paisajes* la sensibilidad, de la que Juan Goytisolo ya antes había desarrollado el sarcasmo. Desde la frase «oh tempora, oh moros» de *Reivindicación del conde don Julián* (o el peán al Coño) hasta *Paisajes*, la ironía distanciadora ha ido creciendo y contrapesando el predominio de la angustia, de la que era una forma de superación. A la pasión sarcástica se le suma en esta última novela la ternura, que no afirmaré que domine, pero es palpable. La entrega amorosa que Álvaro y Dolores mantienen en *Señas de identidad* retorna en *Paisajes* mediante una serie de rasgos que culminan en el fragmento «A ella», recopilación de la atención prestada en el texto al cambio de sensibilidad que se opera en el entorno y que, relacionada con el desgarramiento del personaje, tampoco resulta clausurada, sino un posible punto de partida para futuras creaciones.

Junto a la presencia de novedades importantes, se percibe también la matizada permanencia de líneas anteriores. Matizadas, no idénticas, lo que le añade valor. Si *Juan sin Tierra* contenía textos alusivos a referentes externos (por ejemplo, King-Kong) que permanecen en *Makbara* (como los lenguajes comerciales o políticos), *Paisajes después de la batalla* amplifica esta técnica. La ironía que encierra el fragmento «Teologismo dialéctico» al referirse a la conferencia sobre las excelencias de los dirigentes albanos crece con el recuerdo del oscuro episodio en el que el presidente de este país mata a tiros al primer ministro en una reunión del gabinete, según pudo leerse en la prensa, por divergencias políticas, y la sarcástica ósmosis pueblo-líder degenera con el despotismo nada ilustrado que narra en «Egocentrismo democrático». Causticidad, pues, sobre el poder y la teologización de la actividad política esclerotizada en dogmas rígidos, mordacidad sobre el chovinismo y el racismo, sobre la sexualidad y la represión histórica: «abarca el espacio geofísico y cultural; el pasado, presente y futuro» (p. 171).

6. TIPOGRAFÍA

La utilización de recursos tipográficos ha sido siempre abundante, desde los diferentes tipos de letra hasta las interlíneas, espacios en blanco, etc.

En las novelas de Juan Goytisolo resalta, en su primera etapa, el uso de la bastardilla, que destaca un elemento que el autor considera importante. Hay dos tipos, interna y externa. La bastardilla interna es la que hace notar una reflexión (del personaje o del narrador) o unas palabras. Así, se utiliza para indicar la intensificación en una gradación («Cuidado. *Cuidado*»)[137], para dar relevancia a un comentario («Eran *reales y horribles*»)[138], y muy frecuente y especialmente para destacar un pensamiento que el autor considere fundamental[139]. Se realiza así una llamada de especial atención al lector.

La bastardilla externa se utiliza en palabras que no forman parte de la conciencia, que son términos que se reciben de otros medios, como los informes[140], lo escuchado por la radio[141] y los apodos o extranjerismos[142]. Su empleo más claro de orientación al lector se produce cuando separa lo que el personaje oye de lo que está pensando, como sucede

[137] *Juegos de manos*, p. 54.
[138] *Ibid.*, p. 57.
[139] En *Señas de identidad,* los recuerdos del pariente cubano, página 403.
[140] El «Diario policial» de *Señas,* en el cap. IV.
[141] «*Canten, canten, compañeros*», en *Duelo en El Paraíso,* página 108.
[142] *El Canario (El circo,* p. 90), *travesti (La isla,* p. 51).

en el desmayo de David, donde se subrayan los comentarios de las vecinas para diferenciarlos de la corriente de conciencia del muchacho, o resaltar el diálogo de Dolores con sus sobrinos frente al pensamiento de Álvaro [143]. Este tipo de letra desaparece a partir de *Señas.* Su función es redundar sobre lo que el autor considera importante por remarcar o contrastar.

Las mayúsculas también tienen dos funciones. Las mayúsculas externas reflejan impresos, epígrafes: EL REALISMO ES LA CUMBRE DEL ARTE *(Juan sin Tierra,* p. 271). Las internas aparecen sólo en la primera etapa e indican una gradación: Cuidado. *Cuidado.* CUIDADO *(Juegos de manos,* p. 54). Ocasionalmente se utiliza la frase-contenido: «Chico-pobre-del-barrio-de-las-barracas» [144]. También emplea lemas en el inicio de la novela o de un capítulo. Así, el poema de A. Machado, «El mañana efímero», que da nombre a la trilogía; o los lemas de los capítulos de *Reivindicación.* Su función es orientar al lector sobre el sentido del texto y un homenaje al citado. Similar función tienen los títulos de los capítulos III y IV de *Juan sin Tierra:* unos, en castellano, introducen el tema; otros, en latín, funcionan irónicamente por antífrasis.

A partir de *Señas de identidad* se inician una serie de recursos más novedosos e importantes. En *Señas* desaparecen los signos de puntuación cuando reproduce el discurso de las Voces. A esto se le añade el uso del versículo a partir de la página 344. En *Señas* se emplea en los momentos líricos e intimistas. Pero en *Reivindicación,* novela que no tiene nada de objetiva y externa, su uso abunda en diálogos (p. 119), enumeraciones (p. 46), pensamientos (p. 210). En esta novela el versículo indica una temática más íntima y desgarrada, más apasionada. En *Juan sin Tierra* su empleo disminuye por ser más irónica y distanciadora.

El empleo de admiraciones e interrogaciones sólo al final («perverso?: peor, mucho peor! », *Juan sin Tierra,* p. 87) resulta un calco galicista, pues carece el castellano de los

---

[143] En *Juegos,* p. 187, y *Señas,* p. 344, respectivamente.

[144] Señalado por S. Sanz Villanueva, *Tendencias de la novela española actual,* ob. cit., p. 278. La cita es de *La resaca,* p. 53.

cambios sintácticos propios de la interrogativa francesa. Sí está justificada la ausencia del punto y aparte y de las mayúsculas, pues indican una continuidad en el discurso y se complementa con los espacios en blanco que señalan el cambio de tema o de perspectiva, propio del punto y aparte, lo que facilita la comprensión del lector [145]. También en las dos últimas novelas se emplean profusamente los dos puntos como sustitutos del punto y coma y del punto y seguido. Su origen podría estar en una novela de Jacques Henric, *Archées*, editada por Seuil en 1969, editorial bien conocida por Juan Goytisolo, en la que colaboraba Ph. Sollers.

El autor se sirve de todos los recursos que le ofrece la tipografía con una finalidad concreta, bien sea la de orientar al lector en la novela siguiendo las técnicas de su primera etapa, o bien por una motivación novelística, es decir, una necesidad literaria, como el empleo del versículo o la ausencia de mayúsculas.

---

[145] La ruptura de la puntuación tradicional la considera Ignacio Soldevila «al servicio de una esencial intención destructora». *La novela desde 1936*, Madrid, Alhambra, 1980, p. 248.

7. EL COMBATE CON EL IDIOMA

«El arte del novelista radica en hacer que objetos y personajes imaginarios, que en sus relaciones recíprocas constituyen un mundo que no es una simple imitación del mundo real, sino una interpretación posible del mismo, tal como aparece a sus ojos, se conviertan en objetos y personajes: el mundo posible de diez mil lectores y que sean vistos de la misma manera por todos ellos» [146]. La cita ilustra la inquietud fundamental de Juan Goytisolo a lo largo de su primera etapa: la denuncia de una situación y la puesta en práctica de todos los recursos novelísticos para efectuarla. Parte esencial de este testimonio es el lenguaje y, sin embargo, pocos son los momentos en que este autor se preocupa por exponer sus teorías sobre este aspecto, pues da prioridad siempre en sus ensayos a los temas.

En el ya citado libro *Problemas de la novela,* tres aspectos destacan: primero, el núcleo estilístico radica en la frase «los personajes hablan como la vida misma» [147], lo que nos lleva al segundo aspecto importante, la relevancia que el diálogo adquiere en estas novelas de realismo social. Se busca un estilo donde predomine la transcripción de lo cotidiano y no se falsea la realidad con psicologismos, pues esta descripción viene confirmada por el aforismo «la verdad es revolucionaria». El lector debe ver contar, no oír comentarios del narrador. Para lograr la objetividad que posibilite

---

[146] *Problemas de la novela,* p. 120.
[147] *Ibid.,* p. 24.

una toma de postura libre ante lo narrado, se utilizará la tercera persona. En este tercer aspecto no puede descartarse el monólogo interior, reacción contra la prosa academicista.

Puede notarse que el esquema teórico de análisis del estilo es de una gran sencillez. Se busca, fundamentalmente, más un alejamiento del arte deshumanizado de Ortega que una verdadera formulación de principios. De hecho, es mayor la práctica que la teoría y dentro de ésta se hace hincapié en los aspectos más generales y cara al lector más que a la propia obra literaria. Se aprecia una voluntad de estilo a lo largo de la primera etapa novelística de Juan Goytisolo, caracterizada por la sencillez expresiva y la sugerencia con las reiteraciones múltiples de los términos considerados claves en cada novela. Esta voluntad se coloca al servicio de los temas ya tratados, por lo que la práctica de la escritura se realiza más de forma sistemática que producto de una reflexión sobre la misma. Resulta lógico por el deseo de estar firmemente asentado en el suelo, de que el novelista sea un nuevo Anteo que recoja su fuerza del mundo circundante. En estas circunstancias, la teorización sobre la lengua no tiene cabida más que en términos muy generales, más para proscribir que para prescribir nuevos modelos. Se considera por parte de Goytisolo que ya la picaresca ofrece suficientes modelos como para constituir una nueva literatura nacional y popular, similar a la desarrollada por el neorrealismo y los autores norteamericanos, rompiendo los moldes contemplativos de la narrativa francesa. Basta, en consecuencia, con reflejar el mundo de los desheredados, su lenguaje, para realizar esta novela. El planteamiento, sin embargo, se iba a revelar pronto insuficiente, pues incluso en este caso era necesario crear, producir un lenguaje no copia, sino creación sobre lo popular. Por otro lado, el poco aprecio del estilo supuso la caída en una serie de frecuentes deslices y errores estilísticos [148].

Desde la aparición de *Juegos de manos*, toda la crítica hizo hincapié en las dudosas construcciones gramaticales y

---

[148] Que no tienen nada que ver, como ha afirmado Torrente Ballester en su *Panorama de la literatura española contemporánea* (Madrid, Guadarrama, 1965), con el catalán, lengua que nunca habló Juan Goytisolo ni es la suya materna (p. 528).

en los errores de Goytisolo, y continuaron a medida que se publicaban sus restantes novelas, hasta el punto que el autor decidió incluirlas en el pliego de cargos de *Juan sin Tierra,* acusaciones que los críticos habían ido acumulando y que el autor lamenta que fuesen empleados en su contra por motivos, en ocasiones, extraliterarios. De los errores menciona: «*a)* abuso de extranjerismos, *b)* falta de rigor lingüístico [...], *h)* estilo cada vez más incorrecto» (pp. 287-288). Éstas son las acusaciones estilísticas. El resto corresponde a los enfoques, contenidos, etc.

Ciñéndome a *Juegos de manos* y *La isla,* creo poder señalar cuatro grandes grupos de errores o incorrecciones: el abundante empleo de comparaciones mediante el adverbio «como», el uso incorrecto del pronombre demostrativo «ese» y sus variantes, el régimen preposicional y el empleo de palabras inadecuadas.

No puede considerarse incorrecto, pero sí estilísticamente muy pobre y causa de una notable lentitud, el reiterado empleo del adverbio comparativo «como». Es uno de los rasgos de estilo más desafortunado de este autor, ya que la misma estructura de la frase limita la originalidad de la comparación, haciéndola caer incluso en la vulgaridad. Tanto más que en este campo no se aprecia ningún progreso de una obra a otra, y sí un claro descuido estilístico que no disculpa el hecho de que este tipo de novela, su concepción, finalidad y supuestos lectores no permitían ninguna floritura [149].

También es incorrecto el empleo del pronombre «ese» utilizado muchas veces en lugar de «este» [150], aunque mayor importancia tiene —cuantitativa y cualitativamente— el tratamiento defectuoso de las preposiciones. Podemos encontrar la ausencia de una preposición cuando su uso sería obligatorio [151], empleos erróneos [152]. Siete años después, el autor

---

[149] «Flotaba como un insecto ebrio» (p. 142), «hinchado como un balón de aire» (p. 186). Incluso son de significado erróneo: «Restallaban como pompas de jabón» (p. 220), todos ellos en *Juegos de manos.*

[150] «Un día de esos habrá guerra», *La isla,* p. 136.

[151] «La estrechez moral ambiente», *Juegos,* p. 68.

[152] «En torno de la mesa», *Juegos,* p. 225.

sigue incurriendo en las mismas faltas: ausencia de preposición [153], presencia innecesaria [154], empleo incorrecto [155], junto con el leísmo [156], ciertos usos pronominales [157] y errores en el significado de las palabras [158].

He de hacer notar que la mayor parte de estas deficiencias se encuentran en los lugares más narrativos de su obra, como diálogos y descripciones, mientras que en los monólogos interiores, donde se concentran el pensamiento y concepciones del personaje ante la vida, desaparecen casi totalmente, lo que indica que Goytisolo cuidó más la ideología de sus personajes que su presentación y lenguaje. Posiblemente, pulió y reformó más veces esas partes teóricas y consideró suficiente la primera escritura de diálogos y descripciones, que debía resultarle más fácil.

Los barbarismos no son tan abundantes como las acusaciones podían hacer prever. En *Juegos de manos* hay un italianismo, «gigolós» (p. 123), un galicismo, «matelot» (p. 122) y algunos anglicismos: «cocktails» (p. 118), «barmen» (página 118), «barman» (p. 178), «tennis» (p. 173). Todos estos términos vienen entrecomillados o en bastardilla, lo que demuestra un empleo consciente, tal vez como un recurso más de ambientación [159]. Quizá por este motivo abunden en *La isla.* También aquí encontramos italianismos, «travesti» (p. 51), «minuta» (p. 103); galicismos, «zazous» (p. 20), algunos castellanizados («gurmés», p. 103), y, sobre todo, anglicismos: unos castellanizados, como «jai» (p. 110), «roquenrol» (página 113), «sexapil» (p. 142), «uisquis» (p. 15), otros en el idioma original: «cover girl» (p. 87), o híbridos, como «spich» (p. 105). Algunos de estos términos son empleados en el

[153] (El niño) «le tiraba la pelambre del pecho», *La isla,* p. 159.
[154] «Caen sobre aquí», *La isla,* p. 32.
[155] «Muchachas en dos piezas», *La isla,* p. 14.
[156] «El temblor le vendía» [a Dolores], p. 42.
[157] «Se me daba igual», pp. 75, 78, 102, 126.
[158] «Examinarme de pies abajo», p. 60.
[159] Respecto al abuso de voces extranjeras, para el profesor Zamora Vicente «de esta misma seudocultivada y deslumbrada clase social ha surgido la actitud de vendida beatería ante las voces extranjeras», *YA,* 20-II-77. Para I. Soldevila, el uso del anglicismo en *Reivindicación* «subraya el aspecto neocolonizado que ofrecen en esa sociedad viejos mitos» (ob. cit., p. 298).

diálogo, lo que marca la clase social del personaje, pero otros no son justificables. Sin embargo, estas palabras no pueden considerarse un defecto estilístico, sino la constatación en la novela de un fenómeno desdichadamente extendido en el español actual. Se trata de reflejar lo más fielmente posible el lenguaje «externo» o referencial que le sirve de modelo en unas obras donde el «reflejo» era más importante que la creatividad literaria; pero pronto comienzan a verse sus limitaciones y la falta de valor creativo que encerraba tan poco cuidado formal [160].

«Las necesidades de la lucha política impone la utilización de un lenguaje que comienza a desteñir» [161]. Esta afirmación marca el comienzo de una etapa de reflexión cada vez más intensa sobre la expresión literaria. Al mismo tiempo que medita en *El furgón de cola* (que recoge ensayos entre 1960-1966) se nota una preocupación estilística más intensa. Por primera vez aparece la idea de descreación, la necesidad de arrumbar lo antiguo y edificar con los materiales derribados una nueva forma: se trata de unir la ironía de Larra, apartándose de una seriedad engolada, con la imprecación cernudiana y el dramatismo de la situación para alcanzar un lenguaje tenso que muestre las nuevas realidades. Goytisolo decide apartarse de la idea de la literatura como reflejo, fotografismo mecánico, y explorar «la realidad irreal del lenguaje» (p. 36) dentro de una novela experimental donde la tensión entre contrarios, la dialéctica literaria se transforme en poesía, en base del conocimiento de las contradicciones en que se desenvuelve el hombre, especialmente el español de hoy. Para ello es preciso alcanzar una creatividad lingüística oscilante entre la lengua oficial, ideal, y el habla efectiva y real.

En la práctica, este camino lo emprende con la serie de relatos *Para vivir aquí* (1960), *La isla* (1961) y *Fin de fiesta* (1962). Por la fecha de su publicación puede apreciarse que coinciden con el núcleo central de sus ensayos. El primer

---

[160] «Los recursos utilizados para este propósito (de denuncia) son concebidos más como mero vehículo que como fin en sí», según Gonzalo Navajas, *La novela de Juan Goytisolo*, Madrid, SGEL, 1979, p. 92.

[161] *El furgón de cola*, p. 167.

libro está escrito entre 1957-1959 y señala un proceso de cambio en la perspectiva sobre las novelas. Nombres como Dolores y Alvarito apuntan hacia *Señas de identidad,* así como los paisajes almerienses. Pero lo importante es el empleo de la primera persona, que conduce a una constante reflexión sobre el papel que el personaje-narrador desempeña en la sociedad, su valor humano y alejamiento disconforme de una sociedad sin sentido ni valor, especialmente en el relato «Aquí abajo».

El dramatismo irónico se acrecienta en *Fin de fiesta.* El lenguaje tiende a resaltar los contrastes [162]. El lenguaje culto contrasta con el popular y el abandono existencial en que se debaten los personajes, principalmente en el relato «Segundo», lo acerca y casi identifica con *La isla.* La perspectiva de primera persona es el elemento fundamental que le lleva al autor a denominar relatos estos tres libros, apartándoles de la novela objetivista en tercera persona. En conjunto, los relatos funcionan como un puente estilístico entre sus novelas de la primera etapa y las de la segunda. Se aleja de la idealización que el realismo había hecho del pueblo español para acercarse más a sus conversaciones cotidianas, a sus limitaciones y contradicciones. Supone, pues, una ironización por contraste con el ensalzamiento anterior. La aproximación resalta la barbarie e incultura y el vacío despectivo, ambos llenos de apriorismo. En medio, el relator se asombra y maneja con esta oposición. A partir de aquí, se dan los componentes necesarios para el dolor y la desvinculación, ejes de sus novelas posteriores, para los que deberá buscar una forma de expresión acorde [163].

El simultanear la práctica literaria de la primera persona en los relatos con el empleo de una perspectiva cercana, interiorizada, también en primera persona, en un libro de

---

[162] «En la cima, los nichos reverberaban al sol como bloques de pisos modernos y enigmáticos. Más abajo, las chabolas escalaban la cuesta y trepaban hacia los panteones de mármol y los cipreses fúnebres. Una frontera ambigua separaba el mundo de los muertos del de los vivos» (p. 33).

[163] Según G. Navajas (ob. cit., p. 245), «el estilo evoluciona de lo realista galdosiano a lo barroco, dentro de una línea valleinclanesca», que Soldevila (ob. cit., p. 248) eleva a «superación libérrima del esperpento valleinclanesco».

viaje, *La Chanca,* conduce inevitablemente al abandono de la tercera persona anterior en una primera etapa y, posteriormente, al alejamiento del molde que suponía el empleo del imperfecto de indicativo en la narración. Este cambio estilístico se imbrica con un cambio temático. Sería imposible determinar si el tema, la nueva aproximación a la realidad, condiciona el cambio de estilo o si, por el contrario, es el nuevo estilo quien conduce a los descubrimientos de una realidad más profunda. Hay una dependencia total entre ambos aspectos y si, en un momento determinado, uno parece ser causa, en la página siguiente pasa a ser consecuencia. Pero lo que sí está claro es la inversión de papeles en la relación fondo-forma. La primera etapa está basada en los contenidos, y la lengua no es más que un vehículo ancilar. Tales temas, según ya apunté, partían de ideas preconcebidas, deduciendo de ellas una aplicación individual que la realidad objetiva, no teórica, española se encargó de desmontar: la lucha ininterrumpida del pueblo español por su libertad. De este realismo casi filosófico y medieval se pasa en Juan Goytisolo a lo que, siguiendo un símil filosófico, podíamos denominar nominalismo, es decir, una mayor inquisición sobre la realidad, una profundización en el entorno sobre el individualismo, un superior empirismo sobre el mundo circundante, una creciente inducción que, en *Señas de identidad,* comienza por romper esquemas temáticos, se refleja en la alternancia estilística entre la primera y tercera persona, con cambios bruscos, mostrando el proceso de construcción novelístico y del lenguaje, dejando deliberadamente al aire pruebas palpables de los cambios para concluir en una novedosa y tensa segunda persona, necesaria [164] para la expresión de la desposesión personal, y en unos versos narrativos conformadores de la base de una escala de valores diferente, crítica con la sociedad y con la teología marxista, defensora de la individualidad en un mundo tendente a la masificación. Este nuevo estilo necesitaba crearse otro público, superando las barreras que el propio idioma

[164] «Cumple una triple función: explora las inmensas posibilidades de la sintaxis, le permite al autor cierta intervención subjetiva en la narración y expresa el desgarramiento interior». Levine, ob. cit., p. 83.

impone: «me refiero al obstáculo de expresar un pensamiento libre en un idioma, que, anquilosado durante siglos por el celo de nuestros censores, se adapta difícilmente al ejercicio de dicha libertad» [165]. La moral utilitaria de oposición política de su etapa anterior deja paso ahora a una nueva tensión propia de un escritor: la provocada por la dualidad denuncia-estilo, una nueva «praxis» literaria donde el componente esencial es el lenguaje que el propio novelista debe crearse, forzamiento idiomático para realidades profundas y textos autosuficientes, sin necesidad de referirse a elementos externos, siendo la creación literaria referente suficiente. Para ello, el autor se irá desprendiendo progresivamente de la discursividad, la lógica preceptiva y de la verosimilitud decimonónica en la composición de los caracteres y situaciones. La lengua actuará por su lógica interna, comenzando por la metonimia y la metáfora, con las similitudes por contigüidad, dando fundamento a un barroquismo donde exclamaciones, unión de contrarios, ironía, una dificultad y tensión creciente son un verdadero homenaje a la inteligencia del lector y un desafío lleno de sugerencias a la capacidad del público. El autor se sale de los esquemas al uso y la imposibilidad de petrificarle en una escuela literaria provoca la repulsa de lo no encasillado, ataque a la comodidad mental y aguijón de la pereza intelectual. Su obra se convierte en una constante provocación.

Como toda obra literaria, se vincula a un corpus literario precedente, la provocación rebasa la estructura de la propia novela para teñir e iluminar con diferentes colores a los habituales a los precedentes. De esta forma, la nueva novela, como *Reivindicación del conde don Julián*, adquiere una dimensión creadora como literatura, pero también crítica, en un doble aspecto: ruptura de las opiniones literarias sustentadas hasta ahora de las obras precedentes, que se revisan al mismo tiempo que se relacionan con la nueva obra por medio de la intertextualidad, y autocrítica de la misma creación con las autoalusiones y motivos reiterados, fundamentalmente el salto narrativo que supone el surgimiento

[165] «Presentación crítica», ob. cit., p. 23.

del propio narrador comentando su obra, demiurgo que rompe los moldes de alejamiento y se aproxima a su criatura para glosarla.

De hecho, a partir de *Reivindicación* Juan Goytisolo acentúa su distanciamiento con los valores consagrados por la educación y la historiografía tradicional, especialmente lo referente a los silencios deliberados y los panegíricos exaltados. Para ello, su lenguaje novelístico se convierte en lo que, procedente de Shakespeare y Faulkner, denomina «el zumbido y la furia» [166] del discurso literario que se aleja del razonamiento lógico tradicional para convertirse en una constante traición.

Se ataca, en primer lugar, la estructura mental del lector. La obra se ordena de acuerdo con reglas desconocidas, alejadas de los esquemas tradicionales y con temas procedentes de una nueva visión del cuerpo humano. El enfoque único es sustituido por la variedad de perspectivas. Sin solución de continuidad, *Juan sin Tierra* pasa de textos de la *Crónica general* a los comentarios del narrador, de la imaginación a la crítica social, acompañado de un trastrueque temporal que oscila entre el siglo XI y el momento actual, o los cambios espaciales que nos conducen de las cloacas al desierto o al cielo en *Makbara*. La novela es un discurso que se desarrolla ante los ojos del lector, no una historia de hechos acaecidos. Esto le acerca a la poesía en el proceso de descubrimiento y creación progresiva del objeto tratado, que es, fundamentalmente, el cuerpo y la libido en una libertad ociosa: «erotismo no, acto procreador; derroche no, economía; juego de escritura, barroquismo, figuras retóricas, *vade retro!*: pura información, lenguaje denotativo» [167]. La antífrasis de la cita indica hacia dónde camina el combate con el idioma. Frente al realismo referencial, Goytisolo opone la autonomía del discurso con una «estética de oposición» contra la rutina, con un personaje, sea Vosk o el paria, que es un simple lenguaje sin más realidad que las

[166] *Disidencias*, p. 23. Cf. también Corrales Egea: «Cambio de ritmo», en *Norte*, Amsterdam, núms. 4-6, julio-diciembre 1972, y J. M. Castellet, «Juan Goytisolo contra la España sagrada», en *Literatura, ideología y política*, Barcelona, Anagrama, 1976.

[167] *Disidencias*, p. 58.

palabras, que cambia de nombre y adopta figuras diversas ante la atónita mirada del lector, que ve así contrariados sus hábitos, en un juego de figuras cambiantes y sugerentes.

El vagabundeo creativo se concreta en el barroquismo regocijado del cuerpo recuperado a través de los términos más crudos (incrustados como trozos de hielo en la roca del idioma literario), de las alusiones más sugestivas, de las series metonímicas (falo-garrocha-bastón-poder), de las elisiones o de la recuperación del lenguaje carnavalesco. Toda una montaña de recursos inhabituales para hacer de cada novela un punto final que obliga al escritor, si desea seguir creando, a escarbar más profunda y dolorosamente en su mente y en el mundo por el lenguaje conformados.

Si *Paisajes después de la batalla* tiene concomitancias incluso con *Juegos de manos* (las caretas del narrador recuerdan las de Tánger, con la lógica diferencia de que median entre ambas otras nueve obras y más de un cuarto de siglo) y la soledad del personaje es tema constante de toda la novelística de Juan Goytisolo, si aparenta menos desgarro que *Reivindicación del conde don Julián,* menos introspección que *Juan sin Tierra* y más endeblez compositiva que *Makbara,* es eso apariencia simple, porque en esta obra se sigue encontrando lo que hace a un verdadero escritor, la exposición de sus heridas más íntimas, apasionamiento para el que ha encontrado una forma literaria adecuada (nueva) que es puerta de futuras creaciones.

La relación intrínseca entre fondo y forma la ha expresado recientemente Juan Goytisolo:

> «Plasmar por escrito la realidad excluida por la codificación literaria implica, en consecuencia, una aventura liberadora, tanto en el campo de la moral como en el del lenguaje [...] La subversión lingüística, inherente al progreso histórico de la literatura, se acompaña de una subversión en el campo de la percepción de la vida y nuestra experiencia concreta de ella» [168].

---

[168] Juan Goytisolo, «Una autobiografía marroquí», *El País,* 19-III-1982.

APÉNDICE

1. Documentos. La censura y la obra de Goytisolo

Consideraciones sobre la censura

Dos etapas hay que distinguir en la actuación del Ministerio de Información y Turismo con respecto a las novelas. La primera corresponde hasta el 19 de marzo de 1966. En esta época la censura era obligatoria, y el Ministerio, previo informe del lector y con la firma del Director General, autorizaba o denegaba la publicación de un libro. Para la consulta se podía enviar el libro, aunque era más normal el envío al Ministerio de las galeradas o la copia mecanografiada, para poder suprimir con facilidad lo que dijese la Administración.

En un segundo momento, desaparece la censura según ley de 18 marzo de 1966 (BOE del 19), conocida como «Ley Fraga», y se establece la consulta voluntaria al Ministerio. El editor depositaba seis ejemplares de la obra y retenía la difusión del libro a razón de un día laborable por cada 50 páginas a partir de la fecha de presentación. Si el Ministerio consideraba que existía delito, el libro pasaba al Juzgado, que disponía la actuación a seguir (secuestro, publicación, etc.). Las anotaciones hechas por el lector eran sometidas a la consideración del Director General, responsable directo de lo que debiera hacerse (autorizarlo o enviarlo al juzgado). Una posición intermedia era la del silencio administrativo, que permitía la publicación de la novela, aunque suponía que la Administración consideraba dudoso el contenido, que podía ser delictivo. En esta segunda etapa se encuentran ya una mayor cantidad de libros para difundir *(Señas)*, aunque también copias mecanografiadas, *Juan sin Tierra* y ediciones publicadas antes en otros países y que serán el original, como sucede con *Reivindicación*.

Pese a ser una consulta voluntaria, se me informó en el Ministerio que hasta 1976 el 95 por 100 de los libros pasaban esta prueba con el fin de guardarse, dentro de lo posible, de posteriores responsabilidades administrativas.

Informes dados por la censura sobre libros de Juan Goytisolo

Problemas de la novela: «Ensayo que, como el autor dice, responde al propósito de estudiar los aspectos y problemas de la creación literaria desde el punto de vista de su motivación social. Nada fundamental que objetar. Puede autorizarse» (9 octubre 1958).

Campos de Níjar: «El autor relata un viaje por Almería lunar, sedienta y desértica. La Almería concretamente, de las zonas de Níjar y de Sierra de Gata, donde el paisaje y los hombres viven petrificados y como en ausencia. Puede autorizarse.»

La isla: «Informe por el lector padre Miguel de la Pinta Llorente:

La isla, por Juan Goytisolo. Una historia de once días vividos por un matrimonio en la Costa del Sol, acompañados por españoles y extranjeros turistas, que resultan ellos y ellas una pandilla de degenerados, sin pautas morales. La novela ambienta la clásica región española, y es tal cúmulo de obscenidades que resulta imposible su publicación. Todo se reduce a barbaridades de expresión y a fornicar. El censor que suscribe ha marginado casi 169 pasajes. No debe publicarse» (Madrid, 27 de junio de 1960).

«Informe por el lector padre Saturnino Álvarez Turrenzo:

Novela. *La isla* es la colonia veraniega de Torremolinos. Desde el principio hasta el fin es una sucesión de ocurrencias burdamente obscenas, de escenas naturalistas, de adulterios tan frecuentes y naturales como si eso fuera la vida de todos, de embriaguez y descaro. Incluso se permite en ocasiones insinuaciones malévolas sobre la Cruzada española, sobre la jerarquía eclesiástica y civil y sobre algunos de sus representantes más destacados. En resumen, se trata de una novela morbosa y absolutamente falta de principios. No puede autorizarse» (Madrid, 22 de julio de 1960).

Fue denegada la publicación con fecha 27 de julio por el Director General. En el apartado donde se pregunta si se trata de personas que colaboran o han colaborado con el Régimen, hay escritas unas letras y números. Desconozco su significado, aunque podían responder a una ficha.

Pasajes anotados por el lector de la censura en La isla. *Las páginas corresponden a la edición de Mortiz, 1975.*

Cap.	*Págs.*	*Línea*	*Desde*	*Hasta*	*Tema**
I	16	2-9	Está transformado	Los hombres son maricas	S
	21	12-22	Él le tocaba	era frígida.	S
	23	35-36	Tiene un cuerpo salvaje		S
	24-25	35-7	Quien más	acostado con ella.	S
	26	13-15	Déle usted	su propio padre	E
	32	13-25	Un día quemamos	vino detrás de mí	P
	42	11-13	Hay que provocar	¿verdad, Claudia?	E
	43	14-27	Poco a poco	desprecio y egoísmo.	E
	56	12-16	anunciaros que	¿verdad, Sergio?	S
	57	20-21	Si este imbécil	Vallone	S
	62-63	21-5	Atención	Alonso Mela	P **
	67-69	3-2	El agua estaba	también a mí...	S
II	73	15-23	Me miraba	Gracias, hermana	S
	74	18	llegao ***		
	83	30-31	comprendí	juntos	S
	85	6-23	Nos sentamos	todos los hombres...	S
	91	4-7	Ayer me acosté	Quitapenas	S
	92	6-11	Tendrías que acostarte	en paz	S
	93	1-12	Es un sitio	no haré nada	S
	94	7-10	La obscenidad	de pies a cabeza	S
	94	18-19	El mar	en el agua	S

* Claves: s=sexual, p=político, e=ético.

** En el texto original mecanografiado el nombre del teniente general es de Camilo Alonso Vega. Otro cambio curioso entre el original y la obra publicada es la aparición en esta última, en el encabezamiento de la carta de Enrique, el de «XXI año triunfal» (p. 18), que establece un importante e irónico contraste entre propaganda y la realidad del grupo.

*** Parece estar subrayado por considerarse una errata. El lector no consideró en este caso que se trata de una transposición fonética del lenguaje popular. Éste es el único caso.

Cap.	*Págs.*	*Línea*	*Desde*	*Hasta*	*Tema*
	95-94	34-5	Ellen contó	acariciarse el cuerpo	S
	95-96	34-2	Román reapareció	delante de todos	S
	105	5-8	al llegar a Málaga	de las parejas	S
	105	26	violado		S
	107	11-12	su esposa	siempre horrendas	S
	107	31	Porque no me sale de los huevos		S
	109-10	21-14	Enrique Olmos	en el Cristina	S
	111-3	29-24	¿A mí?	y escanció	S
	116	13-22	Ningún hombre	¿me oyes?	S
	119-20	18-4	No tiene dignidad	a la cama	S
III	121	1-15	Había amanecido	para lesbiana	S
	123-4	24-22	Gregorio, tú	Como en el cine	S
	126	13-35	Os he traído un amiguito	No, no estaría bien	S
	128	9-14	Laura dijo	Dijo Laura	S
	137	4-16	Las corridas me	¿no lo has traído?	S
	141	24-28	Bebimos otra vez	únicos serenos	S
	145	23-28	Mi mujé no es	por guste	S
	148-9	13-14	Él pareció leerme	soplando el terral	S
	150-1	13-25	En Casa Curro	de lo que soy	S
	160-1	29-15	Cállate —dije	que miento...	S

Pasajes anotados por el lector de la consulta voluntaria a Señas de identidad. *Edición utilizada, 1.ª, Seix Barral, 1976*

Cap.	*Págs.*	*Línea*	*Desde*	*Hasta*	*Tema*
I	40	23-33	aclamaban el paso	pieza de recambio	P
II	105	22-25	la comitiva	sucia guerra	P
	94	23-26	no me importa	esperanza	P
	100	7-14	que condenaba	ustedes saben	P
	100-1	31-11	en Madrid	de la situación	P
III	110	2-6	Evocados	Frente Popular	P
	111	28-30	noticias y bulos	Ejército nacional	P
	116	13-21	—¿Cree usted...	tienen miedo	P
	119	18-19	vuestro destino común	sombrío	P
	120	8-22	—No exagero.	pequeña muerte?	S
	123	32-36	Los fusilados	por los hombres	P
	144-5	4-27	Compuesta	sobre los olivares	P
	148	12-21	Nicolás García	¿agoniza aún?	P
	150	29-32	—¿Qué coño...	en medio del pecho.	P
IV	202	30-32	En fin	hablar libremente	P
	214-5	34-5	—Des centaines	le diré	P
	215	21-23	—Mon frère	Espagne	P
V	289	1-12	el inevitable	se agudizan.	P
	296	11-24	Je voudrais	qui le ramollit	S
	298	2-5	Eh, tú	se la zumba	S
	306	7-9	sus anfitriones	a España	P
	310	15-17	unos meses	restablecidos	P
	313	21-25	—Mon général	dijo Álvaro	P
VI	356	1-12	estaciones y bocas	maldición de nacer	P
	371-3	26-17	milagro español	olvidadizo Occidente	P
	373	18-22	Así se expresaban	ciudades muertas.	P
	374	6-19	Poco a poco	ofrendando la vida.	P

Cap.	Págs.	Línea	Desde	Hasta	Tema
	394	23-26	los verdaderos catalanes	esclavos	P
	395	13-17	esta silla	ganar dinero	P
VIII	410	17-28	durante el reino	aceras muros	P
	411	10-13	se habían arrodillado	locura	P

Silencio administrativo

Exp. núm. 1817-76.

DOÑA MARÍA LUZ LAGO ARTIME, JEFE DE LA SECCIÓN DE LECTORADO DEL SERVICIO DE RÉGIMEN EDITORIAL DE LA DIRECCIÓN GENERAL DE CULTURA DEL MINISTERIO DE INFORMACIÓN Y TURISMO.

Certifica que por la empresa Editorial Seix Barral da «REIVINDICACIÓN DEL CONDE DON JULIÁN» de Juan Goytisolo con fecha 15-3-76; aplicándose a la misma el Silencio Administrativo: prescrito en el artículo 4.° de la Ley de Prensa e Imprenta y el artículo 4 del Decreto 759/1966, de 31 de marzo.

Pasajes tachados por el lector a la consulta planteada por Seix Barral para *Reivindicación del conde don Julián,* sobre la edición de Mortiz, México, 1970 (1.ª).

Cap.	Págs.	Línea	Desde	Hasta	Tema
I	23	11-16	contaminado	Boletín oficial	P
II	163				
	174	20-18	la muchacha	en el Coño	S
	182-6	8-8	la hispana teoría	luz de los focos	R
IV	207	22-31	jaculatoria	subnormal	R

Pasajes de Juan sin Tierra *anotados por el lector.*
Ed. Seix Barral, 1975.

Cap.	*Págs.*	*Línea*	*Desde*	*Hasta*	*Tema**
I	18	24-27	que empuña	defenderlo	P
	20	1	he cagado como una reina		P
	20-24	26-2	milagro, sí	las gracias	R
	45-46	17-7	los negros	su amor!	S
	51-55	21-3	eligiendo	Changó?	R
	57	12-15	amor mío	Colombófila	R
	59	9-12	te joderás	ni Redentor	R
II	75	18-29	mientras ellas	a la locura	R
III	110-1	24-8	muerte física	extraordinario!	P
	142	15-19	haga voraz-mente	ah!	S
	142-6	24-12	hay acaso	a dudar	S, L
	150-1	14-26	cette Afrique	Jesús	R
IV	186-7	25-3	Nuestro Señor	amén	R
	207-210	1-29	con el fin	monarquía	R
	212	3-9	entregándose	los autos	R
	210-224	1-4	un ejemplo	creer en Dios!	R
V	238-244	25-6	una de las	ilegal	P, S
	250-1	27-3	nosotros no	TSOB	S

* Claves: las vistas anteriormente y R=religión, L=literatura.

Pasajes del *Furgón de cola* (Ed. Seix Barral) anotados:

Señalados con guía de papel: *Introducción* y *Escribir en España.*

Subrayado en: y hasta ... sangre (p. 11, R).

La reacción en la guerra de 1936-39 (p. 14, P).

Ante la España negra en el poder (p. 14, P).

2. Resumen de las obras

Para poder seguir este estudio con comodidad, creo necesario recordar la trama de cada novela en un breve resumen que pueda resolver algunas dudas de nombres o episodios.

Juegos de manos, Barcelona, ed. Destino, 1969[4] (1.ª ed., 1954).

Una pandilla de jóvenes decide romper con el mundo que les rodea. Para ello preparan el asesinato de Guarner, hombre que representa la concepción de la vida odiada. El blanco lo ha propuesto Ana, de origen humilde y con complejos desde la infancia; el golpe lo decide Agustín Mendoza, jefe del grupo, muchacho rico que desea salir de la vulgaridad; el asesino será David, muchacho sin carácter, que ha sido engañado por sus compañeros (Luis Páez, que le pide que haga algo grande; Gloria, hermana de Luis, que quiere verle hacer una hombrada, y Tánger, que hace trampas a las cartas, para que pierda David y sea el asesino). Así, todo le fuerza a David a matar a Guarner, pero falla en el último momento, y su amigo Agustín Mendoza, ayudado por Luis Páez, se encarga de matar a David como castigo y forma de romper con el pasado.

Duelo en El Paraíso, Barcelona, ed. Salvat, 1971 (1.ª ed., 1955).

El soldado republicano Elósegui descubre el cadáver de Abel en el bosque. Recuerda cuando le conoció, a su llegada a la finca de «El Paraíso», y esto le lleva a evocar sus relaciones con la maestra del pueblo, Dora. Elósegui se entrega a los vencedores y éstos tratan de esclarecer el asesinato. Para ello inician la persecución de los asesinos, niños de la escuela que juegan a la guerra dirigidos por El Arquero. Cuando los capturan se enteran de que lo ejecutaron por faccioso. Avisada la tía de Abel, doña Estanislaa, rememora el carácter y figura de Abel, tan parecido a sus hijos muertos.

Se plantean así tres ambientes diferentes basados en los recuerdos: las relaciones de Elósegui y Dora; el ambiente de la familia de Abel en «El Paraíso», vieja mansión llena de recuerdos del pasado y la vida alegre y movida de los alumnos de la escuela, de los cuales destaca Pablo, que será el mejor amigo de Abel hasta que escapa a Barcelona.

Trilogía «El mañana efímero».

Fiestas, Barcelona, Destino, 1969[3] (1.ª, 1958).

En un barrio de Barcelona conviven en una casa una serie de vecinos. El centro es la familia de Pipo, niño que vive con su abuela y el profesor Ortega, maestro depurado que desea una escuela. Vecina de Pipo es Pira, niña fantasiosa que sueña viajar a Italia para encontrar el castillo en que vive su padre. Pira vive con un matrimonio viejo y amargado.

Pipo, en sus correrías, conoce al Gorila, marino que le toma afecto y le lleva con él a tascas, a pescar en el barco y a conocer a su amante. Gorila le cuenta su secreto: huye de la policía por el asesinato de un guardia civil. Pipo le promete guardar el secreto.

Ortega intenta inútilmente que le dejen enseñar a niños pobres y, por casualidad, el hijo de un amigo suyo, al que le ha dado una cita política, se encuentra con un homosexual. Creyéndose engañado, el muchacho abandona a Ortega, que se siente viejo y fracasado.

Pipo es emborrachado por un amigo policía y le cuenta el crimen del Gorila, que será detenido.

Pira decide ir a Italia con un peregrino francés y éste la asesina.

El circo, Barcelona, Destino, 1972[3] (1.ª, 1958).

Presenta el ambiente de un pueblo barcelonés donde vive Atila, chabolista amante de Juana, hija de buena familia. De Atila se enamora Celia, maestra que le propone la huida. Atila atraca y mata a don Julio, viejo adinerado que corteja a Celia.

En el momento posterior al asesinato, llega a la casa Utah, personaje excéntrico y lleno de deudas, sobre el que Atila hace recaer las sospechas, y que será perseguido por la policía. Mientras, Celia ha citado a Atila, pero éste se burla enviando a un amigo en su lugar.

La resaca, México, Mortiz, 1977 (1.ª, 1958).

Antonio vive en las chabolas cercanas a Barcelona. Allí conoce a Metralla, jefe de una banda de delincuentes juveniles, a los que se une para cometer robos y estafas. Pero esa vida no tiene salida, y Metralla le propone que robe el dinero preciso a una mujer que le protege y que le ha comprado a sus padres, para embarcarse hacia América. Entre tanto, un republicano, Giner, trata de formar una célula para luchar por la unidad de los obreros.

Llegan las fiestas de San Juan, y en ellas se envenena y muere la hija de Saturio, vecino del barrio que va a conseguir una vivienda por intermedio de un cura.

Antonio robará el dinero, pero se lo lleva Metralla, que es el que se va a América mientras él se queda en tierra.

Giner no logra su propósito, y ante el desahucio de Evaristo, viejo que se suicida por ello, grita a la policía, que lo detiene.

Saturio, ante la muerte de su hija, se desespera y emborracha, lo que le hace perder el piso.

La isla, México, Mortiz, 1975[2] (1.ª, 1961).

Claudia Estrada viene de París a Torremolinos a reunirse con su marido. Ambos se desprecian, pero deben convivir para guardar las apariencias. Claudia entra en el círculo de amistades de su marido, caracterizado por el constante aburrimiento y la falta de ilusiones de vivir. La actividad del grupo se reduce al continuo adulterio entre ellos, las fiestas y borracheras cotidianas en las juergas que celebran. Son un grupo cerrado, impenetrable para todo lo que sea acontecimientos externos. Destaca como personaje Dolores, vieja actriz caracterizada por su masoquismo y conciencia de su vaciedad.

Claudia se marchará de Torremolinos hundida definitivamente y con la conciencia de no poder abandonar esa vida.

Trilogía «Álvaro Mendiola».

Señas de identidad, Barcelona, Seix Barral, 1976.

Álvaro regresa a Barcelona tras su estancia en París. En la masía familiar encuentra una serie de documentos sobre los que reconstruye su vida y la causa de su exilio. Su niñez y la guerra con el asesinato de su padre, el paso por la universidad y las primeras luchas políticas, sus viajes por el extranjero y el sur de España, el acoso policial a los compañeros clandestinos con la brutalidad del pueblo español y el amor que encuentra en Dolores, todo ello le conduce a expatriarse en busca de unos aires más limpios y libres.

En París encuentra a los amojamados políticos exiliados y la miseria humana de la emigración. Unos, soñando una política inoperante; otros, recordando una patria folklórica. Nada le une ya a España, se siente sin raíces, apátrida, y, desde Barcelona, lamenta la atonía en que está sumido el país tras la guerra y opta por desvincularse de él definitivamente.

Reivindicación del conde don Julián, México, Mortiz, 1970.

Un personaje sin nombre (Álvaro) contempla España desde Tánger. Se dispone a romper los últimos vínculos con su antigua patria. Para ello procede a un ataque sistemático a los más queridos valores de ésta, a la tradición más represora: la literatura del honor, las quejas castellanistas de la Generación del Noventayocho, la represión sexual. Ridiculiza la vacuidad del concepto imperio, la sumisión política y todo lo que ayuda al estatismo, desde Séneca hasta los cuentos infantiles y la televisión. Se imagina invadiendo y arrasando España como un nuevo Tariq.

Juan sin Tierra, Barcelona, Seix Barral, 1975.

El narrador, Álvaro, viaja a través de la Historia en busca de algo que sustituya la perdida identidad, de un lugar donde enraizar. Encuentra la esclavitud de los negros cubanos en el ingenio de su bisabuelo, los autos inquisitoriales, el orgullo de la civilización occidental y su desprecio hacia lo que no sea blanco y cristiano: Turmeda, Lawrence de Arabia, etc.

En su análisis del presente observa un consumismo devorador de la vida personal, una incapacidad para disfrutar.

Todo ello le impulsa a abandonar la cultura occidental y vincularse a lo primario y terrestre, buscando en el desierto y el mundo árabe una libertad y apartamiento de la institucionalización.

Makbara, Barcelona, ed. Seix Barral, 1980.

Un halaiquí cuenta una historia con tres personajes. El paria que deambula por el mundo occidental y ridiculiza con su presencia y pensamiento el consumismo, la hipocresía e incomprensión es admirado y temido por las mujeres, que le desean. El ángel que baja a la tierra desde el paraíso socialista en busca de un cuerpo, deseando alcanzar la plena felicidad no sólo con las ideas limitadas, sino también con el disfrute físico. Las voces oficiales, que les coartan a ambos, les estudian u ofrecen como espectáculo curioso sucesivamente.

Paisajes después de la batalla, Barcelona, Montesinos, 1982.

Un personaje polimorfo deambula por el Sentier parisino. Obseso sexual, escritor en la prensa, activista político, corruptor de la lengua y las costumbres, todas sus facetas son una crítica sarcástica del universo occidental y de la literatura.